***ACCESO GRATIS** a la Lectura en la Nube*

Para visualizar el libro electrónico en la nube de lectura envíe junto a su nombre y apellidos una fotografía del código de barras situado en la contraportada del libro y otra del ticket de compra a la dirección:

ebooktirant@tirant.com

En un máximo de 72 horas laborables le enviaremos el código de acceso con sus instrucciones.

INTELIGENCIA ARTIFICIAL, PROTECCIÓN DE LOS DERECHOS HUMANOS Y CRISIS DEL MULTILATERALISMO

INTELIGENCIA ARTIFICIAL, PROTECCIÓN DE LOS DERECHOS HUMANOS Y CRISIS DEL MULTILATERALISMO

Directora
Marta Hernández Ruiz

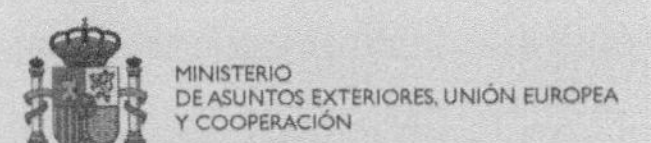

SECRETARÍA DE ESTADO
DE ASUNTOS EXTERIORES
Y GLOBALES

DIRECCIÓN GENERAL DE NACIONES
UNIDAS, ORGANISMOS INTERNACIONALES
Y DERECHOS HUMANOS

tirant lo blanch
Valencia, 2026

En caso de erratas y actualizaciones, la Editorial Tirant lo Blanch México publicará la pertinente corrección en la página web www.tirant.com/mex/

DIRECTORA DE COLECCIÓN:
Consuelo Ramón Chornet

© TIRANT LO BLANCH
EDITA: TIRANT LO BLANCH
C/ Artes Gráficas, 14 - 46010 - Valencia
TELFS.: 96/361 00 48 - 50
FAX: 96/369 41 51
Email: tlb@tirant.com
www.tirant.com
Librería virtual: www.tirant.es
DEPÓSITO LEGAL: V-1401-2026
ISBN: 979-13-7040-488-8

Si tiene alguna queja o sugerencia, envíenos un mail a: atencioncliente@tirant.com. En caso de no ser atendida su sugerencia, por favor, lea en www.tirant.net/index.php/empresa/politicas-de-empresa nuestro procedimiento de quejas.

Responsabilidad Social Corporativa: http://www.tirant.net/Docs/RSCTirant.pdf

Índice

PARTE IV
LA IA Y LA PROTECCIÓN
DE LOS DERECHOS HUMANOS DESDE
PERSPECTIVAS REGIONALES

PARTE I
INTRODUCCIÓN

Capítulo 1.

El desafío de la gobernanza multilateral de la Inteligencia Artificial. La protección de los derechos humanos en un mundo en cambio[1]

MARTA HERNÁNDEZ RUIZ
Profesora de Relaciones Internacionales
Universidad Loyola Andalucía

I. INTRODUCCIÓN

El multilateralismo atraviesa momentos de crisis. El sistema creado después de la Segunda Guerra Mundial para promover las relaciones entre Estados basadas en normas se encuentra actualmente cuestionado por las grandes potencias. Estados Unidos ha anunciado a comienzos de 2026 su intención de retirarse de 66 organizaciones internacionales. China continúa impulsando su propio modelo de desarrollo y relaciones asimétricas, en el marco de la Nueva Ruta de la Seda. Mientras tanto, la Unión Europea parece quedar aislada, defendiendo la idea de que solo a través del orden, las normas y

1 Esta obra forma parte del proyecto 'España ante la crisis del multilateralismo: oportunidades y retos del uso de la Inteligencia Artificial para la protección global de los Derechos Humanos', financiado por la Secretaría de Estado de Asuntos Exteriores y Globales, del Ministerio de Asuntos Exteriores, Unión Europea y Cooperación.

la cooperación es posible resolver conflictos y garantizar condiciones mínimas para la convivencia internacional.

Una de las principales aportaciones del multilateralismo ha sido la protección global de los derechos humanos. Desde la aprobación de la Carta de Derechos Fundamentales de las Naciones Unidas y la Declaración Universal de 1948, se ha avanzado por un camino hasta entonces desconocido: la creación de un consenso en torno a los derechos que todos los seres humanos deben tener por el simple hecho de serlo, independientemente del lugar en el que habiten. A pesar de los conflictos que han seguido existiendo, el consenso en torno al rechazo de las violaciones de los derechos fundamentales ha permanecido, constituyendo un punto de inflexión respecto a épocas históricas anteriores. El Derecho Internacional representa, por tanto, el éxito de haber codificado ese consenso global en reglas de convivencia esenciales para la protección de los derechos humanos. Si estas normas se dejan de respetar, las consecuencias pueden ser profundas y estructurales, afectando a numerosos desafíos transnacionales, incluida su protección.

La perspectiva realista presente en las grandes potencias actuales -incluso en Estados Unidos, principal promotor de un sistema internacional liberal basado en normas-, debilita la búsqueda de consenso de las organizaciones multilaterales. Ante este panorama desafiante y de cambio, la irrupción de la Inteligencia Artificial (IA) se ha convertido en un hecho determinante: por un lado, por su potencial para desequilibrar el juego de poder, ya que quien posea la IA más potente y difundida conseguirá una mejor posición relativa. Por otro lado, por su uso intersectorial: no solo mejora, sino que transforma las capacidades de los Estados a la hora de gestionar su política exterior. Pero también puede debilitar sus opiniones públicas, mucho más expuestas a posibles ataques de actores malintencionados.

El potencial constructivo y destructivo de la IA, impredecible en estos momentos, ha conducido a las Naciones Unidas a hacer un llamamiento a una gobernanza global para ponerla al servicio de la lucha contra los grandes problemas transnacionales de nuestra época, siempre en pro del desarrollo, la democracia y la protección de los derechos fundamentales. No obstante, este llamamiento colisiona con una lógica cada vez más realista entre las grandes potencias, que en ocasiones rechazan enfoques normativos que puedan limitar su posición competitiva privilegiada.

El objetivo de esta obra es reflexionar sobre cómo la IA puede ser un desafío y también una oportunidad en la protección global de los derechos humanos en el contexto de esta crisis del multilateralismo. Se realiza, además, desde el análisis de aspectos que son de interés para España, un país defensor del multilateralismo y de un sistema basado en normas, en coherencia con el espíritu del proceso de integración europeo.

A lo largo de esta obra, el lector podrá reflexionar sobre tres grandes bloques temáticos. En primer lugar, se aborda la inteligencia artificial y la defensa de la democracia. Esta sección, compuesta por cinco capítulos, analiza de manera transversal cómo la IA se integra en las prácticas políticas del único sistema capaz de defender eficazmente los derechos humanos: la democracia. El enfoque es tanto conceptual[2] como práctico, destacando trabajos interdisciplinares sobre la desinformación, uno de los mayores retos a los que se enfrentan las democracias contemporáneas. La obra incluye cuatro capítulos que

---

2 Véase el capítulo 2: *Apocalípticos e integrados en torno a la inteligencia artificial y la democracia*, redactado por José Antonio Muñiz Velázquez.

exploran este fenómeno desde diversas perspectivas: la comunicación[3], la geopolítica[4] y el derecho[5].

La siguiente sección se centra en el papel de la IA en la protección de los derechos humanos desde las organizaciones internacionales, y consta de cuatro capítulos. El primero examina cómo la IA contribuye a mejorar los sistemas de alerta temprana de las Naciones Unidas en la prevención de conflictos[6]. Los dos capítulos siguientes se enfocan en la defensa del derecho a la educación y la protección de los menores mediante la gestión multilateral de la IA[7]. El cuarto capítulo, por su parte, analiza la relevancia de esta tecnología en la protección de los derechos humanos a la hora de gestionar las fronteras europeas y los flujos migratorios[8].

---

3 Véase el capítulo 4: *IA y desórdenes informativos: de la automatización de la mentira a la respuesta híbrida del fact-checking*, redactado por Noemí Morejón-Llamas.

4 Véanse los capítulos 3: *Inteligencia Artificial, guerra híbrida y soberanía cognitiva: desafíos para la legitimidad democrática europea*, redactado por Mario Aler, *y 6: Propaganda de guerra rusa en el conflicto de Ucrania (2022-2026): la Inteligencia Artificial en las campañas de desinformación y en el campo de batalla*, redactado por Pablo Rey-García y Pedro Rivas Nieto.

5 Véase el capítulo 5: *De la desinformación digital a la incitación al odio: desafíos jurídico-penales en la protección de colectivos vulnerables*, redactado por Blanca Martín Ríos.

6 Véase el capítulo 7: *"Inteligencia del comportamiento": La incorporación de la Inteligencia Artificial a los sistemas de alerta temprana de prevención de conflictos de Naciones Unidas*, redactado por Carmen Rocío García Ruiz.

7 Véanse los capítulos 8: *El derecho a la educación en la era de la Inteligencia Artificial*, redactado por Amelie Nelly Frohnmayer, y 9: *Multilateralismo 2.0: el papel de España y las organizaciones internacionales en la protección de los menores en entornos automatizados*, redactado por Paula Herrero Diz.

8 Véase el capítulo 10: *IA y frontera europea: cuando la eficiencia legitima la excepción*, redactado por Monika Kabata.

La última sección aborda la protección de los derechos humanos desde una perspectiva regional. Se incluyen tres estudios de especial relevancia para España: el primero examina el autoritarismo tecnológico chino, fundamental para comprender sus decisiones globales sobre esta tecnología[9]; el segundo se centra en Oriente Medio, con un análisis específico del caso del Líbano[10]; y el tercero explora la sistematización de los patrimonios culturales en América Latina y la Unión Europea a través de la promoción del humanismo digital[11].

En este primer capítulo introductorio, el objetivo es analizar cómo y por qué la IA puede ser tanto un desafío como una oportunidad para el multilateralismo, especialmente en la protección de los derechos humanos en el contexto actual de crisis del sistema multilateral. Se pretende explorar cómo la IA está reconfigurando las dinámicas geopolíticas a través de su influencia en áreas clave como la economía, la diplomacia y la seguridad, mientras plantea nuevos riesgos y posibilidades en la defensa de los derechos fundamentales. Además, se reflexionará sobre el papel de España en la creación de un marco de gobernanza global que promueva el uso responsable y ético de la IA.

---

9 Véase el capítulo 11: *Autoritarismo digital: el modelo chino*, redactado por Fernando Delage.

10 Véase el capítulo 12: *Inteligencia Artificial, comunitocracia y necropolítica en el Líbano: retos para la promoción regional de los derechos humanos*, redactado por Francisco Salvador Barroso Cortés.

11 Véase el capítulo 13: *El impacto de la IA en la promoción de los derechos humanos desde una perspectiva América Latina-UE: Humanismo digital en la sistematización y archivo de patrimonios culturales*, redactado por Ana Mercedes López Rodríguez.

II. LA CRISIS DEL MULTILATERALISMO

Tras la Segunda Guerra Mundial, Estados Unidos fue el principal baluarte de la creación de un orden multilateral. Promovió la creación de las Naciones Unidas y un sistema de organizaciones internacionales multilaterales capaces de promover el diálogo y codificar los consensos de la comunidad internacional en un ordenamiento jurídico.

Cooper *et al*, siguiendo la definición de Keohane, define multilateralismo como "la práctica de coordinar políticas nacionales de varios estados para conseguir objetivos de interés común". Esta definición se complementa con la de Ruggie, quien lo describe como "una forma institucional que coordina las relaciones entre tres o más estados basados en principios generales de conducta"[12] (2025: 1827).

Durante estas décadas de desarrollo normativo, la gran aportación del Derecho Internacional a la protección de los derechos humanos ha sido la creación de instrumentos y mecanismos de reconocimiento y protección. Entre los principales instrumentos de reconocimiento, se destacan los Pactos de 1966 sobre Derechos Civiles y Políticos y sobre Derechos Económicos, Sociales y Culturales, la Convención sobre la eliminación de todas las formas de discriminación contra la mujer (1981), la Convención sobre Derechos del Niño (1989), la Convención Internacional sobre Derechos de Personas con Discapacidad (2008) y el Convenio 169 de la OIT (1989), entre otros (Riveros Marín, 2024: 99). En cuanto a los instrumentos de protección, es relevante mencionar la Convención Europea de Derechos Humanos (1950), que creó el Tribunal Europeo de Derechos Humanos, el Protocolo Facultativo del Pacto de Derechos Civiles y Políticos (1966) y la Convención

[12] Las citas en inglés de todo el capítulo han sido traducidas al castellano para una mayor cohesión del texto.

Americana de Derechos Humanos (1969) (Riveros Marín, 2024: 99).

Una parte fundamental de la protección de los derechos humanos se encuentra en el Derecho Humanitario, clave para modificar la perspectiva de los Estados en tiempos de guerra. En este sentido, los Convenios de Ginebra de 1949 y sus tres Protocolos Adicionales (dos aprobados en 1977 y uno en 2005) "buscan proteger a las personas que no participan en el conflicto armado (civiles, personal sanitario, miembros de organizaciones humanitarias), así como a quienes no pueden seguir participando en la guerra (heridos, enfermos, náufragos, prisioneros de guerra)" (Riveros Marín, 2024: 100).

Tras la Guerra Fría y bajo la primacía unipolar de Estados Unidos, se vivió un periodo de optimismo sobre el multilateralismo. El liberalismo estadounidense y las transiciones políticas que siguieron a la caída del Muro de Berlín en 1989 parecían presagiar que la apertura y la cooperación multilateral favorecerían las transiciones hacia la democracia. Sin embargo, la excepción china, que abrió sus puertas al comercio sin realizar cambios políticos internos, cuestionó esta hipótesis. Con un crecimiento anual cercano al 10% en los últimos 30 años, China no solo desafía el liderazgo estadounidense, sino también el modelo multilateral liberal de desarrollo económico. Como señala Florensa (2025: 15), "China ha adoptado una política mucho más asertiva desde que Xi Jinping asumió el liderazgo absoluto del Partido Comunista Chino en 2011 y la presidencia de la República. El modelo autoritario chino ha encontrado un amplio campo de influencia, especialmente en los países en vías de desarrollo, el nuevo Sur Global y en el movimiento de los BRICS".

China se presenta como defensora del sistema multilateral, argumentando que éste se basa en el principio de no injerencia. Su *Belt and Road Initiative*, un ambicioso proyecto de inversión en sectores como infraestructuras y recursos naturales, se basa en acuerdos con numerosos países, principalmente en Asia, África y América, "sin inmiscuirse en los asuntos internos y con total indiferencia hacia el tipo de régimen o el respeto de los derechos humanos" (Florensa, 2025: 16-17).

Por su parte, el papel de Estados Unidos en la crisis del multilateralismo es fundamental. Durante la primera presidencia de Trump, Estados Unidos abandonó numerosos convenios y organismos internacionales. Desde su segundo mandato, el ataque continuo al sistema multilateral se ha intensificado. A través de la orden ejecutiva 14199, Trump anunció la retirada de 66 organizaciones internacionales, 31 de ellas pertenecientes al sistema de las Naciones Unidas (Presidential Memoranda, 2026). Según argumenta Marco Rubio, Secretario de Estado, se trata de organizaciones "dispendiosas, ineficaces y perjudiciales" (Rubio, 2026). Y continúa aseverando que Estados Unidos rechaza "un modelo anticuado de multilateralismo, que trata al contribuyente estadounidense como garante del mundo para una vasta arquitectura de gobernanza global". Además, se ha eliminado la Agencia de Estados Unidos para el Desarrollo Internacional (USAID), decisión que tuvo "un tremendo impacto en el sistema internacional de ayuda, no solo por el peso que Estados Unidos tiene en su financiación (en torno al 30% del total), sino también por la desafección o el desánimo que pueden generar en otros países" (Alonso, 2025: 1).

No obstante, Quah (2025) analiza que esta decisión estratégica de reducir su presencia multilateral podría reequilibrar el poder global, reforzando a actores que apoyan un sistema basado en normas. Como ejemplo, cita el Tratado Integral y Progresista de Asociación Transpacífico, que, tras la negativa de Estados Unidos de ratificar el Acuerdo de Asociación Transpacífico, fue firmado por 12 países, incluido el Reino Unido, un miembro que ni siquiera pertenece al Pacífico.

Las consecuencias de estas dinámicas no afectan solo a ciertas organizaciones internacionales, sino al sistema en su conjunto. El caso de Estados Unidos ha sido el más perjudicial para el multilateralismo, ya que el rechazo proviene, como se ha dicho anteriormente, del país que más promovió el orden multilateral tras la Segunda Guerra Mundial (Cooper *et al.*, 2025: 1828).

Los actores que abogan por el respeto al Derecho Internacional, los derechos humanos y el multilateralismo, como la UE, encuentran cada vez más difícil que los países encuentren atractivo este modelo frente a las alternativas. En la región mediterránea, por ejemplo, potencias regionales como Turquía, Arabia Saudita, Emiratos Árabes Unidos, Catar y Egipto también están desafiando la primacía del modelo liberal multilateral (Florensa, 2025: 16).

El cuestionamiento del multilateralismo no solo se explica por el rechazo de las grandes potencias, que encuentran en él una limitación a través del consenso y las normas. También se ve cuestionado por sus debilidades e ineficiencias, entre ellas, su escaso éxito en la gestión de algunos desafíos transnacionales como la desigualdad económica derivada de la globalización (Florensa, 2025: 15). Sin embargo, los retos globales siguen exigiendo respuestas conjuntas, ya que no respetan fronteras. La lucha contra el cambio climático, las pandemias, la amenaza nuclear y los conflictos bélicos siguen demostrando la necesidad de un sistema multilateral eficaz. Como afirma Riveros Marín, los Estados no pueden afrontar estos desafíos con políticas unilaterales, "sino que deben abordarse (...) mediante la cooperación internacional, jugando el multilateralismo un papel insustituible" (2024: 96).

Ante esto, la incapacidad de actuar frente a amenazas a la seguridad internacional y de proteger las normas comunes del Derecho Internacional "surge de la impotencia de la llamada Sociedad Internacional para establecer reglas coercitivas y sancionadoras eficaces frente al poder. Es un reflejo de las asimetrías acumuladas y de la incapacidad de los Estados para hacer cumplir acuerdos que, en tiempos anteriores, evitaron escaladas e incluso guerras" (Proner, 2025: 197).

Entre los conflictos que más han profundizado en el declive del respeto al Derecho Internacional se encuentran la invasión rusa a Ucrania o la dramática situación en Gaza. Según analiza Proner, cuando Rusia decidió invadir Ucrania, abrió "una confrontación explícita con las normas del Derecho Internacional en respuesta a lo que considera un incumplimiento reiterado de las reglas de seguridad internacional por parte de la OTAN y del propio Occidente" (2025: 200-201).

Es importante también resaltar el aumento de partidos nacionalistas en las democracias, que suelen rechazar la cooperación internacional continua y profunda y que "conciben la acción internacional como un juego de suma cero basado en la confrontación" (Alonso, 2025: 3). En este sentido, las decisiones internacionales de la Administración Trump han sido determinantes, allanando "el camino para que un número creciente de Estados prefiera el unilateralismo o el bilateralismo frente al multilateralismo; estos líderes populistas tienden a ver el unilateralismo como el único medio a través del cual pueden promover de manera eficiente sus intereses nacionales" (Cooper *et al.*, 2025: 1828). Como consecuencia, en 2024, expertos asociados al Alto Comisionado de las Naciones Unidas para los Derechos Humanos denunciaron "la omisión de la mayoría de los Estados de cumplir las obligaciones del Derecho Internacional" (Proner, 2025: 192).

Todas estas dinámicas dificultan que el multilateralismo pueda proponer respuestas conjuntas efectivas a los problemas contemporáneos. Solo a través de la acción colectiva se pueden afrontar asuntos como la salud global, las migraciones, el cambio climático, las amenazas a la paz y la seguridad, la promoción de la democracia y la protección de los derechos humanos (Riveros Marín, 2024: 105). En su lugar, se está instaurando un orden postliberal caracterizado por la anarquía, el conflicto entre las grandes potencias y el desorden (Cooper *et al.*, 2025: 1829).

III. LA IA COMO RETO Y OPORTUNIDAD PARA EL MULTILATERALISMO Y LA PROTECCIÓN DE LOS DERECHOS HUMANOS

La irrupción de la IA generativa en la vida social, económica y política a nivel global es incuestionable. Esta transformación profunda está configurando no solo los mercados y los sistemas políticos, sino también las relaciones entre los Estados, ampliando las oportunidades y los desafíos para el futuro del multilateralismo.

3.1. La IA, los desafíos geopolíticos y los problemas transnacionales

El potencial de la IA desde un punto de vista geopolítico es significativo: las potencias mejor posicionadas para desarrollar y desplegar la IA más potente y accesible entre los ciudadanos conseguirán una mayor influencia sobre los datos globales y, por ende, sobre la toma de decisiones a nivel internacional. Como indican Trang y Thao (2025: 2136), "la IA ya no es solo una herramienta para el avance tecnológico, sino un activo estratégico con el potencial de reconfigurar las dinámicas de poder global".

En este sentido, la aplicación de la IA se extiende a varios sectores clave dentro de la geopolítica. En el ámbito diplomático, la IA facilita el análisis masivo de datos y se utiliza para predecir tendencias políticas, mejorando la capacidad de los gobiernos para anticiparse a los movimientos internacionales y ajustarse a ellos. Además, Dev (2025: 4) señala que la IA también fomenta la planificación de escenarios futuros, al tiempo que mejora la participación ciudadana mediante herramientas como *chatbots* y mensajes personalizados que permiten una comunicación directa entre los gobiernos y los ciudadanos. Sin embargo, este avance también conlleva riesgos, ya que la manipulación de la información utilizada para entrenar a la IA puede afectar a la calidad de las decisiones tomadas.

En el sector militar, la adopción de la IA en sistemas autónomos se ha incrementado notablemente. Ejemplos como el Proyecto Maven en Estados Unidos, ISTAR, AVIC WZ-8 en China y el Consejo de IA de Defensa de India demuestran cómo la IA está transformando las capacidades bélicas y estratégicas de los países (Trang y Thao, 2025: 2136).

Un ejemplo notable del impacto de la IA en los conflictos internacionales es la guerra en Ucrania, que se ha convertido en un "laboratorio viviente" para la IA militar (Dev, 2025: 4). Herramientas civiles de empresas como Palantir se utilizan para asignar objetivos militares, al tiempo que los drones se adaptan para realizar ataques con IA. Sin embargo, este avance plantea preguntas cruciales sobre la soberanía estatal, ya que la IA "descentraliza la capacidad para la violencia sofisticada y hace casi imposible el control tradicional de armas centrado en el Estado" (Dev, 2025: 4). La dificultad de atribuir responsabilidad en caso de daños generados por sistemas autónomos es otro desafío. La "naturaleza discreta, difusa y opaca del desarrollo de la IA hace que sea altamente resistente a la gobernanza a través de tratados o derecho consuetudinario", lo que podría llevar a una "destrucción legal" en la que las estructuras clave del Derecho Internacional se erosionen (Dev, 2025: 5).

En términos económicos, los países más avanzados en IA se proyectan como líderes en crecimiento económico. Según el mismo autor, las naciones que inviertan en IA podrán duplicar su tasa anual de crecimiento del valor agregado bruto para 2035. Sin embargo, la IA no solo genera oportunidades económicas; también cambia el eje del poder. Dev (2025: 4) observa que "un puñado de corporaciones tecnológicas ahora controla la infraestructura digital crítica que sostiene la economía global, otorgándoles una palanca geopolítica que rivaliza con la de muchos Estados". Este fenómeno podría reducir la capacidad de los gobiernos para utilizar herramientas tradicionales, como las sanciones económicas, ya que las corporaciones tecnológicas tienen el control de plataformas esenciales que van más allá de las fronteras nacionales.

Ante esta realidad, el multilateralismo debe abogar por la creación de marcos normativos comunes que promuevan una gobernanza global basada en principios éticos, consensuados y humanistas, priorizando la cooperación sobre la competencia. Los grandes desafíos transnacionales contemporáneos relativos a los derechos humanos, como los conflictos bélicos -en especial cuando hay violaciones de derechos humanos sistemáticas-, requieren de una reflexión profunda sobre la urgencia de conseguir dicha gobernanza global, especialmente en un contexto de crisis del multilateralismo.

3.2. La IA y la protección de la democracia

La IA hace más efectivas las estrategias de difusión de la desinformación, usadas en la actualidad por algunos Estados para manipular y polarizar la opinión pública de los sistemas democráticos. Es fundamental, por tanto, abordar este potencial desestabilizador. La manipulación avanzada de textos, imágenes, audios y videos dificultan a los usuarios distinguir la verdad de las mentiras. Los *deepfakes*[13] generados en tiempo real

---

13 Los *deepfakes* se han definido tradicionalmente como "vídeos manipulados para hacer creer a los usuarios que ven a una determinada persona, tanto si es anónima como si es personaje público, realizando declaraciones o acciones que nunca ocurrieron. Para la creación de dichos vídeos, se utilizan herramientas o programas dotados de tecnología de inteligencia artificial que permiten el intercambio de rostros en imágenes y la modificación de la voz" (Instituto Nacio-

mediante IA son especialmente peligrosos, ya que aumentan el desconcierto del receptor, que asume que las imágenes no han sido modificadas al ser transmitidas en directo (Maruschak *et al.*, 2025: 3). En este contexto, Dev (2025: 4) señala que "[el uso de la IA] posibilita campañas de desinformación a escala industrial que envenenan el entorno para la negociación de buena fe, transformando las herramientas de la diplomacia pública en armas de guerra cognitiva".

La IA también ha facilitado mecanismos de segmentación de contenidos, lo que permite una desinformación más eficaz, adaptada al perfil de cada usuario a través de sus datos personales. "Los mismos modelos que optimizan la publicidad personalizada se han adaptado para potenciar campañas de desinformación dirigidas a audiencias vulnerables, explotando sesgos cognitivos como el de confirmación y reforzando burbujas informativas" (Cantón-Correa, 2025: 122). Por ejemplo, en YouTube, más de mil millones de horas de video se visualizan cada día, y el 70% de estas recomendaciones son gestionadas por sistemas automatizados que sugieren videos a los usuarios según su historial (Bontridder y Poullet, 2021: 5). Es también destacable el manejo y uso de *bots* (*software robots*) a través de automatismos programados por actores que quieren manipular a una opinión pública enemiga. Estos *bots* automatizan comportamientos simples en redes sociales, como compartir contenidos para viralizarlos. También existen *bots* híbridos o '*cíborgs*', que cuentan con IA para optimizar el daño del discurso y de la polarización, ya que tienen la capacidad de adaptar el contenido según la segmentación. Actualmente, existe todavía la

---

nal de Ciberseguridad, 2026). Sin embargo, la *AI Act* de la Unión Europea amplía su definición del siguiente modo: "contenido de imagen, audio o vídeo generado o manipulado por IA que se asemeja a personas, objetos, lugares u otras entidades o acontecimientos existentes y que aparecería falsamente ante una persona como auténtico o veraz (Maruschak *et al.*, 2025: 5).

posibilidad de detectar indicios audiovisuales en los *deepfakes*, incluidos los generados en tiempo real; por ejemplo, desajustes de color y de iluminación (Maruschak *et al.*, 2025: 4). Sin embargo, estos errores se están corrigiendo con rapidez.

La difusión de desinformación de manera tan precisa, con mecanismos optimizados por la utilización de IA, atacan directamente valores y derechos hasta el momento consensuados. Inciden en la dignidad humana, puesto que se utilizan datos personales para mejorar la capacidad de manipulación y engaño. Cuando esto ocurre, "esas personas son consideradas meros medios con fines económicos" (Bontridder y Poullet, 2021: 5-6). Se ataca, además, el derecho a la información de los ciudadanos, necesario para que puedan tomar decisiones políticas libres e informadas. Como indica Maruschak *et al*, "esto resulta especialmente peligroso para el discurso político y público, donde la exactitud de la información puede determinar el futuro de un país y de sus ciudadanos" (2025: 3). Asimismo, se vulnera el derecho a la privacidad y a la protección de datos, "dado que los algoritmos utilizan datos personales para determinar el contenido que se mostrará a cada individuo y distorsionan su capacidad de decidir libremente" (Bontridder y Poullet, 2021: 6).

También es posible utilizar la IA como instrumento de protección frente a estos ataques. Como explica Cantón-Correa, la desinformación, debido a su naturaleza, no puede ser abordada mediante un único enfoque (2025: 122-123). Los sistemas más efectivos combinan diversas soluciones en cada fase del trabajo de los verificadores, integrando técnicas como el aprendizaje automático, el procesamiento del lenguaje natural y el análisis de redes sociales para detectar patrones en la creación y propagación de información falsa. El aprendizaje automático permite identificar patrones en grandes volúmenes de datos, clasificando contenidos en función de sus características lingüísticas, semánticas y contextuales. Por otro lado, el análisis de redes sociales hace posible rastrear la propagación de la desinformación, detectando patrones de difusión y comunidades que amplifican narrativas engañosas, así como el uso de *bots* para crear tráfico artificial (Cantón-Correa, 2025: 122-123).

IV. ¿HACIA UNA GOBERNANZA GLOBAL DE LA IA? PROPUESTAS DESDE LAS NACIONES UNIDAS

Las Naciones Unidas constituyen la organización principal del sistema multilateral. Cuenta con tres pilares fundamentales, que abordan los desafíos transnacionales más importantes de nuestra época: la protección de la paz y la seguridad, la promoción del desarrollo y la codificación del consenso de la comunidad internacional en normas que constituyan el derecho internacional. A través de estos pilares, las Naciones Unidas han sido fundamentales en la creación de un marco global para la cooperación internacional, protegiendo el respeto a los derechos humanos y a la soberanía de los Estados.

A pesar de su dificultad para promover acciones efectivas en el ámbito de la protección de la paz y la seguridad, es de especial importancia conocer sus iniciativas para lograr un consenso sobre la gestión y desarrollo global de la IA, dado su potencial para redefinir las dinámicas internacionales y los equilibrios de poder. En este contexto, Antonio Guterres, Secretario General de las Naciones Unidas, ha destacado la necesidad urgente de establecer un sistema de gobernanza global que pueda abordar de manera continua y coherente los desafíos que plantea la IA, promoviendo su desarrollo de manera ética y responsable. Para ello, se estableció un órgano asesor de alto nivel, encargado de recomendar estrategias efectivas para lograr una gobernanza internacional adecuada (Maruschak *et al.*, 2025: 3).

La crisis del multilateralismo ha dificultado la toma de decisiones consensuadas que involucren a los 193 países que forman parte de la organización internacional. No obstante, a pesar de las dificultades, las Naciones Unidas han adoptado varias resoluciones relevantes que, aunque no son vinculantes, permiten visibilizar sobre qué ejes se vertebra el consenso internacional que existe al respecto.

4.1. Resolución 78/265 de la Asamblea General

En 2024, la Asamblea General de las Naciones Unidas aprobó la Resolución 78/265, titulada "Aprovechar las oportunidades de sistemas seguros y fiables de inteligencia artificial para el desarrollo sostenible", iniciada por Estados Unidos. Según Linda Thomas-Greenfield, representante estadounidense, la resolución tiene como principal virtud la apertura de un espacio para el diálogo transnacional sobre la IA, con el objetivo de establecer principios globales que guíen su desarrollo y uso (Vercelli, 2025: 112). Esta resolución busca ampliar el trabajo realizado por diversas agencias de la ONU, como la UNESCO y el Consejo de Derechos Humanos, en el ámbito de la ética y la regulación de la IA.

Uno de los puntos clave de la Resolución 78/265 es la definición de sistemas de IA "seguros, protegidos y fiables", un concepto complejo y difícil de consensuar debido a las distintas aproximaciones y necesidades de los países. En la resolución, se afirma que los sistemas de IA deben estar centrados en las personas, ser fiables, explicables, éticos e inclusivos, respetuosos con la promoción y protección de los derechos humanos y el derecho internacional, al tiempo que mantienen la privacidad, se orientan al desarrollo sostenible, promueven la paz y reducen las brechas digitales (2024: 2).

En palabras de la propia resolución, es necesario "respetar, proteger y promover los derechos humanos y las libertades fundamentales durante todo el ciclo de vida de los sistemas de inteligencia artificial". Asimismo, se "exhorta a todos los Estados Miembros (...) a que se abstengan o dejen de usar sistemas de Inteligencia Artificial que sean imposibles de operar en consonancia con el Derecho Internacional o que supongan riesgos indebidos para el disfrute de los derechos humanos".

4.2. Resolución 78/311 de la Asamblea General

En cuanto a la resolución 78/311, de 2024, fue presentada por China junto a 18 países, y llevó por nombre "Aumentar la cooperación internacional para la creación de capacidad en materia de inteligencia artificial", siendo secundada por 118 países. Según Vercelli, su objetivo es "incentivar la cooperación internacional en materia de IA (norte-sur, sur-sur y triangular) y ayudar a que las Naciones Unidas desempeñen un papel central y de coordinación en la cooperación internacional orientada al desarrollo" (2025: 115).

Entre sus puntos más interesantes, cabe destacar su llamamiento a la creación de sistemas de IA de código abierto, claves para la cooperación e intercambio de conocimiento a escala global. En este sentido, también se promueven capacitaciones conjuntas, cooperación en investigación y creación de seminarios para que la comunidad internacional en su conjunto pueda tener un papel en el desarrollo tecnológico (2025: 116).

4.3. Otras iniciativas de las Naciones Unidas

En 2025, la Asamblea General aprobó la resolución 79/325, cuyo objetivo era avanzar en la creación de un Panel Científico Internacional Independiente sobre IA y del llamado Diálogo

Global sobre la Gobernanza de la IA (Ministerio de Asuntos Exteriores, Unión Europea y Cooperación, 2025a).

El Panel Científico Internacional Independiente tiene el propósito de servir como puente entre el conocimiento científico global sobre la IA y las políticas públicas que regulen esta tecnología. Este panel está constituido por 40 expertos que son elegidos por un período de tres años.

Por su parte, la iniciativa Diálogo Global sobre la Gobernanza de la IA cuenta tanto con Estados miembros como con otros actores, como la sociedad civil o el sector privado, con el objetivo de que puedan "debatir colectivamente sobre los riesgos, oportunidades y dilemas éticos que plantea la inteligencia artificial, en busca de consensos y soluciones compartidas" (Ministerio de Asuntos Exteriores, Unión Europea y Cooperación, 2025a).

Asimismo, el Secretario General de las Naciones Unidas ha subrayado los ámbitos transnacionales donde el uso de la IA genera mayor preocupación (Naciones Unidas, 2026):

> Por un lado, el pilar de la paz y la seguridad, estrechamente vinculado a la difusión de desinformación, que, según explica, ya pone en peligro las propias operaciones de la ONU: "más del 70% de los cascos azules de la ONU que respondieron en una encuesta reciente dijeron que la desinformación y la mala información dificultaban gravemente su capacidad para llevar a cabo su trabajo". También menciona los ataques a la democracia, particularmente la manipulación de la opinión pública. Este fenómeno contribuye al debilitamiento del sistema multilateral, ya que la desinformación puede "descarrilar las acciones contra el cambio climático al amplificar información falsa".

Asimismo, destaca el papel de la IA a la hora de difundir contenido dañino que fomenta la segregación y la discriminación (Naciones Unidas, 2026). En este sentido, el Programa de las Naciones Unidas para el Desarrollo (PNUD) se enfoca especialmente en trabajar junto con otras iniciativas y organismos, como el Pacto Digital Global, el Comité Asesor de Alto Nivel sobre IA y el Grupo de Trabajo Interinstitucional sobre IA, con el fin de generar un impacto positivo de la IA en las políticas globales de desarrollo (Naciones Unidas, 2026).

El Secretario General menciona también las posibilidades que presenta la IA para incrementar o corregir las desigualdades económicas a nivel global. Si bien la IA es una herramienta con el potencial de impulsar la innovación, es probable que los países ricos se beneficien mucho más de esta tecnología que aquellos con renta media o baja (Naciones Unidas, 2026). En este contexto, la Organización Internacional del Trabajo (OIT) trabaja en tres ámbitos clave a nivel global para mitigar estas desigualdades: mejorar la infraestructura digital, promover la transferencia de tecnología y fomentar el desarrollo de habilidades en IA.

Por su parte, el informe de la UNESCO *Recommendation on the Ethics of Artificial Intelligence* otorga especial importancia al problema del sesgo en la IA y su influencia en todas las prioridades transnacionales de la ONU. Según el documento, hay varios ámbitos que deben ser atendidos específicamente:

a) La educación[14]. La manera de aprender a nivel global está cambiando por la irrupción de la IA, lo que hace necesario señalar las fuentes y los posibles sesgos, ya que esto influirá en la manera en que la sociedad piensa y se comporta, debido a la formación que recibe.

---

[14] Esta temática se aborda en profundidad en la presente obra en el capítulo 8: *el derecho a la educación en la era de la Inteligencia Artificial*, escrito por Amelie Nelly Frohnmayer.

b) Relacionado con la educación, la protección de la infancia[15]. Los niños deben seguir desarrollando sus capacidades, aprendiendo a distinguir contenidos reales de los falsos, al mismo tiempo que se benefician de las posibilidades que la IA ofrece para su desarrollo. En este sentido, el Fondo para la Infancia trabaja en el establecimiento de directrices políticas en esta área (Naciones Unidas, 2026).

c) Los movimientos migratorios[16]. La IA se ha convertido en una oportunidad para la Oficina del Alto Comisionado de las Naciones Unidas para los Refugiados (ACNUR), que "está utilizando IA y grandes datos para mejorar la respuesta humanitaria a través de su Programa de Innovación de Datos, ofreciendo servicios y formación sobre el uso ético de los datos, y trabajando con socios para explorar enfoques innovadores" (Naciones Unidas, 2026).

V. EL REGLAMENTO EUROPEO DE INTELIGENCIA ARTIFICIAL (*AI ACT*)

El Reglamento (UE) 2024/1689, que establece normas armonizadas sobre inteligencia artificial, es una normativa pionera en la regulación de la IA y ejerce una gran influencia en los enfoques que numerosos países planean adoptar al respecto.

---

15 Esta temática se aborda en profundidad en la presente obra en el capítulo 9: *Multilateralismo 2.0: el papel de España y las organizaciones internacionales en la protección de los menores en entornos automatizados*, escrito por Paula Herrero Diz.

16 Esta temática se aborda en profundidad en la presente obra en el capítulo 10: *IA y frontera europea: cuando la eficiencia legitima la excepción*, escrito por Monika Kabata.

Se trata del primer marco jurídico global sobre IA (Comisión Europea, 2026).

El reglamento tiene el objetivo de proteger los derechos fundamentales de los ciudadanos, garantizando un desarrollo de la IA centrado en las personas. Además, busca establecer un marco que fomente la innovación en IA dentro de la UE desde esta perspectiva humana.

Uno de los aspectos que más preocupan es la denominada "caja negra" que constituye el entrenamiento de diversas IA, lo que dificulta poder entender las decisiones que toma. Esta falta de transparencia puede propiciar situaciones de desigualdad, discriminación o injusticia en los numerosos sectores que ya están incorporando la IA en sus procesos de toma de decisiones, desde organismos públicos hasta empresas privadas que la emplean como filtro en los procesos de contratación.

La Comisión Europea afirma que esta normativa se basa en un enfoque de gestión del riesgo (Comisión Europea, 2026). De acuerdo con ello, se definen cuatro niveles de riesgo, cada uno con un tratamiento específico: riesgo inaceptable, riesgo alto, riesgo limitado y riesgo mínimo.

Las IA catalogadas como de riesgo inaceptable son consideradas "una amenaza clara para la seguridad" y para los derechos de las personas (Comisión Europea, 2026). En estos casos, se prohíben intromisiones graves para los derechos humanos, como la "manipulación y engaño perjudiciales basados en la IA", la "explotación nociva de vulnerabilidades a través de la IA", el "reconocimiento de emociones en el ámbito laboral y educativo" o el "raspado no selectivo de Internet o material de CCTV para crear o ampliar bases de datos de reconocimiento facial".

Las IA catalogadas como de alto riesgo no están sujetas a una prohibición directa, pero requieren una supervisión estricta. Este grupo incluye aplicaciones de IA en infraestructuras críticas, como el transporte, que podrían poner en peligro la vida de los ciudadanos en caso de error. También abarca su uso en instituciones educativas, donde podrían emplearse para evaluar pruebas o tomar decisiones que influyan en la proyección académica de las personas. Además, se considera de alto riesgo el uso de IA en sectores como la sanidad, por ejemplo, en cirugía asistida por robot, o en la filtración de perfiles en los procesos de contratación y de concesión de préstamos (Comisión Europea, 2026). En estos casos, se exige el cumplimiento de obligaciones estrictas de control y garantía de calidad de los datos antes de que la IA pueda ser comercializada.

Para los casos de riesgo limitado o nulo no se establecen normas específicas.

El reglamento obliga, asimismo, a que las personas sepan cuándo están interactuando con una IA en lugar de con un ser humano. Particularmente relevante es la obligación de etiquetar los contenidos *deepfake* especificando que están generados por IA, para que los ciudadanos puedan identificarlos. De hecho, el reglamento pone un énfasis especial en la trazabilidad de las imágenes o videos generados por IA, con el objetivo de garantizar dicha identificación. Esta obligación se aplica principalmente a proveedores de plataformas en línea muy grandes (VLOPs) o motores de búsqueda en línea de gran tamaño (Maruschak *et al.*, 2025: 5). Se subraya, por tanto, la importancia de un etiquetado claro y distinguible para cualquier *deepfake* generado.

VI. ESPAÑA, LA IA Y LA CRISIS DEL MULTILATERALISMO

España ha sido históricamente un país comprometido con el multilateralismo y la defensa de los derechos humanos. Esta característica ha sido una de las principales líneas de continuidad de su política exterior desde la llegada de la democracia. En coherencia con ello, ha aprovechado su presencia internacional en organizaciones internacionales para apoyar el desarrollo de una gobernanza global sobre la IA que sea respetuosa con los derechos humanos.

En este sentido, España ha respaldado todas las resoluciones de la Asamblea General relacionadas con la IA (Bernabé Berges, 2025: 51). Ha sido, además, cofacilitador en la creación del Panel Científico Internacional sobre Inteligencia Artificial y el Diálogo Global sobre Gobernanza de la IA, en colaboración con Costa Rica (Ministerio de Asuntos Exteriores, Unión Europea y Cooperación, 2025b).

A nivel interno, destaca la ley 15/2022, de 12 de julio, integral para la igualdad de trato y la no discriminación. Según Bernabé Berges, "esta ley introduce obligaciones para garantizar el respeto a los derechos humanos, minimizar sesgos, y promover la transparencia y la rendición de cuentas, tanto en el sector público como en el privado" (2025: 49). Además, en 2023, se incluyó en el II Plan Nacional de Derechos Humanos 2023-2027 la "necesidad de una IA humanista", con un énfasis particular en los neuroderechos, la formación en IA y la no discriminación por parte de los algoritmos.

Dentro del Plan de Recuperación, Transformación y Resiliencia, se enmarca la Agenda España Digital 2026, cuyo objetivo principal es "desarrollar un marco normativo y ético para el despliegue de la IA" (Bernabé Berges, 2025: 50). También se ha creado la Agencia Española de Supervisión de la IA (AESIA), cuya misión es "garantizar el respeto a los derechos y avanzar hacia la explicabilidad, transparencia y fiabilidad de los sistemas de IA". Otras iniciativas relevantes incluyen el Sello de IA confiable, el Observatorio del Impacto Social y Ético de los Algoritmos, el plan de protección de colectivos vulnerables y el plan de sensibilización y confianza hacia la IA, todos ellos parte de la Agenda España Digital 2026.

Como destacó la secretaria de Estado de Digitalización e Inteligencia Artificial, María González Veracruz, en Davos, la Sociedad Española para la Transformación Tecnológica (SETT) cuenta con una dotación de 16.000 millones de euros destinados a invertir en startups de sectores como la fabricación de microchips, la IA sostenible y las tecnologías cuánticas (Forbes / EP, 2025).

VII. CONCLUSIONES

Como se ha demostrado a lo largo del análisis, la IA posee un gran potencial para transformar las relaciones internacionales. En este capítulo se han identificado tanto los desafíos como las oportunidades que presenta para la protección de los derechos humanos en un contexto de creciente debilitamiento del multilateralismo.

En primer lugar, la IA está reconfigurando las dinámicas geopolíticas a gran velocidad, dada su capacidad de influir en la economía, la diplomacia y el desarrollo de los conflictos. En el ámbito económico, los países que lideran el desarrollo de la IA, como Estados Unidos y China, han obtenido una ventaja competitiva. En el ámbito de la diplomacia, la IA ha modificado los métodos tradicionales de gestión: se emplea la IA para prever tendencias políticas, analizar datos y anticipar tendencias. Sin embargo, este avance también conlleva riesgos, ya que la manipulación de la información utilizada para entrenar a la IA puede afectar a la calidad de las decisiones tomadas y a la opinión pública. En relación con los conflictos, la implementación de sistemas autónomos y la automatización de operaciones militares son ejemplos de cómo la IA redefine las capacidades bélicas. Sin embargo, el uso en los conflictos también plantea problemas éticos y legales, como la dificultad para atribuir responsabilidades en caso de que un sistema autónomo cause daños o violaciones de los derechos humanos.

En segundo lugar, las problemáticas transnacionales, como el cambio climático, las pandemias, los movimientos migratorios o las crisis humanitarias requieren de una acción colectiva, pero el actual desorden geopolítico ha limitado la eficacia de las respuestas multilaterales. La crisis del multilateralismo, exacerbada por el enfoque realista de grandes potencias como Estados Unidos y China, limita la capacidad de las organizaciones internacionales para establecer normas consensuadas que regulen la IA.

En tercer lugar, la manipulación de la opinión pública mediante *deepfakes* y *bots* automatizados, así como el riesgo de difundir desinformación a gran escala, requieren de una respuesta coordinada y global para proteger a la población. El enfoque realista de las grandes potencias podría acabar propiciando una oportunidad para que las potencias medias, como España, que defienden un sistema basado en normas, lideren la creación de una gobernanza global que promueva una IA centrada en los derechos humanos.

En cuarto lugar, las resoluciones de la ONU, como la 78/265 y la 78/311, representan un avance hacia la adopción de un enfoque multilateral para la gobernanza de la IA, reflejando un consenso incipiente sobre la necesidad de regular esta tecnología de manera que favorezca el respeto a los derechos humanos. La Resolución 78/265, iniciada por Estados Unidos, pone de manifiesto la importancia de abrir un espacio de diálogo internacional sobre la IA centrado en el ser humano. La Resolución 78/311, liderada por China, destaca la necesidad de cooperación internacional, promoviendo el desarrollo de los sistemas de IA a través de enfoques de código abierto. La voluntad política de los Estados miembros es esencial para que las propuestas generales de estas resoluciones se puedan materializar en políticas concretas y en una gobernanza global eficiente.

En quinto lugar, el Reglamento Europeo de Inteligencia Artificial constituye un avance en la regulación de la IA a nivel global, y presenta una oportunidad para que la Unión Europea lidere el camino en la creación de un marco normativo multilateral. Este reglamento establece normas armonizadas para la IA, con el objetivo de proteger los derechos fundamentales de los ciudadanos. El reglamento se basa en un enfoque por niveles de riesgo, estableciendo prohibiciones concretas en casos de riesgo inaceptable (como la manipulación y engaño deliberado utilizando la IA) y un control estricto en los casos de riesgo alto. La incorporación de obligaciones de etiquetado de los *deepfakes* subraya la necesidad de una mayor trazabilidad para que los ciudadanos pueda identificar este tipo de contenidos con rapidez.

En definitiva, las organizaciones multilaterales deben liderar la coordinación sobre la gobernanza de la IA a nivel global, reconociendo su impacto y la necesidad de marcos normativos comunes. En este proceso, las potencias medias, como España, tienen la oportunidad y responsabilidad de desempeñar un papel clave, liderando esfuerzos que fomenten un enfoque basado en normas y derechos. La cooperación internacional será esencial no solo para abordar las desigualdades, sino también para garantizar que los avances tecnológicos respeten los derechos humanos y contribuyan a la solución de los desafíos transnacionales que afectan a toda la humanidad.

VIII. BIBLIOGRAFÍA

Alonso, J.A. (2025). Crisis de la ayuda: tipos ideales para el futuro de la Cooperación para el Desarrollo. *Documents CIDOB*, 18. https://www.cidob.org/publicaciones/crisis-ayuda-tipos-ideales-para-futuro-cooperacion-para-desarrollo

Bernabé Berges, M. P. (2025). Inteligencia Artificial y Derechos Humanos: el papel del Consejo de Derechos Humanos y los sistemas regionales de promoción y protección de derechos humanos tras el Pacto Digital Global. *Cuadernos de la Escuela Diplomática*, 78, 23-77.

https://www.exteriores.gob.es/es/Ministerio/EscuelaDiplomatica/Documents/documentosBiblioteca/CUADERNOS/78.pdf

Bontridder, N. y Poullet, Y. (2021) The role of artificial intelligence in disinformation, *Data & Policy*, 3: e32, Cambridge University Press. https://www.cambridge.org/core/journals/data-and-policy/article/role-of-artificial-intelligence-in-disinformation/7C4BF6CA35184F149143DE968FC4C3B6

Cantón-Correa, J. (2025) Humano ex machina: enfoque y ejemplos para la creación de herramientas de inteligencia artificial contra la desinformación. En: Ramírez-Alvarado. M. M. *Inteligencia Artificial y desinformación* (117-134) Editorial Universidad de Sevilla. https://consejoaudiovisualdeandalucia.es/wp-content/uploads/2025/11/Libro-Inteligencia-Artificial-y-desinformacion-PDF

Comisión Europea (2026). *Ley de IA.* https://digital-strategy.ec.europa.eu/es/policies/regulatory-framework-ai

Cooper, A. F., Parlar Dal, E. y Dipama, S. (2025). Fragmented multilateralism and international institutions: between complexities and challenges. *Third World Quarterly*, 46 (15), 1825-1837

Dev, R. (2025) AI World Order: How Artificial Intelligence is Reshaping Global Authority and Legitimacy, *SSRN.* https://papers.ssrn.com/sol3/papers.cfm?abstract_id=5649630

Florensa, S. (2025). La crisis de la democracia y el multilateralismo en un cambio de era. *Afkar/ideas,* 14-17. https://www.politicaexterior.com/wp-content/uploads/2025/07/5Florensa.pdf

Forbes / EP (2025). *España defiende en el G20 el multilateralismo en IA tras invertir 1.500 millones de euros.* https://forbes.es/economia/805938/espana-defiende-en-el-g20-el-multilateralismo-en-ia-tras-invertir-1-500-millones-de-euros/

Instituto Cervantes (2023). *«TeresIA», el proyecto para fomentar la terminología en español con inteligencia artificial, se presenta en Bruselas a los traductores de la Unión Europea.* https://cervantes.org/es/sobre-nosotros/sala-prensa/notas-prensa/teresia-proyecto-fomentar-terminologia-espanol-inteligencia#:~:text=%C2%ABTeresIA%C2%BB%20es%20un%20metabuscador%20de,del%20Lenguaje%20Natural%20(PLN).

Maruschak, A., Petrov, S. y Khoperiya, A. Countering AI-powered disinformation through national regulation: learning from the case of Ukraine. *Frontiers in Artificial Intelligence.* 7:1474034. https://www.

frontiersin.org/journals/artificial-intelligence/articles/10.3389/frai.2024.1474034/full

Ministerio de Asuntos Exteriores, Unión Europea y Cooperación (2025a). *La ONU aprueba la creación de un Panel Científico y un Diálogo Global sobre Inteligencia Artificial.* https://www.exteriores.gob.es/RepresentacionesPermanentes/onu/es/Comunicacion/Noticias/Paginas/Articulos/La-ONU-aprueba-la-creaci%C3%B3n-de-un-Panel-Cient%C3%ADfico-y-un-Di%C3%A1logo-Global-sobre-Inteligencia-Artificial.aspx

Ministerio de Asuntos Exteriores, Unión Europea y Cooperación (2025b). *Spain and Costa Rica will act as co-facilitators in consultations to stablish an International Scientific Panel on Artificial Intelligence and the Global Dialogue on AI Governance.* https://www.exteriores.gob.es/RepresentacionesPermanentes/onu/en/Comunicacion/Noticias/Paginas/Articulos/Spain-and-Costa-Rica-will-act-as-co-facilitators-in-the-consultations-of-the-International-Scientific-Panel-and-the-Global-.aspx?utm_source=chatgpt.com

Naciones Unidas (2026) *Artificial Intelligence (AI).* https://www.un.org/en/global-issues/artificial-intelligence

Instituto Nacional de Seguridad (2026) *Deepfakes.* https://www.incibe.es/aprendeciberseguridad/deepfakes

Presidential Memoranda (2026) *Withdrawing the United States from International Organizations, Conventions, and Treaties that Are Contrary to the Interests of the United States.* The White House. https://www.whitehouse.gov/presidential-actions/2026/01/withdrawing-the-united-states-from-international-organizations-conventions-and-treaties-that-are-contrary-to-the-interests-of-the-united-states/

Proner, C. (2025) Derecho Internacional contra la irracionalidad imperante. *Derechos y libertades,* 53, 191-207. https://www.researchgate.net/publication/392649812_Derecho_internacional_contra_la_irracionalidad_imperante

Quah, D. (2025). *El multilateralismo puede sobrevivir a la pérdida de consenso.* Fondo Monetario Internacional. https://www.imf.org/es/publications/fandd/issues/2025/09/point-of-view-multilateralism-can-survive-the-loss-of-consensus-danny-quah

Resolución 78/265 de la Asamblea General (2024). Aprovechar las oportunidades de sistemas seguros y fiables de inteligencia artificial para el desarrollo sostenible. https://documents.un.org/doc/undoc/gen/n24/087/86/pdf/n2408786.pdf

Resolución 78/311 de la Asamblea General (2024). Aumentar la cooperación internacional para la creación de capacidad en materia de inteligencia artificial. https://documents.un.org/doc/undoc/gen/n24/197/29/pdf/n2419729.pdf

Resolución 79/325 de la Asamblea General (2024). Mandato y modalidades para el establecimiento y funcionamiento del Panel Científico Internacional Independiente sobre Inteligencia Artificial y del Diálogo Mundial sobre la Gobernanza de la Inteligencia Artificial. https://digitallibrary.un.org/record/4087699/files/A_RES_79_325-ES.pdf

Riveros Marín, E. (2023). El multilateralismo en crisis. *Anuario Hispano-Luso-Americano de Derecho Internacional*, 26, 95-133. https://ihladi.net/wp-content/uploads/2025/07/1.-VERSION-INTEGRA-2.pdf

Rubio, M. (2026) *Poner fin a la farsa de las organizaciones internacionales dispendiosas*. US Department of State. Disponible en: https://www.state.gov/translations/spanish/poner-fin-a-la-farsa-de-las-organizaciones-internacionales-dispendiosas

Trang, N. M. y Thao, K. P. (2025) AI and the Transformation of Global Politics, *International Journal of Scientific Research and Management (IJSRM)*, 13 (2), 2130-2137. https://www.researchgate.net/publication/388918817_AI_and_the_Transformation_of_Global_Politics

Vercelli, A. (2025) Las inteligencias artificiales y sus regulaciones internacionales: análisis de las Resoluciones de la Asamblea General de la ONU en 2024. *SADIO Electronic Journal of Informatics and Operations Research (EJS)*, 24 (2), 110-119. https://revistas.unlp.edu.ar/ejs/article/view/18970/18978

PARTE II

LA IA Y LA DEFENSA DE LA DEMOCRACIA

Capítulo 2.

Apocalípticos e integrados en torno a la inteligencia artificial y la democracia

JOSÉ ANTONIO MUÑIZ VELÁZQUEZ
Profesor titular de Comunicación
Universidad Loyola Andalucía

Mezclada con ese horror sentía la amargura de la decepción;
los sueños que había sido mi sustento y mi
remanso se tornaban ahora un infierno,
¡y el cambio era tan rápido, el derrumbe tan completo!
VICTOR FRANKENSTEIN (MARY SHELLEY)

Hace sesenta y tantos años veía la luz una de las obras más relevantes de uno de los autores más influyentes en ciencias sociales y de la comunicación. Hablamos del célebre libro *Apocalípticos e integrados,* del semiótico y pensador italiano Umberto Eco. Esta obra supuso un punto de inflexión en los estudios de la comunicación social y la cultura de masas contemporánea, al introducir un marco conceptual sólido y riguroso con el que reflexionar sobre ella. Legitimaba así el estudio académico de los fenómenos mediáticos populares, convirtiéndolos en objeto de preocupación y estudio científico de pleno derecho.

Todo ese legado teórico, y también metodológico, no solo sigue vigente en buena medida, sino que continúa siendo tremendamente útil a la hora de aproximarse a las nuevas formas de cultura mediática del siglo XXI. Como han puesto de manifiesto no pocos autores (Catelli, 2024; González, 2024; Scolari, 2009), el libro de Eco nos sirve hoy no solo como testimonio de las discusiones y controversias de una época pasada, sino también como fuente de valiosas perspectivas desde las que analizar y evaluar los desafíos de la comunicación y la cultura actuales. Y desde luego, entre esos desafíos que la humanidad hoy encara, no ya solo en lo cultural o en torno a la comunicación social, sino en términos de civilización cabría decir, incluso existenciales, se encuentra la irrupción de la inteligencia artificial (IA).

Ante los cambios y las tribulaciones que este *advenimiento* está planteando en la práctica totalidad de las disciplinas y facetas humanas, el presente capítulo retoma el marco conceptual de Eco sobre la cultura de masas de su tiempo, y que atomizaba sus posicionamientos ante ella en dos: los apocalípticos, que la rechazaban, y los integrados, que la aceptaban con entusiasmo. Dos posiciones ideológicas y claramente reductoras, como reconocía el propio Eco, ya que es "profundamente injusto encasillar las actitudes humanas —con todas sus variedades y todos sus matices— en dos conceptos genéricos y polémicos como son "apocalíptico" e "integrado" (Eco, 1968: 11). Pero lo cierto es que *grosso modo* fueron, y siguen siendo, categorías que vuelven a ser útiles para abordar el debate ante esta nueva y descomunal tormenta tecnológica que es la IA. Categorías que, por otro lado, bien podrían sustituirse por términos más asépticos y explícitos, pero con menos atractivo narrativo, como pesimistas y optimistas. Porque en el fondo lo que se esconde en la esencia de esa postura apocalíptica o integrada es una mirada o bien desesperanzada o bien entusiasta.

De lo que trataremos en estas páginas es de identificar, por tanto, hasta qué punto esas dos posturas dicotómicas y maximalistas que describía el autor turinés ante el auge de los *mass media* y la cultura de masas del siglo XX, se replican en el siglo XXI y coinciden con las posiciones que comienzan a configurarse ante la hegemonía de una nueva realidad construida *a manos de* la inteligencia artificial generativa. Y, en particular, la relación de esta IA con la democracia, sus efectos sobre esta y sobre las libertades y los derechos humanos.

Porque lo cierto es que estamos, en palabras de Auh (2025), ante una evolución que no es meramente tecnológica, sino civilizacional. Vivimos hoy en una "atmósfera cognitiva" donde la IA ya no es una herramienta colateral más del sistema, sino parte vertebral de la infraestructura de pensamiento del sistema. Es el aire que respiramos, dirá el mismo autor más taxativa y gráficamente. Y aunque da la sensación de que hemos llegado de repente y disruptivamente a esta situación hegemónica de la IA en (casi) todos los órdenes de la vida, lo cierto es que su creación ha sido paulatina, en pequeños pasos a lo largo de un período relativamente considerable de tiempo. Dejando aparte no pocos posibles antecedentes de la IA en la historia del pensamiento y de la ciencia universal, empezando por Platón, Aristóteles, o Herón de Alejandría, Russell y Norvig (1995) atribuían la paternidad del primer trabajo de IA a Warren McCulloch y Walter Pitts, científicos que en 1943 crearon un primer modelo matemático de neurona artificial. Poco después, ya en 1956 se acuñaría el término "inteligencia artificial", etiqueta bajo la cual los avances se irían sucediendo a lo largo del resto del siglo XX y lo que llevamos del XXI.

Si, como decimos, cada día que pasa la IA gana aceleradamente presencia en nuestras vidas, nuestras democracias y Estados de derecho no quedan ajenos a ello. Y ante esa relación, los posicionamientos que aparecen vuelven a mostrar *grosso modo* un eje claro con los mismos extremos bipolares descritos por Eco. Entre ambos polos, ciertamente, podremos encontrar posturas intermedias y matizadas. De todo ello daremos cuenta seguidamente, comenzando por aquellos que imaginan el colapso a este lado del *telón de silicio*, por usar la expresión de Harari (2024), célebre apocalíptico en este debate.

I. APOCALÍPTICOS ANTE EL LEVIATÁN ALGORÍTMICO

Ciertamente, no es la primera vez que frente a la aparición de una nueva tecnología aparecen voces que, apuntando al horizonte, advierten de la llegada del apocalipsis tecnológico a lomos de cuatro corceles y sus jinetes, como dirán Moro Cordero *et al.* (2020). Desde aquel primer movimiento de obreros del textil que protestaban contra los avances tecnológicos en la Inglaterra industrial de principios del siglo XIX, rara vez se les ha dejado de acusar despectivamente de *ludita*[1] a esas voces que se posicionan críticamente ante determinada innovación tecnológica. En especial, a aquella que pudiera afectar a un determinado *statu quo* en el ámbito laboral.

En ese sentido, hace más de treinta años que los ya mencionados Russell y Norvig (1995) advertían de que la IA podría hacer perder también muchos puestos de trabajos. Pero también avisaban de posibles peligros en otros órdenes de la vida, desde la salud mental a la salud democrática de nuestros Estados de derecho. Una de las voces que años después recogía esa alarma ante el poder creciente del algoritmo fue O'Neil (2016). En su libro *Armas de destrucción matemática* apuntaba hacia el peligro de la opacidad en la toma algorítmica de decisiones políticas, por ejemplo. Si estas quedaban así supeditadas a la tecnología, se demolerían pilares democráticos tales como el obligado escrutinio público o la rendición de cuentas. Por otro lado, advertía la autora, si los modelos algorítmicos se entrenan con datos históricos sesgados (clase, raza, género, procedencia...), se reforzará con toda probabilidad desigualdades en asuntos como valoraciones crediticias

---

[1] Término que designó a los seguidores de Ned Ludd, supuesto líder del levantamiento inglés de 1811 (ver Jones, 2006).

o laborales, o predicciones policiales de individuos o colectivos determinados, amenazando así derechos humanos fundamentales.

En paralelo, otra consecuencia sería el uso punitivo y de control social no necesariamente democrático, a la vez que se desplazaría la responsabilidad de las decisiones desde las personas e instituciones que ostentan el poder al algoritmo. Y sin la asunción de responsabilidad tanto política como ética, la erosión de la gobernanza democrática estaría garantizada. La autora también avisaba de la influencia del algoritmo en los procesos electorales. La microsegmentación y el uso de datos para manipular información y opiniones distorsionan el debate público, la deliberación compartida y la igualdad de condiciones en unas elecciones. Recordemos que esto lo escribía la autora en 2016, coincidiendo con una IA generativa aún en sus inicios, con las redes sociales como protagonistas del debate, y coincidiendo con las primeras votaciones claramente afectadas en este sentido: el referéndum del Brexit, o la primera elección de Donald Trump.

Dejando aparte el problema de la protección de datos y la privacidad, y prácticamente a la vez que O'Neil, Danaher (2016) también se preguntaba si el auge de un gobierno algorítmico podría crear problemas para la legitimidad moral y política en la toma de decisiones públicas, si precipitaría una merma significativa en su legitimidad. Esto implicaría lo que el autor llama la "amenaza de la algocracia", una vuelta de tuerca deshumanizada, o *transhumanizada* cabría decir, a esa "epistocracia" de la que hablaba Estlund (2007), y que definía como el sistema político regido por los *sabios.* Esto, a priori, podría sonar positivo, recordándonos de nuevo a Platón o Aristóteles, o a Tomás de Aquino, Confucio, John Stuart Mill, o el más reciente Jason Brennan (2018). Pero lo cierto es que ya el propio Estlund (2007) señalaba serios riesgos democráticos de ese hipotético gobierno de sabios, como la falta de transparencia, de aceptabilidad, de autoridad, de legitimidad y de confianza. Y todo ello con *sabios humanos* en mente, cuanto más si son *sabios no humanos* los que tenemos en el horizonte.

Similares tesis asumían algo después, y aún en la era pre-IA generativa masiva, Lassalle (2019) describía como "ciberleviatán" al nuevo poder digital que, en manos de plataformas tecnológicas y sistemas algorítmicos, estaba erosionando, si no reemplazando, el poder soberano del Estado. O dicho de otro modo, el control y el poder empezaba a no ser ejecutado principalmente mediante la ley y la coerción estatal, sino a través de datos y algoritmos. Un poder ejercido no desde los edificios gubernamentales sino desde las arquitecturas informáticas de conocimiento y vigilancia digital, y de modo ubicuo y continuado. El famoso panóptico que Jeremy Bentham ideó en el siglo XVIII veía por fin la luz, cubriendo al mismo tiempo de sombras la democracia.

Esa nueva frontera del poder, o más bien la ausencia de ella, la analizó en profundidad Shoshana Zuboff (2019). La autora identificaba como amenaza fundamental esa transformación de datos personales en un nuevo tipo de poder económico que socava la autonomía individual y el espacio democrático, dando lugar a lo que bautizó como "capitalismo de la vigilancia". Las tecnológicas recolectan datos íntimos para predecir y modificar comportamientos, creando mercados de "futuros conductuales" y convirtiendo así a las personas no ya en consumidores desprotegidos, no ya en sujetos o ciudadanos cada vez menos soberanos, sino en objetos de manipulación. Esa vigilancia ubicua, con unos algoritmos que modulan continua y sigilosamente decisiones individuales de orden económico, político o social, acaba por erosionar toda libertad y autonomía de elección. El poder se concentra, por todo ello, en manos de grandes corporaciones tecnológicas, muy por encima de las instituciones democráticas. Aunque el análisis partía de la economía, la correlación a la política es directa.

Si esta era la visión de estos y otros muchos autores respecto a unas herramientas sustentadas en una tecnología algorítmica que aún no había alcanzado el nivel de desarrollo actual, qué no dirían hoy ante una IA en emancipación creciente y que está suponiendo un cambio cualitativo en la propia concepción del término *herramienta*. En este sentido, hay que mencionar de manera destacada las recientes aportaciones que hace el filósofo español Daniel Innerarity.

Hace apenas cuatro años, Innerarity (2022) se mostraba moderadamente optimista ante la llegada masiva de la IA y la salvaguarda de la democracia ante sus posibles interferencias. "La posibilidad de que la democracia pueda ser algún día superada por la inteligencia artificial es, como temor o como deseo, manifiestamente exagerada", decía. Y lo sustentaba en que la política es una actividad que no razona lineal ni deductivamente, y que su misión es gestionar la incertidumbre, la ambigüedad y la contingencia. La lógica algorítmica, en cambio, exige claridad, objetividad y precisión.

Precisamente por eso tenemos, y tendremos, democracia, venía a decir, porque la realidad es imprecisa y controvertida. Una debilidad que, paradójicamente, acabaría por proteger la democracia ante su posible colapso algorítmico.

Tres años después, ante una IA cabalgando rauda y veloz, el autor no parece sustentar el mismo nivel de optimismo, o tranquilidad al menos. En su concienzuda teorización crítica en torno a la inteligencia artificial (Innerarity, 2025), subraya que no estamos solo ante una tecnología, sino ante una forma de reorganizar la sociedad, la comunicación y las relaciones de poder, y que está ocurriendo a una velocidad que supera la capacidad regulatoria y de deliberación pública. Estamos, así, ante un claro déficit en la calidad de vida democrática, provocado por un nuevo agente, que no herramienta, que distorsiona la esfera y opinión pública. Y lo hace a través de los sistemas de recomendación algorítmica completamente personalizados, por un lado, y la generación de contenidos sintéticos, esto es, falsos y desinformativos, por otro, alterando así el régimen de verdad y credibilidad que ha de sustentar toda sociedad democrática. La manipulación, la polarización y la erosión de la confianza resultante hace saltar por los aires los pilares de toda democracia liberal.

Para Innerarity, por tanto, la cuestión central de la IA es que se trata de una cuestión eminentemente política. Así, reclamará instituciones, políticas y marcos regulatorios capaces de domesticarla y orientarla al bien común y al fortalecimiento de la democracia, dando por hecho que esto es algo que no está ocurriendo en estos momentos. A ello le une la necesidad de más y mejor educación crítica al respecto, en forma de alfabetización digital, o algorítmica más concretamente. Frente a una IA antidemocrática, reclama así un humanismo digital que desde los poderes públicos y desde la ciudadanía de base vele por un sistema algorítmico al servicio de la dignidad, la justicia, la verdad y la libertad. Y no al revés. O la ciudadanía es el sujeto político, subrayará en otro momento (Bosoer e Innerarity, 2025), o será mero objeto de gestión y explotación, como ya se ha apuntado más arriba.

Ahora bien, tampoco nos engañemos, porque como Bosoer e Innerarity (2025) reconocerán, el deseable planteamiento anterior puede ser quimérico, habida cuenta de las limitaciones de las naciones y Estados, e incluso de entidades supranacionales como la Unión Europea. En un mundo interconectado con capacidades (e intenciones) estatales muy desiguales, ¿qué tipo de control democrático o soberanía sobre la IA es posible?

En esa línea, Castellanos Claramunt (2025) analiza la interacción entre la IA y el marco jurídico, abordando críticamente la aproximación regulatoria en Europa. Señala los avances que se han producido, pero reconoce las mermas y limitaciones en una regulación que peca de ser excesivamente ambiciosa para los instrumentos disponibles. Estamos, dirá, ante un absoluto cambio de paradigma tecnológico que implica la fagocitación completa de todos los entresijos sociales, políticos, económicos y jurídicos de la sociedad, y que a la postre representará una erosión del Estado constitucional por múltiples vías.

Otro autor que alerta del enorme cúmulo de amenazas democráticas de la IA es Coeckelbergh (2024), quien apunta a distintos frentes de ataque: La generación de desinformación a gran escala; la creación de *deepfakes* indistinguibles de la realidad, lo que aniquila la confianza en las instituciones democráticas, y de todo tipo cabría añadir, y en las personas que la encarnan; la formación de burbujas epistémicas que distorsionan el discurso público, imposibilitando el debate racional; y la vigilancia masiva con el *microtargeting*[2], lo que da pie a una manipulación silenciosa y paulatina del ciudadano. Coincidiendo con la ya mencionada O'Neil (2016), el autor alerta también del riesgo para la igualdad de derechos. Cuando la IA se instale en sistemas como el de la justicia, la policía, servicios sociales o migración, por ejemplo, probablemente reproduzca sesgos y discriminaciones estructurales que podrían perpetuarse, incluso amplificarse.

Ante todo esto, Coeckelbergh aboga por un marco legal global y una gobernanza deliberativa de la IA, que involucre a expertos, ciudadanos, empresas e instituciones políticas para diseñarla y regularla responsable y transparentemente, integrando valores democráticos y bajo unas férreas normas éticas.

---

[2] Estrategia de comunicación que utiliza datos personales y comportamientos en línea para segmentar y dirigir mensajes altamente personalizados a individuos o a grupos muy específicos, con el objetivo de influir en sus decisiones o comportamientos (van Dalen, 2025).

La educación y alfabetización sobre la IA es, de nuevo, otro eje fundamental apuntado por el autor. Una alfabetización que no solo se centre en el uso y manejo eficiente de determinadas herramientas IA, sino que forme e informe sobre los riesgos, limitaciones, efectos y consecuencias que a corto, medio y largo plazo puede tener la IA tanto a nivel individual como social o político.

Una aportación realmente relevante a este debate sobre la irrupción de la IA en el corazón de nuestras democracias es la que hace Chehoudi (2025) con su exhaustiva revisión bibliográfica. En ella se aprecia una escasez de estudios comparativos y empíricos que evalúen real y fehacientemente el impacto de la IA en democracias concretas, ya que la mayoría de las aproximaciones existentes presentan enfoques más cualitativos y teóricos. Para subsanar tal laguna, el autor emplea un modelo de efectos fijos bidireccionales para evaluar el impacto del desarrollo de la IA en la salud democrática de 72 países, aquellos que han desarrollado y publicado sus estrategias nacionales de IA entre 2010 y 2023. Los resultados indican que un mayor desarrollo de la IA se asocia, de una manera estadísticamente significativa, con niveles más bajos de democracia; aunque es cierto que se debe tener en cuenta otros factores políticos. Los países con sistemas parlamentarios más sólidos, por ejemplo, pueden estar mejor equipados para gestionar y mitigar los impactos negativos de la IA. En cualquier caso, todo apunta a que esa nueva "algocracia" parece debilitar la democracia, alimentando al mismo tiempo lo que Altman (2026) llamará *ciberpopulismo* autoritario.

Un trabajo que requiere ser también mencionado es el de Rubio Núñez, Franco Alvim y de Andrade Monteiro (2024), quienes diseccionan con enorme precisión y detalle el papel que ya tiene la IA en las campañas electorales. Centran su análisis en las múltiples disfunciones informativas y en la hegemonía del algoritmo en las estrategias actuales de comunicación política. Tal es su presencia y centralidad en los procesos electorales contemporáneos, dirán los autores, que sin ambages hablan de "elecciones algorítmicas", y que avisan además de que no hay vuelta atrás. Avisan de que solo la regulación férrea a todos los niveles puede hacer que el proceso siga siendo medianamente democrático. No obstante, abogan por no sucumbir tampoco al catastrofismo, lo cual podría "condicionar nuestra respuesta" (Rubio Núñez, Franco Alvim y de Andrade Monteiro, 2024: 28).

Por otro lado, un amplio número de expertos de diferentes instituciones han analizado en profundidad la preocupante aparición de lo que llaman *enjambres* de inteligencia artificial (Schroeder *et al.*, 2026). Serían aquellos sistemas de agentes algorítmicos capaces de coordinarse de forma autónoma con el objeto de manipular la opinión pública y debilitar los procesos democráticos. Para ello, estarían utilizando modelos de lenguaje avanzados con los que infiltrarse en comunidades digitales e imitar el comportamiento humano con una extraordinaria precisión. Tendrían total capacidad para fabricar consensos artificiales o "sintéticos" a gran escala y sembrar narrativas en nichos de población para crear la ilusión de acuerdo. Si la democracia depende de la (relativa) independencia de juicio (medianamente informado sobre hechos y evidencias) de los ciudadanos, estos enjambres socavarían exponencialmente dicho juicio, al distorsionar un procesamiento cognitivo humano influido por unas "opiniones" artificiales o sintéticas espuriamente repetidas y sobrerrepresentadas, y por tanto consciente o inconscientemente sobrevaloradas.

En paralelo, esos *enjambres IA* pueden poner en marcha campañas de "acoso sintético" masivo. A políticos, candidatos, periodistas, disidentes, académicos, instituciones, medios y todo tipo de figuras claves de nuestras democracias. Un acoso que al simular ser espontáneo y coralmente perpetrado por miles de personas podría lograr asimismo que las voces contrarias al acoso acaben por retirarse o callarse. Estaríamos así ante una más que renovada versión de la célebre espiral del silencio de Noelle-Neumann (1984), y lo que bien podríamos llamar *espiral del ruido (sintético).*

Los *enjambres IA*, además, potencian aún más la fragmentación e *hipersegmentación* de una realidad ya de por sí segmentada por las cámaras de eco. Con marcadores lingüísticos y culturales de comunidades específicas y perfectamente delimitadas, están creando realidades paralelas diseñadas para mantener a los grupos no ya enfrentados, sino totalmente separados, ignorantes de toda visión alternativa, haciendo así que un mínimo consenso social, diálogo al menos, sea algo inalcanzable.

Otro frente de ataque de este enjambre antidemocrático es la corrosión de la **legitimidad institucional.** Mediante la diseminación computerizada de dudas, aun sutiles pero constantes, sobre todo tipo de acción institucional pública (véase una comisión electoral, un tribunal, un juicio, etc.), terminarían por minar toda confianza en el sistema. Como consecuencia directa tendríamos así una ciudadanía más que predispuesta para aceptar cualquier tipo de medida antidemocrática de "emergencia".

Por si todo lo anterior fuera poco, los autores del mencionado informe denuncian también la contaminación masiva del sustrato epistémico ejecutada por estos enjambres. A través de lo que se conoce como "*Large Language Models Grooming*", estarían envenenando conscientemente los datos de entrenamiento para futuras generaciones de los propios modelos de IA. Así, las narrativas manipuladas, falsas y desinformativas quedarían *calcificadas* en los tuétanos de esos nuevos modelos, saboteando las herramientas IA de deliberación en las que tendría que confiar la sociedad en el futuro. De alguna manera, ya no solo estarían manipulando a los usuarios reales, seres humanos, sino también a los mismos usuarios algorítmicos y agentes artificiales, lo que daría lugar a una espiral infinita e *in crescendo* de manipulación, y de manera casi irreversible.

Ante semejante panorama, no podrá sorprendernos lo que clama una de las figuras más apocalípticas, el ya aludido historiador israelí Yuval Noaḥ Harari. En su último libro plantea toda la historia de la humanidad como una expansión continua de red o redes de información. Y en esa evolución, ante la aparición de la IA, se muestra tajante: la IA no es una más de las miles y miles de tecnologías que nos hemos ido dando el ser humano. Y no es una más porque no es una herramienta, como hasta ahora, sino un agente (Harari, 2024: 23). No es un instrumento que conecta dos nuevos miembros en una red, sino que son nuevos miembros de la red. Miembros con un poder, además, creciente, que mengua el que queda en manos humanas. A diferencia del libro, la imprenta, los periódicos o la radio, el algoritmo es una tecnología que sí toma decisiones por sí misma. Así empezó paulatinamente a ocurrir hace ya unos años con las redes sociales, y con las que ya empezó a socavarse la democracia liberal contemporánea, dirá el autor.

Algo muy distinto ocurrió cuando aparecieron los periódicos, que desempeñaron un papel fundamental en la formación de las primeras democracias modernas. Entre otras cosas porque hizo posible una conversación compartida por cada vez más ciudadanos. No en balde, democracia es con versación, recordará el autor, y mientras la prensa, e incluso las redes sociales digitales en sus primeras fases, la hicieron posible, el algoritmo hoy la desvertebra, siendo evidente su jaqueo deliberado sembrando odio y socavando la cohesión social. Entre otras cosas, porque se descubrió que el odio, el miedo y la indignación es lo que genera más *engagement*[3] en

3 Término que en publicidad y marketing digital describe *el grado de participación del usuario con el contenido en redes sociales, y que se mide a través de comportamientos observables como dar me gusta, comentar o compartir publicaciones (ver* Cvijikj y Michahelles, 2013).

las redes. Estimular el sistema límbico de los usuarios, nuestro lado más visceral, es mucho más rentable para las plataformas que estimular la corteza prefrontal, esto es, nuestra racionalidad (Harari, 2024).

Como otros muchos apocalípticos, Harari apunta también a los efectos de la IA en la desestabilización del mercado laboral. Recuerda en este punto a la República de Weimar, y lo que supuso la crisis económica y de empleo en su caída y en el ascenso del nazismo. Nos recuerda así que una crisis laboral puede implicar un cataclismo democrático.

Harari plantea además un giro inesperado, al apuntar que no es solo la democracia la que puede estar en peligro ante la toma del poder por parte del algoritmo. También las dictaduras y los regímenes autoritarios de todo pelaje podrían caer en las mismas manos. Tanto democracia como autocracia o dictadura sucumbirían a lo que podríamos llamar un *hiperautoritarismo* computacional. El poder caería, por tanto, en manos del algoritmo y no de humano alguno, ni tan siquiera del tirano de turno.

En resumen, en estas y otras muchas lecturas *fin del mundo* o *colapsistas*, los cuatro jinetes algorítmicos del apocalipsis democrático serían:

1. La caída de la autonomía del ciudadano racional, la cual se vería reemplazada por la heteronomía de algoritmos que condicionarán sus visiones, opiniones y decisiones políticas, con un excesivo protagonismo de la dimensión emocional, cuando no visceral, del ser humano.
2. La desinformación y la supremacía de la posverdad, de la que ya se hablado mucho, y que socava la fe y confianza en la democracia y en toda institución y proceso que la sustentan.
3. El *extractivismo* de datos, que convierte a los usuarios en insumos de los que extraer valor. Las personas pasan a

ser mera mercancía que ven socavados sus derechos fundamentales.

4. La hiperconcentración del poder, al alimentar un autoritarismo que podría descansar no ya en manos de una oligarquía o de un dictador, sino de la propia tecnología.

Ante semejante panorama, advertía el propio Harari, se debe no obstante sortear la desesperación. También, por descontado, la complacencia. Vistas hasta aquí estas perspectivas más apocalípticas, algunas tal vez desesperadas, toca explorar esas otras voces si no más complacientes sí algo más *integradas,* siguiendo a Eco, en aras de equilibrar la balanza, si es posible.

II. INTEGRADOS ANTE LA PROMESA DE UNA DEMOCRACIA ALGORÍTMICAMENTE REFORZADA

Giramos ahora la mirada hacia aquellas posturas que prefieren focalizarse en las posibles consecuencias positivas para la democracia, y para la sociedad y el futuro del ser humano en general, de la llegada y el potencial de la IA. Cabe señalar que ni tan siquiera los más integrados, los más tecno-optimistas y esperanzados, obvian del todo los peligros potenciales que encierra, como es el caso de Summerfield *et al.* (2025).

Estos autores analizan el impacto de la IA en los procesos democráticos, y aunque reconocen que plantea retos importantes, sostienen que también ofrece nuevas oportunidades para la democracia. Por ejemplo, podría ayudar a educar a los ciudadanos y al mismo tiempo aprender de ellos, reforzar el discurso público facilitando el encuentro de puntos en común, o mejorar la capacidad de los ciudadanos para tomar decisiones informadas y competentes, entre otras posibilidades. Todo ello, reconocen los autores, a condición de que la IA sea correctamente diseñada y regulada, un condicional que se vuelve imprescindible para aceptar la premisa principal.

Por su parte, Sunstein (2025) pone el foco en la promesa de la IA de evitar tanto el sesgo como el ruido. Para toda aquella institución que quiera evitar errores, puede suponer una gran ayuda, dirá. Es cierto que puede ayudar tanto a empresas e inversores que quieran ganar dinero, pero también a consumidores que no quieran comprar productos que al final no necesiten. Y también, en términos políticos, puede suponer mejoras en nuestros sistemas democráticos y en los protocolos de toma de decisiones. Diseñando, por ejemplo, sistemas que expongan a la ciudadanía a puntos de vista diversos. La deliberación y calidad del debate público y electoral saldría reforzada, dirá el autor.

En esa misma línea, Landemore (2023) hablaba de la llegada de una "democracia abierta" potenciada por las nuevas herramientas digitales. En particular por la IA, una tecnología que podrá ampliar exponencialmente las vías de participación ciudadana, y explotar mejor la inteligencia colectiva con la que, en lugar de sustituirlos, apoyará procesos deliberativos a gran escala. La IA sería imprescindible, por tanto, en esa anunciada "ecología participativa", donde la interacción entre representantes y representados tomaría una dimensión superior.

Otra aportación *integrada* u optimista es la que plantean Arsenal y López (2025). Estos autores no lo niegan: la democracia está en crisis, pero tal vez porque está a punto de evolucionar, dirán, no de empeorar necesariamente. Los avances y la implantación de la IA y la automatización pueden estar redefiniendo, como tantas otras cosas, la forma en la que nos gobernamos. En su libro defienden cómo esa "democracia 4.0", gracias a la IA, puede ser más eficiente, transparente, humanizada y optimizadora de recursos, eliminando procesos y burocracias innecesarias, entre otras cosas. Dejan claro que no es cuestión de plantear una utopía en la que las máquinas asumen idílicamente el control y el gobierno, sino de rediseñar bien un sistema democrático que tendrá que contar con la IA, sí o sí.

A instancias del Parlamento Europeo, Adam y Hocquard (2023) presentaron un informe sobre IA, democracia y elecciones en el que, aunque es cierto que alertan de posibles peligros y amenazas, puede apreciarse una cierta visión posibilista. Advierten del potencial desinformativo de la IA en relación con la democracia en general, pero también insisten en que podría ayudar a un mayor entendimiento y acercamiento de la ciudadanía a la política. Por ejemplo, a través del diseño de *chatbots* que expliquen programas y propuestas electorales, que mejoren los debates al resumir opiniones y posturas, o moderen conversaciones masivas, ayudando así a construir consensos (honestos y no espurios), entre otras acciones y tareas concretas.

También para los dirigentes políticos estos mismos autores apuntan ventajas. La IA podría facilitar el análisis de la opinión pública en determinados asuntos, gestionar las respuestas de una manera más elaborada y personalizada. Contando, eso sí, con la voluntad de transparencia y buena fe de los políticos. Podría también ser usada por la administración para sintetizar datos complejos, generar informes expertos en menos tiempo, y dar así un mejor y más rápido servicio a la ciudadanía. De igual forma, la IA podría servir para detectar el uso fraudulento y abusivo de la propia IA. Aunque lo cierto es que la fiabilidad y eficacia de estas estrategias es hoy por hoy limitada, pues las posibles herramientas anti-IA se vuelven obsoletas de una manera tremendamente rápida. En cualquier caso, Adam y Hocquard concluyen su visión más esperanzadora sustentándola en la necesidad de una regulación precisa y firme, a nivel europeo cuanto menos. Solo así se podría controlar, en la medida de lo posible, los usos y abusos de la IA en todos los ámbitos de nuestra convivencia democrática.

Otra mirada esperanzadora es la que aportan Schneier y Sanders (2025), quienes amplían y elevan su mirada sobre el asunto. Dirán que el impacto de la IA en la democracia hay que verlo más allá de los problemas coyunturales que a corto plazo pueda generar. Dondequiera que se utilice, creará riesgos, es obvio, pero también oportunidades para sacudir las estructuras de poder establecidas desde hace tiempo, dirán. Subrayan ejemplos de cómo la IA está mejorando la capacidad de los funcionarios públicos para moldear el comportamiento del sector privado, automatizando el cumplimiento de las regulaciones industriales, por ejemplo. Apuntan también al sistema judicial, proponiendo cómo abogados y jueces aprovecharán la IA para cambiar radicalmente nuestra forma de experimentar la aplicación de la ley, los litigios y la resolución de disputas. La IA, afirmarán con rotundidad y con cierto toque *redentorista*, puede mejorar los procesos democráticos y ayudar a los ciudadanos a crear consenso, a expresar su opinión y sacudir las estructuras de poder establecidas desde hace tiempo.

Si circunscribimos el debate sobre IA y democracia al terreno de lo legislativo y jurídico, ya apuntado por los mencionados Schneier y Sanders, encontraremos más voces optimistas. Tal como afirma Gentile (2024), entre no pocos profesionales del derecho ha surgido una nueva "fe" en el poder transformador de la IA. Se extiende la idea *mesiánica* de que la IA mejorará significativamente el derecho, ayudando a los abogados a afrontar marcos jurídicos cada vez más complejos y a responder a una demanda creciente de servicios jurídicos, agilizando así los procesos. Asimismo, cabría esperar una notable mejoría en el acceso a la justicia, fortaleciendo la democratización de la práctica legal. Ante esta visión optimista, la misma autora apela a la responsabilidad y la cautela, coincidiendo con D'aloia (2025) en subrayar la necesidad de una reflexión pausada para comprender lo que realmente significa el derecho y la práctica jurídica en el seno de una democracia.

En resumen, todas las ventajas que para la democracia y nuestros derechos y libertades atribuyen a la IA las voces más *integradas* bien podrían resumirse también en cuatro. Contraponiéndolas a los ya mencionados jinetes del Apocalipsis, las asociaremos y agruparemos en torno a las cuatro virtudes cardinales:

1. **Templanza**: La IA podría reforzar el discurso democrático, ayudando a los ciudadanos a informarse mejor y más calmadamente, a identificar puntos en común y a exponerse a la vez a perspectivas diversas. Podría reducir sesgos y ruido, haciendo la deliberación más informada, ponderada, plural y racional.
2. **Fortaleza:** Las herramientas IA permitirían escalar la participación ciudadana, abriendo nuevas vías de implicación política. Fomentaría una "democracia abierta", fortaleciendo la interacción entre representantes y representados.
3. **Prudencia:** Aplicada a la administración pública, la IA podría optimizar recursos, reducir burocracia y mejorar la toma de decisiones y la prestación de servicios. Facilitaría también la rendición de cuentas, y por tanto un gobierno más prudente, eficiente y transparente.
4. **Justicia:** En el ámbito jurídico y regulatorio, la IA permitiría agilizar procesos legales, mejorar el acceso a la justicia, y apoyar la aplicación y el cumplimiento de la ley. Supondría, por tanto, un fortalecimiento de la protección de los derechos fundamentales y del Estado de derecho.

Si todo esto es un desiderátum voluntarista y conciliador, o realmente una posibilidad plausible y asible en un futuro cercano, hará falta tiempo para ir viéndolo sobre la marcha.

Mientras tanto, se abre la posibilidad de mantener una postura confluyente y hasta cierto punto equidistante entre los dos polos presentados hasta ahora.

III. POSTURAS CONCILIADORAS ENTRE EL COLAPSO Y LA UTOPÍA

Tal como al final concluía y proponía el propio Eco, la oposición apocalípticos/integrados es en buena medida una disyuntiva forzada. Emprender el entendimiento de la cultura de masas, en su momento, exigía un enfoque crítico que no debía caer ni en lo nostálgico y elitista. Tampoco en la fe ciega, ilusa y acrítica ante los nuevos medios de masas, sobre todo la televisión, y la emergente cultura pop de entonces, con los *Beatles* a la cabeza.

Así, como en buena medida se ha podido percibir en las páginas anteriores, casi todas las posturas reseñadas en torno a la IA y la democracia cuentan con cierto contrapeso en sus postulados, pertenezcan a uno u otro *bando*. Repasemos ahora algunas otras posturas que se sitúan en el debate con mayor relativismo y deseo de confluencia, que sin ser optimistas ni pesimistas, militarían una especie de realismo crítico y a la vez expectante.

En un concienzudo trabajo de revisión, Duberry (2022) concluye que no cabe duda de que la democracia liberal será transformada por la IA. Es clave, por tanto, que sea la ciudadanía y no las *big tech* quien decida el rol político de la misma. Para posibilitarlo habrá que priorizar una IA explicable, transparente y auditada, acorde con la regulación de la protección de la ciudadanía y sus derechos. La alfabetización digital (algorítmica) masiva será otro pilar fundamental para lograrlo.

Anand (2025), por su parte, estructura la relación entre IA y democracia en tres pilares fundamentales: la identificación de riesgos, las barreras regulatorias y las soluciones políticas. El autor detalla varios problemas críticos, como la desinformación masiva, el sesgo algorítmico y la concentración de poder en las grandes empresas tecnológicas, todo lo cual amenaza con erosionar la confianza y la soberanía ciudadana. Ante la dificultad de articular una regulación realmente eficaz para una tecnología que evoluciona más rápido que las leyes, propone un marco de gobernanza centrado en la persona, que involucre a la sociedad civil y a organismos internacionales. Solo así la IA se podría convertir en una herramienta que fomente la equidad, la deliberación pública y el florecimiento humano, en lugar de ser un agente adverso.

Otra postura que podríamos considerar conciliadora es la que presentan Boine *et al.* (2024). Sin dejar de señalar los riesgos que la IA puede suponer para la democracia, apuntan también posibles beneficios, siempre y cuando se cumplan ciertas prácticas y condiciones, con arreglo a ejemplos reales. Ven factible una IA al servicio de la participación ciudadana y la comunicación política. Ya hay partidos políticos e instituciones públicas, apuntarán, que comienzan a utilizar agentes algorítmicos conversacionales para interactuar con el electorado. Algo positivo, a priori, toda vez que se supervise bien el comportamiento correcto del *chatbot*, como reconocen los autores.

La IA puede mejorar, defenderán estos mismos autores, la accesibilidad lingüística y la transparencia, haciendo más accesibles e inclusivos los debates políticos o intervenciones públicas. Por ejemplo, con sistemas de reconocimiento de voz que puedan traducir y subtitular los discursos. En esa línea, ven también la IA como promotora de las asambleas ciudadanas. Usada correctamente podría amplificar las voces de los miembros de grupos infrarrepresentados. La ven, asimismo, como apoyo al proceso legislativo, aprovechando su capacidad para generar textos legislativos y normativos de una manera más rápida y eficiente. Apuntan también a que la IA podría ser una nueva aliada contra las restricciones democráticas en regímenes autocráticos, esto es, un arma democrática contra los obstáculos a la libertad de expresión y otros tipos de coacciones. Tampoco se olvidan de que la IA podría convertirse en antídoto y/o medicina contra la propia IA, al poder contrarrestar sus efectos negativos sobre una posible democracia *algoritmizada.*

De todo ello los autores ponen ejemplos y experiencias concretas en diferentes países, como se decía. Ejemplos que pueden ser esperanzadores, pero que están lejos aún de ser generalizables y perdurables, habida cuenta del cambio aceleradamente constante de la IA. Por eso es perentorio que además de disponer de las herramientas adecuadas, se cuente con "una gran voluntad política", por un lado, y "una fuerte movilización de la población (y de sus representantes) para seguir de cerca las cuestiones relacionadas con la IA" (Boine *et al.*, 2024: 23).

Por su parte, Régis *et al.* (2025) proponen cuatro medidas concretas para salvaguardar la integridad de los procesos electorales y defender la democracia ante las interferencias algorítmicas que ya están sufriendo. Primero, regular el uso de *chatbots* y otras IA en las elecciones; segundo, que los partidos asuman un código de conducta ex profeso para la IA; tercero, que las autoridades electorales cuenten con un equipo interdisciplinar independiente preparado para prevenir las perturbaciones electorales de la IA y a responder a ellas cuando ocurran; y cuarto, habida cuenta de que dichas perturbaciones suelen proceder de terceros países o agentes exteriores, los Estados deberían establecer lo que los autores llaman "Guardianes Electorales Internacionales de IA", que cuenten con protocolos internacionales de asistencia jurídica mutua y que puedan ser operativos en múltiples jurisdicciones.

En la misma línea, George y Klaus (2026) identifican varias áreas clave de intersección *algorítmicodemocrática,* y en todas ellas ven potenciales brechas tanto de debilitamiento como de reforzamiento democrático. En primer lugar, y de manera quizás más notoria, en los procesos electorales. Ahí aparecen riesgos de desinformación y manipulación del electorado, de injerencia extranjera, pero también surgen oportunidades en registro de votantes, agilización de procesos, etc. En segundo lugar, en la deliberación ciudadana y en el diálogo ciudadanía-gobierno. La IA podría ayudar a la escalabilidad de consultas públicas, disminuyendo sesgos, pero también aumentándolos. En tercer lugar, en la gestión gubernamental de instituciones y servicios públicos, la IA puede aumentar la calidad y la eficiencia de la prestación de servicios gubernamentales. Pero también podría aparecer riesgos de sesgo, desigualdad, represión y control antidemocrático de la población. La cuarta intersección hace referencia a la cohesión social y política de la sociedad estrechamente relacionada con los derechos y las condiciones socioeconómicas de la ciudadanía. En este sentido, será clave la gestión de la transformación del mercado laboral provocada por la IA. Una transformación que, mal gestionada, podría ensanchar las desigualdades sociales y económicas, el descontento, la polarización y los extremismos, la confianza en las instituciones, la degradación de la cohesión social y política, desestabilizando así las democracias, como más arriba ya apuntábamos. Finalmente, También George y Klaus (2026) apuntan al papel clave en el avance de los procesos democráticos que la IA podría tener allí donde los derechos y libertades democráticas no pasan de ser un anhelo de la población.

Desde una perspectiva ligeramente diferente, Simons (2023) abordaba el debate poniendo el foco no en el posible impacto democrático de la IA, sino en la manera de colocar la democracia en el centro de la gobernanza de la IA. Para ello, no solo basta con hablar de regulación y normativas sobre el algoritmo, sino que propone "democratizar" los algoritmos, configurando mecanismos institucionales para que las decisiones sobre el diseño y el despliegue de la IA sea objeto de deliberación y control público, no solo de expertos o empresas. En ese sentido, aboga por exigir la participación de las personas que se vayan a ver afectadas en el diseño de los algoritmos. Solo así se lograría una mayor transparencia procedimental, lo que facilitaría la rendición de cuentas y la adjudicación de responsabilidades, y la salvaguarda de derechos.

En definitiva, la democracia en la era actual de la IA exige tratarla no solo como una tecnología a optimizar, concluirá Simons, sino como un objeto de diseño institucional y deliberación política. Estaría con esto acercándose a ese "constitucionalismo digital" por el que apostaba De Gregorio (2022), quien recalcaba la necesidad de proponer un marco jurídico que garantice la transparencia, la rendición de cuentas y la dignidad humana frente a la autoridad privada y los procesos automatizados que definen el poder de las plataformas digitales, hoy completamente *algoritmizadas*.

IV. CONCLUSIÓN

En su monumental *Vida y Destino*, Vasili Grossman apuntaba a la perplejidad de determinadas épocas ante sus propios logros y su incapacidad para dominarlos. Bien pudiera resumir esas palabras la sensación general ante el *logro* que la IA podría suponer para nuestras vidas y nuestras democracias. En la misma novela, publicada por primera vez en 1980, el autor se atrevía a decir:

> "El siglo de Einstein y Planck había resultado ser el siglo de Hitler. La Gestapo y el renacimiento científico eran hijos de una misma época. [...] Existía un parecido terrible entre los principios del fascismo y los principios de la física contemporánea" (Grossman, 2007: 111).

Aunque en esa cita no lo mencione, más tarde el novelista ruso no dejaría fuera de la ecuación el estalinismo, posicionándose así contra todo autoritarismo. Décadas después, cuando parecía que las democracias habían ganado la batalla a las autocracias, el panorama no parece en general halagüeño. Son múltiples los informes que dan buena cuenta y evidencia basada en datos del deterioro que en los años recientes y a nivel global está padeciendo la democracia, coincidiendo con la aparición y despegue de la IA (Economist Intelligence Unit, 2024; Freedom House, 2025; Nord *et al.*, 2024). Coexistencia no es causalidad, es verdad, y al mismo tiempo hay que tener en cuenta otras variables y acontecimientos que han tenido una alta incidencia social, política y económica en el último lustro, empezando por la pandemia planetaria del COVID-19.

Causalidad aparte, de lo que no cabe duda es de que nuestras democracias están cambiando vertiginosamente a la par que crece la infiltración de la IA en sus entrañas. El ya citado Harari no tiene dudas: el ser humano está ante una revolución histórica, y la democracia ante una encrucijada existencial. La IA es la primera tecnología de la historia capaz de tomar decisiones y de generar ideas por sí misma. Estamos ante una tecnología en disposición de jaquear y superar al ser humano, y con él a todas sus instituciones, como la democracia misma. Forjar organismos y sistemas que la controlen es imprescindible. El problema es que para ello se requiere una humanidad real y completamente unida, algo que no ha ocurrido nunca, hasta el momento.

Umberto Eco publicaba su *Apocalittici e integrati* en 1964. Ese mismo año veía la luz una de las grandes obras maestras del cineasta estadounidense Stanley Kubrick, *Dr. Strangelove or: How I Learned to Stop Worrying and Love the Bomb,* que en España se tituló *¿Teléfono rojo? Volamos hacia Moscú.* Se trataba de una alocada sátira política sobre la Guerra Fría, planteando el fin de la humanidad por holocausto nuclear en todo el planeta. Afortunadamente, dicha deflagración no pasó de la ficción.

Hoy, sesenta y tantos años después, ¿podríamos estar ante una nueva amenaza de colapso planetario, esta vez, algorítmico y real? Los ya citados Russell y Norvig (1995: 1090) nos avisaban de que "casi cualquier tecnología tiene el potencial de hacer daño si se encuentra en las manos equivocadas". El gran hecho diferencial de la IA y la robótica respecto a toda tecnología anterior, apostillarían estos dos pioneros del algoritmo, es que las manos equivocadas podrían no ser humanas, sino pertenecer a la propia tecnología creada. Así, dirán sin tapujos, el éxito de la IA podría significar el fin de la raza humana.

Antes que la ciencia, nos recuerda Begus (2025), fue la mitología, la literatura, el cine, el teatro y la ficción en general el territorio desde el que se reflexionó sobre la posibilidad de crear artificialmente vida inteligente. Como adelantada de esa creación ficcional de inteligencia artificial, o *ajena*, como dice Harari, debemos mencionar a Mary Shelley, que en 1818 publicaba su *Frankenstein o el moderno Prometeo*. Si leemos bien la novela, nos percataremos de que no es tanto una historia de terror, sino el relato de una decepción, de un arrepentimiento. "Tú eres mi creador, pero yo soy tu amo", le profiere en un momento dado el monstruo a Victor Frankenstein. ¿Llegará quizás el día en el que la IA le diga lo mismo al ser humano?

Esperemos que la historia real que acaba de emprender la IA, y con ella nuestras democracias, y la humanidad que le dio la luz, no sea también la historia de otro arrepentimiento. Ni tampoco de terror.

V. BIBLIOGRAFÍA

Adam, M. y Hocquard, C. (2023). *Artificial intelligence, democracy and elections* (PE 751.478). European Parliamentary Research Service.

Altman, D. (2026). The AI Democracy Dilemma. *Journal of Democracy 37*(1), 32-44. https://dx.doi.org/10.1353/jod.2026.a977942.

Anand, P. (2025). AI: Challenges for Democracy and Some Policy Solutions, *Journal of Human Development and Capabilities,* 26, 3, 461-470, https://doi.org/10.1080/19452829.2025.2518307

Arsenal, L. y López, R. G. (2025). *Democracia 4.0: IA y automatismos para la futura gobernanza.* Kokapeli Ediciones.

Auh, J. Y. (1 de octubre de 2025). *The end of AI and the future of higher education.* https://www.universityworldnews.com/post.php?story=20251001192828611

Begus, N (2025) *Artificial Humanities: A Fictional Perspective On Language In AI.* University of Michigan Press, https://doi.org/10.3998/mpub.12778936.

Boine, C. *et al.* (2024). *AI and Democracy: Understanding the Effects of AI on Elections.* CEIMIA and IVADO.

Bosoer, L. e Innerarity, D. (2025). *Unpacking AI sovereignty* (STG Policy Paper 2025/18). European University Institute, School of Transnational Governance. https://doi.org/10.2870/3972345

Brennan, J. (2018). *Contra la democracia.* Deusto.

Castellanos Claramunt, J. (2025). *DemocracIA. Un análisis en clave constitucional.* Dykinson.

CATELLI, Jorge Eduardo. "Apocalípticos y integrados": inteligencias artificiales, psicoanálisis y psicoterapias. *Rev. bras. psicanál* [online]. 2024, vol.58, n.4: 57-70. Epub 10-Mar-2025. ISSN 0486-641X. https://doi.org/10.69904/0486-641x.v58n4.04.

Chehoudi, R. (2025). Artificial intelligence and democracy: pathway to progress or decline? *Journal of Information Technology & Politics:* 1–16. https://doi.org/10.1080/19331681.2025.2473994

Coeckelbergh, M. (2024). *Why AI Undermines Democracy and What To Do About It.* Wiley John + Sons.

Cvijikj, I. P., y Michahelles, F. (2013). *Online engagement factors on Facebook brand pages.* ***Social Network Analysis and Mining,*** **3**(4): 843–861 https://doi.org/10.1007/s13278-013-0098-8

D'aloia, A. (2025). Inteligencia artificial, derechos fundamentales y democracia constitucional. *Teoría y realidad constitucional,* (55): 101-114.

Danaher, J. (2016). The Threat of Algocracy: Reality, Resistance and Accommodation. *Philosophy & Technology,* 29(3), 245–268. https://doi.org/10.1007/s13347-015-0211-1

De Gregorio, G. (2022). *Digital Constitutionalism in Europe. Reframing Rights and Powers in the Algorithmic Society.* Cambridge University Press

Duberry, J. (2022). *Artificial Intelligence and Democracy. Risks and Promises of AI-Mediated Citizen–Government Relations.* Edward Elgar Publishing.

Eco, U. (1968). *Apocalípticos e integrados.* Lumen/Tusquets.

Economist Intelligence Unit (2024). *Democracy index 2024: Age of conflict.* The Economist Group.

Estlund (2007). *Democratic Authority: A Philosophical Framework.* Princeton University Press.

Freedom in the World (2025). *The Uphill Battle to Safeguard Rights.* Freedom House. https://www.freedomhouse.org

Gentile G. (2024). Human Law, Human Lawyers and the Emerging AI Faith. *LSE Public Policy Review, 3(3): 5,1–10 https://doi.org/10.31389/lseppr.107*

George, R. y Klaus, I. (2026). *AI and Democracy: Mapping the Intersections.* Carnegie California.

González, Rayco (2024). "El eterno retorno del apocalipsis. Algunas reflexiones sobre Apocalípticos e integrados de Umberto Eco". Anuario ThinkEPI, v. 18, e18e16. https://doi.org/10.3145/thinkepi.2024.e18a16

Grossman, V. (2007). *Vida y Destino*, Gutemberg.

Harari, Y. N. (2024). *Nexus: Una breve historia de las redes de información desde la Edad de Piedra hasta la IA.* Debate.

Innerarity, D. (3 de septiembre de 2022). *¿Democracia artificial?* La Vanguardia.

Innerarity, D. (2025). Una teoría crítica de la inteligencia artificial. Galaxia Gutenberg.

Jones, S.E. (2006). *Against Technology: From the Luddites to Neo-Luddism.* Routledge. https://doi.org/10.4324/9780203960455

Landemore, H. (2023). *Fostering More Inclusive Democracy with AI.* F&D: 12-14.

Lassalle, J. M. (2019). *Ciberleviatán: El colapso de la democracia liberal frente a la revolución digital.* Arpa Editores.

Márquez, I.V. (2016). El debate sobre la esfera pública digital: Apocalípticos e integrados. DeSignis, 24: 19-33.

Moro Cordero, M. A., Dapeña Gómez, M., Pastor Bermúdez, A. y Colón de Carvajal Fibla, B. (2020). *Los cuatro jinetes del apocalipsis digital: Una aproximación mitológica a los trascendentales cambios que se avecinan en el sector público.* ***El Consultor de los Ayuntamientos***, 1: 69-82.

Noelle-Neumann, E. (1984). *The spiral of silence: Public opinion – Our social skin.* University of Chicago Press.

Nord, M. *et al.* (2024). *Democracy Report 2024: Democracy Winning and Losing at the Ballot.* University of Gothenburg, V-Dem Institute.

O'Neil, C. (2016). *Weapons of Math Destruction: How Big Data Increases Inequality and Threatens Democracy.* Broadway Books.

Régis, C., Martin-Bariteau, F., Effoduh, J. O., Gutiérrez, J. D., Neff, G., Souza, C. A., & Zolynski, C. (2025). *La IA en las urnas: Cuatro medidas para salvaguardar la integridad electoral y defender la democracia.* IVADO. Encontrado en https://doi.org/10.20381/ruor-31203

Rubio Núñez, R., Franco Alvim, F., y de Andrade Monteiro, V. (2024). *Inteligencia artificial y campañas electorales algorítmicas: Disfunciones informativas y amenazas sistémicas de la nueva comunicación política.* Centro de Estudios Políticos y Constitucionales.

Russell, S. J. y Norvig, P. (1995). *Inteligencia Artificial: Un Enfoque Moderno.* Pearson.

Schneier, B. y Sanders, N. E. (2025). *Rewiring Democracy. How AI Will Transform Our Politics, Government, and Citizenship.* MIT Press.

Schroeder, D.T. *et al. (2026).* How malicious AI swarms can threaten democracy. *Science* 391: 354-357. DOI: 10.1126/science.adz1697

Simons, J. (2023). *Algorithms for the People: Democracy in the Age of AI.* Princeton University Press.

Summerfield, C., Argyle, L.P., Bakker, M. *et al.* (2025). The impact of advanced AI systems on democracy. *Nature Human Behaviour,* 9: 2420–2430 https://doi.org/10.1038/s41562-025-02309-z

Sunstein, C. R. (2025). *Imperfect oracle: What AI can and cannot do.* American Philosophical Society Press.

van Dalen, Arjen (2025). *Political microtargeting: What is all the fuzz about?* En D. Lilleker, D. Jackson, B. Kalsnes, C. Mellado, F. Trevisan & A. Veneti (Eds.), *The Routledge Handbook of Political Campaigning:* 128–140. Routledge.

Zuboff, S. (2019). *The age of surveillance capitalism.* Profile Books.

Capítulo 3.

Inteligencia Artificial, guerra híbrida y soberanía cognitiva: desafíos para las democracias europeas

MARIO ALER
Alumni Universidad Loyola Andalucía
Analista de ciberinteligencia–Metaprotec

I. INTRODUCCIÓN: LA INTELIGENCIA ARTIFICIAL EN EL CONTEXTO EUROPEO — ENTRE LA GOBERNANZA, LA DEPENDENCIA Y LA FRAGMENTACIÓN COGNITIVA

1.1. Metodología

El presente capítulo adopta un enfoque cualitativo-analítico e interdisciplinar basado en una revisión documental sistematizada de fuentes primarias y secundarias. El objetivo es identificar patrones estructurales en la relación entre Inteligencia Artificial, conflicto híbrido y resiliencia democrática.

La metodología se articula en tres niveles:

1. Revisión institucional, incluyendo normativa europea (RGPD, AI Act, DSA, DMA), documentos estratégicos de la UE, la OTAN y organismos internacionales, así como informes oficiales sobre ciberseguridad y amenazas híbridas.

2. Literatura académica especializada, centrada en guerra híbrida, desinformación digital y teoría democrática, proporcionando el marco teórico para analizar la IA como vector estratégico en el dominio cognitivo.
3. Análisis contextual de casos contemporáneos, apoyado en investigaciones periodísticas verificadas y estudios de think tanks (Reuters, The Guardian, Atlantic Council, International Centre for Defence and Security, Freedom House), utilizados como evidencia ilustrativa y no como estudios de caso exhaustivos.

La selección prioriza fuentes oficiales y publicaciones académicas revisadas por pares, empleando fuentes periodísticas únicamente con finalidad contextual. El análisis se desarrolla desde una perspectiva sistémica, entendiendo la IA como infraestructura de poder integrada en dinámicas geopolíticas, económicas y cognitivas que afectan a la resiliencia democrática europea. El objetivo del capítulo es plasmar una imagen panorámica de las principales amenazas derivadas del uso malicioso de la Inteligencia Artificial para la erosión de los sistemas democráticos europeos, y por extensión, de la protección de los DDHH dentro y fuera de Europa.

Cuando se abordan cuestiones económicas y tecnológicas en clave geopolítica, es habitual recurrir a la simplificación según la cual EE. UU. innova, China escala y la UE regula. Más allá de su carácter esquemático, esta fórmula apunta a una realidad relevante: la regulación europea no solo busca armonizar el mercado interior, sino también proyectar estándares normativos en beneficio del propio espacio económico, fenómeno descrito por Bradford (2020) como el **Efecto Bruselas**. En el ámbito de la Inteligencia Artificial, esta lógica se combina con una tradición institucional orientada a la protección del consumidor y del ciudadano, particularmente en materia de derechos fundamentales y privacidad, como refleja el Reglamento General de Protección de Datos (RGPD).

No obstante, esta estrategia regulatoria admite también una lectura menos halagüeña. En un contexto de competencia tecnológica acelerada, la regulación puede convertirse en la respuesta dominante allí donde otras palancas de poder —industriales, infraestructurales o de escala— resultan limitadas (Hoffman, 2007; Mazarr, 2015). Aunque existen iniciativas de inversión y programas para fortalecer el ecosistema europeo de IA, el peso de la regulación como respuesta principal apunta a una dificultad estructural para integrar soberanía tecnológica, cohesión política y capacidad operativa en un entorno marcado por la velocidad del cambio tecnológico y geopolítico.

1.2. La dependencia ya no es solo "digital": es físico-industrial

Entre 2015 y 2026, la IA pasó de ser un vector principalmente "digital" a convertirse en un fenómeno físico-industrial. La infraestructura de IA se asienta sobre una base material: electricidad, red, agua, materiales y capacidad industrial. Por eso, la dependencia tecnológica no se limita a *software* o plataformas: incluye la capacidad de desplegar y sostener compute a gran escala.

En energía, la Agencia Internacional de la Energía (IEA, 2024) ofrece el anclaje cuantitativo más sólido para escenarios globales: estima que los centros de datos consumieron alrededor de 415 TWh en 2024 (≈1,5% de la electricidad mundial) y que, en su escenario base, la demanda más que se duplica hasta ~945 TWh en 2030, con un crecimiento aproximado del 15% anual entre 2024 y 2030.

En Estados Unidos, el informe del DOE (2024) también señala que: el consumo eléctrico de centros de datos alcanzó 176 TWh en 2023 (≈4,4% de la electricidad total estadounidense) y presenta para 2028 un rango de ~325–580 TWh según escenarios.

Estos datos importan aquí por un motivo estructural: si la infraestructura crítica de IA (*compute*[1] + centros de datos + nube) se apoya en cadenas físicas fuera del control europeo, la soberanía no se resuelve solo con regulación. Se convierte en un problema operativo.

La limitación estructural europea resulta particularmente visible en el ámbito de la soberanía tecnológica y en la creciente tensión entre protección normativa y dependencia infraestructural. La aprobación en Estados Unidos del *CLOUD Act* introdujo un elemento de fricción jurídica al permitir requerimientos de acceso a datos almacenados por empresas bajo jurisdicción estadounidense, incluso cuando dichos datos se encuentren físicamente en territorio europeo. Órganos europeos han advertido que esta extraterritorialidad puede entrar en tensión con el marco de protección de datos de la Unión (EDPB, 2019).

Esta dependencia se inserta en un contexto más amplio de reconfiguración del multilateralismo digital, donde la soberanía tecnológica se convierte en vector estratégico. Informes recientes subrayan que la dependencia europea de infraestructuras *cloud*, plataformas y semiconductores limita su autonomía decisional en escenarios de presión geopolítica (European Parliament Research Service, 2025). La noción de "soberanía digital" ha dejado de ser retórica para convertirse en cuestión operativa.

---

1 En este trabajo, se define *compute* como la capacidad agregada de procesamiento digital disponible para ejecutar cargas de trabajo, especialmente aquellas intensivas en datos como la Inteligencia Artificial. Incluye los recursos físicos, lógicos y energéticos que permiten realizar operaciones computacionales a gran escala.

Para España, esta tensión se agrava en un momento en que la crisis del multilateralismo reduce la capacidad de los marcos globales para imponer estándares efectivos. La Estrategia de Acción Exterior 2025–2028 reafirma el compromiso con un multilateralismo reforzado como instrumento de protección de Derechos Humanos (Gobierno de España, 2025). Sin embargo, acontecimientos recientes muestran cómo actores externos pueden ejercer influencia política indirecta en el espacio europeo a través de plataformas digitales, financiación de iniciativas ideológicas o presión normativa (Lewis, 2026). En este escenario, la regulación protege derechos, pero si no se acompaña de capacidad tecnológica propia, puede consolidar dependencia frente a empresas con financiación masiva, menor carga regulatoria y mayor margen de maniobra estratégica.

Desde esta perspectiva, el marco normativo europeo —*AI Act*, *Digital Services Act* (DSA) y *Digital Markets Act* (DMA)— no constituye únicamente una defensa abstracta de los derechos fundamentales frente al capital tecnológico. Puede interpretarse también como una respuesta adaptativa propia de escenarios de zona gris, en los que los actores buscan contener riesgos y limitar daños sin disponer de control pleno sobre las infraestructuras críticas del sistema (Mazarr, 2015; EEAS, 2025). No obstante, la dependencia de infraestructuras computacionales no europeas, de modelos de lenguaje entrenados fuera del continente y de plataformas gobernadas por jurisdicciones extraterritoriales sitúa a la UE en una posición reactiva, donde la regulación funciona menos como instrumento de iniciativa estratégica y más como mecanismo de contención (Craglia et al., 2022).

Este punto resulta clave para comprender la naturaleza del desafío. Más allá del discurso ético, la respuesta normativa europea puede leerse como reflejo de una asimetría estructural en capacidades críticas —*compute*, concentración de talento estratégico y control de plataformas— que desplaza a la UE hacia una lógica defensiva. En términos de conflicto híbrido, no se trata de una anomalía, sino de un patrón: los actores con menor margen de maniobra directa tienden a priorizar instrumentos normativos y regulatorios como forma de gestión del riesgo (Hoffman, 2007). Esta posición condiciona qué amenazas se priorizan, cómo se definen los riesgos aceptables y qué dimensiones del problema quedan fuera del campo regulatorio.

Un ejemplo ilustrativo de esta tensión entre ambición normativa y fragmentación operativa se observa en el tratamiento desigual del consentimiento digital de menores. El RGPD establece en su artículo 8 que los menores de 16 años requieren consentimiento parental para el tratamiento de sus datos personales en servicios de la sociedad de la información, pero permite a los Estados miembros fijar una edad mínima entre 13 y 16 años. El resultado es una variación significativa entre jurisdicciones (European Data Protection Board, 2023).

Esta divergencia no constituye un mero detalle técnico. Desde una perspectiva de seguridad cognitiva, refleja una debilidad sistémica: la UE es capaz de establecer principios comunes, sus mecanismos de regulación pueden ser insuficientes en el ecosistema digital transfronterizo, debilitando la resiliencia democrática de los estados parte. Las plataformas, por su parte, operan con arquitecturas globales que no incorporan controles geolocalizados estrictos, lo que genera una brecha entre el marco jurídico y su eficacia práctica (European Board for Digital Services, 2025[2]).

2 En adelante, se hará referencia a este informe como "EBDS, 2025".

El problema trasciende la protección de datos. Las grandes plataformas digitales funcionan hoy como entornos de socialización cognitiva, donde los sistemas de recomendación y personalización influyen en la asignación de atención, la exposición emocional y la formación de marcos interpretativos colectivos. Desde la doctrina de la OTAN, este fenómeno se inscribe en el dominio cognitivo, entendido como el espacio en el que se configuran la percepción, la toma de decisiones y la voluntad política (du Cluzel, 2020; NATO Science & Technology Organization, 2025).

Permitir el acceso masivo de audiencias jóvenes a sistemas donde se produce un abuso de las capacidades de la IA generativa, con *deepfakes* y campañas de influencia automatizada, sin alfabetización digital estructurada ni mecanismos de supervisión coherentes, no constituye únicamente un fallo regulatorio, sino una omisión estratégica con implicaciones a largo plazo para la estabilidad democrática.

En los últimos años, varios gobiernos e instituciones occidentales han tratado ciertas plataformas como riesgo de seguridad (datos e influencia). Por ejemplo, la Comisión Europea ordenó retirar TikTok de dispositivos de trabajo (y de dispositivos personales que usan servicios corporativos) citando preocupaciones de ciberseguridad. Australia prohibió TikTok en dispositivos del gobierno federal por motivos de seguridad. En EE. UU., una ley de 2024 estableció un marco de "venta o prohibición" de TikTok por razones de seguridad nacional, abriendo una batalla judicial y política de alto perfil (BBC, 2025: RTVE, 2023: El País, 2023).

Desde esta óptica, la fragmentación nacional y la erosión democrática son potenciadas por un factor de vulnerabilidad cognitiva colectiva, especialmente en un entorno donde actores estatales y no estatales ya integran IA, desinformación y ciberoperaciones en estrategias híbridas coordinadas (EEAS, 2025). Hablar de "dominio cognitivo" no implica una metáfora militarizada, sino una descripción analítica de una realidad operativa: la competencia estratégica se desplaza progresivamente hacia la capacidad de influir en cómo las sociedades perciben, interpretan y responden a los acontecimientos. Esto es especialmente relevante en sistemas democráticos, donde el diseño y la implementación de políticas requieren del acuerdo y la negociación.

En cuanto a la relación entre plataformas, "*echo chambers*" y efectos políticos, la evidencia empírica es matizada. Hay trabajos que documentan patrones de homofilia y exposición diferencial (por ejemplo, en Facebook), y también experimentos que estiman efectos de acceso a redes sociales sobre actitudes y comportamiento en campañas electorales. Al mismo tiempo, revisiones y síntesis señalan que el fenómeno "*filter bubble*" no siempre aparece con la intensidad que se presume y que los efectos varían por contexto y por tipo de usuario. Para este artículo, lo relevante no es postular una causalidad única, sino mostrar que la arquitectura algorítmica condiciona la ecología de atención y, en entornos de polarización, puede facilitar dinámicas de radicalización, fatiga o fragmentación interpretativa.

La cuestión central, por tanto, no es si la IA puede diseñarse como "ética" o "alineada", sino bajo qué condiciones institucionales, económicas y epistémicas puede siquiera plantearse esa alineación. En un sistema caracterizado por infraestructuras extraterritoriales, incentivos económicos asimétricos y gobernanza fragmentada, la IA actúa como amplificador de fragilidades preexistentes, más que como amenaza exógena. Este capítulo no ofrece soluciones cerradas, sino que traza un mapa de tensiones estructurales entre regulación y soberanía, innovación y derechos, y entre la defensa de lo común y la fragmentación cognitiva, situando la IA como un vector central en la reconfiguración de las condiciones de posibilidad del gobierno democrático en Europa.

II. IA Y DESINFORMACIÓN AVANZADA: DEL ENGAÑO PUNTUAL A LA DEGRADACIÓN SISTÉMICA DEL ENTORNO INFORMATIVO

La desinformación no constituye un fenómeno nuevo en las sociedades democráticas. Lo distintivo del contexto actual no es su existencia, sino su capacidad de escala, velocidad, personalización y persistencia, amplificada por el uso sistemático de Inteligencia Artificial. Lo que anteriormente requería equipos humanos especializados, coordinación prolongada y recursos significativos puede hoy ser ejecutado por operadores individuales o pequeños grupos, apoyados en modelos de lenguaje, agentes autónomos y plataformas digitales globales. La IA no ha creado la manipulación informativa, pero ha industrializado el proceso, transformando la desinformación de una herramienta episódica en un estado estructural de incertidumbre cognitiva.

Este desplazamiento no es meramente técnico. Desde una perspectiva estratégica, supone un cambio de naturaleza del conflicto informativo. Como señalan diversos análisis doctrinales, las operaciones de influencia contemporáneas ya no persiguen convencer a audiencias amplias de una narrativa específica, sino degradar el propio entorno en el que las narrativas compiten, erosionando la confianza en cualquier fuente de autoridad y dificultando la toma de decisiones colectivas (NATO *Innovation Hub*, 2020; EEAS, 2025). El objetivo no es ganar una batalla discursiva, sino hacer inviable el terreno donde dicha batalla podría producirse.

La evolución reciente del ecosistema de plataformas confirma que la desinformación ya no opera únicamente mediante falsedad explícita, sino mediante saturación, ambigüedad estratégica y explotación de vacíos normativos. Lewandowsky et al. (2025) han mostrado cómo, en contextos de alta polarización, la difusión de rumores tras eventos violentos no busca necesariamente convencer, sino generar ruido, desplazar responsabilidades y erosionar la confianza institucional. En este entorno, la "desvergüenza estratégica" —la ausencia de coste reputacional por difundir contenido dudoso— se convierte en ventaja competitiva.

De manera paralela, investigaciones periodísticas han documentado cómo grandes plataformas diseñan estrategias internas para minimizar presiones regulatorias o evitar medidas más estrictas contra fraudes y redes abusivas (Horwitz et al., 2025). Esta dinámica refuerza la asimetría estructural entre actores privados con poder infraestructural y Estados que intentan regularlos. Incluso decisiones de moderación de contenido pueden tener efectos significativos sobre colectivos vulnerables y derechos fundamentales, como mostró el cierre de cuentas vinculadas a asesoramiento reproductivo o contenidos LGTBI+ en determinadas jurisdicciones (Down, 2025). Desde esta perspectiva, la desinformación no constituye solo un problema de veracidad, sino un riesgo sistémico informacional, capaz de alterar el equilibrio democrático y afectar derechos fundamentales de manera indirecta pero sostenida (Jalli, 2025).

En este sentido, la IA actúa como multiplicador táctico en el marco de la guerra híbrida. Reduce de forma drástica los costes de producción y distribución de contenido sintético, al tiempo que incrementa el impacto potencial de cada operación. Esta asimetría entre el bajo coste de generación y el alto coste de verificación introduce una ventaja estructural para los actores que buscan desestabilizar, ya que obliga a los defensores —instituciones, medios y ciudadanía— a operar de forma reactiva y fragmentada (Brundage *et al.*, 2018; Benkler *et al.*, 2018). Asimismo, esta idea conecta con literatura reciente que conceptualiza la IA como "multiplicador" de capacidades informativas en conflicto.

Desde el punto de vista analítico, este fenómeno puede descomponerse en tres niveles interdependientes: técnico, operativo y cognitivo. La eficacia de la desinformación avanzada no reside en ninguno de ellos de forma aislada, sino en su integración sistémica, característica de las estrategias híbridas contemporáneas (Hoffman, 2007; Mazarr, 2015).

2.1. Producción y coordinación: la cadena de valor de la desinformación industrializada

En el nivel técnico, la IA ha reducido de manera significativa las barreras de entrada a la producción de desinformación. Herramientas de generación multimodal permiten crear textos persuasivos, imágenes sintéticas, audios clonados y vídeos *deepfake* con un grado de realismo creciente y a un coste marginal prácticamente nulo. Informes recientes documentan cómo procesos que hace pocos años requerían semanas de trabajo especializado pueden hoy completarse en minutos mediante servicios accesibles comercialmente (EBDS, 2025).

Sin embargo, el salto cualitativo no se encuentra únicamente en la generación de contenido, sino en su coordinación automatizada. La incorporación de agentes autónomos —modelos capaces de planificar, ejecutar y adaptar tareas sin supervisión humana constante— permite gestionar campañas de influencia a escala, ajustando mensajes en tiempo real según la respuesta de las audiencias y optimizando su difusión a través de plataformas digitales (Anthropic, 2025). Este proceso transforma la desinformación en un flujo continuo de influencia, más cercano a una infraestructura que a una campaña puntual.

Desde esta perspectiva, la desinformación avanzada puede entenderse como una cadena de valor industrializada, compuesta por varias fases interrelacionadas: creación de contenido sintético, amplificación mediante redes automatizadas y algoritmos de recomendación, microsegmentación de audiencias, saturación informativa (*flooding*) y, finalmente, captura mediática, forzando a actores institucionales y medios tradicionales a reaccionar. Esta lógica no busca maximizar la credibilidad del contenido individual, sino saturar el entorno informativo, dificultando la discriminación entre información verificada y contenido manipulado.

La infraestructura de manipulación *online* se apoya en mercados clandestinos de "insumos" (verificación por SMS, creación masiva de cuentas, etc.) que determinan las posibilidades de escalabilidad, y el precio. En diciembre de 2025, la Universidad de Cambridge (2025) lanzó un índice global para seguir precios de estos servicios, precisamente para hacer medible la economía de la manipulación. Esto refuerza la idea central de asimetría: para el atacante, escalar puede ser relativamente barato; para el defensor, verificar y responder es estructuralmente más costoso.

Casos documentados en procesos electorales recientes muestran cómo esta combinación de generación automatizada y coordinación operativa ha sido utilizada para difundir declaraciones falsas atribuidas a candidatos, manipular debates públicos y erosionar la confianza en las autoridades electorales (Oxford Internet Institute, 2024). Incluso cuando los contenidos son desmentidos con rapidez, el efecto acumulativo contribuye a un clima de duda persistente, que cumple la función estratégica buscada.

2.2. Automatización del antagonismo: diseñar para la polarización y la fatiga

Más allá de la falsedad factual, la IA está reconfigurando la economía emocional del discurso público. Los sistemas de recomendación, optimizados para maximizar la retención y la interacción, tienden a favorecer contenidos que generan indignación, miedo o confrontación, ya que estos estados emocionales incrementan la permanencia del usuario en la plataforma. La IA no solo amplifica este tipo de contenidos, sino que permite producirlos de forma adaptativa, ajustando tono y mensaje a segmentos específicos de la población.

Desde una óptica de guerra híbrida, este diseño no persigue tanto modificar opiniones concretas como erosionar la disposición a la participación cívica. La proliferación de narrativas contradictorias, la sensación de manipulación constante y la percepción de que "todo puede ser falso" fomentan una respuesta racional de retirada: la apatía. Este fenómeno ha sido descrito como una forma de automatización del antagonismo, en la que el objetivo estratégico no es la adhesión, sino la desmovilización (EEAS, 2025).

En contextos institucionalmente complejos como el europeo, donde la toma de decisiones depende del consenso y la legitimidad compartida, esta dinámica resulta especialmente corrosiva. La polarización persistente y la desconfianza generalizada dificultan la deliberación democrática y amplifican la percepción de ineficacia institucional. Como subraya la doctrina de la OTAN sobre el dominio cognitivo, el éxito de estas operaciones no se mide en cambios inmediatos de comportamiento, sino en la alteración sostenida de los marcos perceptivos desde los que los ciudadanos interpretan la realidad (NATO Science & Technology Organization, 2025).

2.3. Asimetría cognitiva y desequilibrio estructural entre ataque y defensa

El efecto más profundo de la desinformación potenciada por IA reside en el desequilibrio estructural entre atacantes y defensores. Mientras que la producción y difusión de contenido sintético se automatiza y escala, la verificación sigue siendo un proceso intensivo en recursos humanos, tiempo y credibilidad institucional. Esta brecha genera una asimetría cognitiva que favorece sistemáticamente a los actores ofensivos, especialmente en entornos abiertos y pluralistas.

Desde el punto de vista estratégico, esta asimetría reproduce patrones clásicos de la zona gris: acciones de bajo coste, difícil atribución y alto impacto político, diseñadas para operar por debajo del umbral de respuesta coercitiva (Mazarr, 2015; Kłyszcz & Kohv, 2025). La fragmentación de las respuestas regulatorias y operativas en la UE acentúa este desequilibrio, ya que las amenazas se propagan a escala transnacional mientras las capacidades de mitigación permanecen, en gran medida, ancladas al ámbito nacional.

Aunque iniciativas como el *AI Act* o el DSA introducen obligaciones de transparencia y mitigación de riesgos, no establecen aún mecanismos comunes de detección, coordinación y respuesta rápida frente a campañas de desinformación industrializada. Esta desconexión entre la escala del problema y el alcance de las soluciones refuerza la paradoja del poder normativo europeo: fuerte en principios, limitado en implementación. En términos de conflicto híbrido, ello sitúa a la UE en una posición predominantemente defensiva, obligada a gestionar los efectos de operaciones que no controla plenamente.

III. GUERRA HÍBRIDA: EL PODER DE LOS CIBERATAQUES POTENCIADOS POR LA IA

La guerra híbrida no constituye un fenómeno nuevo en la práctica estratégica contemporánea. Desde principios del siglo XXI, distintos actores han combinado medios militares, políticos, económicos, informativos y cibernéticos para alcanzar objetivos estratégicos sin cruzar el umbral de un conflicto armado declarado. Lo que sí representa una inflexión cualitativa es la integración sistemática de la Inteligencia Artificial en el dominio cibernético, no como herramienta auxiliar, sino como multiplicador operativo que altera los equilibrios tradicionales entre ataque y defensa.

En este contexto, los ciberataques dejan de ser incidentes técnicos aislados para convertirse en instrumentos de presión política y cognitiva, plenamente integrados en estrategias de zona gris. La IA no solo incrementa la eficiencia de estas operaciones; modifica su naturaleza, reduciendo barreras de entrada, acelerando los ciclos de ataque y dificultando la atribución. El resultado es un entorno de conflictividad persistente, donde la frontera entre paz y conflicto se difumina progresivamente (Hoffman, 2007; Mazarr, 2015).

3.1. De la automatización táctica a la autonomía operativa

Tradicionalmente, las operaciones cibernéticas sofisticadas requerían equipos especializados, conocimiento profundo del entorno objetivo y una planificación prolongada. La incorporación de modelos de lenguaje avanzados y agentes autónomos está erosionando estas limitaciones. Hoy, sistemas de IA pueden generar código malicioso, identificar vulnerabilidades conocidas, adaptar técnicas de explotación y mantener persistencia, todo ello con niveles crecientes de autonomía y mínima supervisión humana (Anthropic, 2026).

Este desplazamiento de la automatización táctica hacia formas incipientes de autonomía operativa representa un cambio estructural. No se trata únicamente de que la IA ejecute tareas más rápido, sino de que tome decisiones adaptativas en función del entorno, ajustando estrategias de ataque en tiempo real. En escenarios de simulación (*cyber ranges*), se ha demostrado la capacidad de modelos avanzados para coordinar fases completas de una intrusión —reconocimiento, explotación, movimiento lateral y exfiltración— sin intervención humana directa, aprendiendo de la respuesta defensiva del sistema objetivo (Anthropic, 2026).

Desde una perspectiva estratégica, esta evolución reduce de forma drástica el coste marginal del ataque sofisticado, ampliando el abanico de actores capaces de operar en el dominio cibernético. Estados con recursos limitados, grupos criminales o incluso individuos pueden acceder a capacidades que hasta hace poco estaban reservadas a servicios de inteligencia o unidades militares especializadas. En términos de guerra híbrida, esta democratización de capacidades ofensivas desestabiliza los equilibrios tradicionales de poder y multiplica los vectores de presión por debajo del umbral de la guerra abierta.

3.2. El espacio phygital: cuando lo digital prepara el impacto físico

Uno de los efectos más relevantes de la integración entre IA y ciberoperaciones es la consolidación de un espacio *phygital*, donde lo digital y lo físico se refuerzan mutuamente. Los ciberataques ya no se dirigen únicamente a sistemas informáticos; buscan preparar, amplificar o reinterpretar impactos en el mundo físico, especialmente cuando se combinan con campañas de desinformación.

El ataque a la red eléctrica ucraniana en 2016 constituye un caso paradigmático. Más allá del apagón localizado, el impacto principal residió en la percepción de vulnerabilidad sistémica que generó en la población y en la comunidad internacional (Lee, Assante, et Conway, 2016). En un entorno mediático contemporáneo, un incidente similar podría ser precedido o acompañado por campañas automatizadas de desinformación: rumores sobre fallos generalizados, *deepfakes* de responsables admitiendo negligencia o *bots* amplificando escenarios de colapso. El ciberataque actúa así como catalizador cognitivo, mientras la narrativa amplifica su alcance político y social.

Este entrelazamiento entre ciber y cognitivo es característico de las estrategias híbridas modernas. El objetivo no es únicamente interrumpir un servicio, sino alterar la interpretación colectiva del evento, erosionando la confianza en la capacidad del Estado para proteger a la ciudadanía. En este sentido, la IA facilita la sincronización entre el incidente técnico y su explotación narrativa, acelerando la transición del fallo operativo a la crisis política.

3.3. Atribución, escalada y el riesgo de la inestabilidad no intencionada

La dificultad de atribución ha sido históricamente una característica central del ciberespacio. La incorporación de IA profundiza este problema, al permitir operaciones más complejas, adaptativas y encubiertas. La capacidad de generar artefactos sintéticos plausibles, manipular registros y simular comportamientos de actores conocidos introduce un ruido adicional en los procesos de análisis forense y atribución política.

Este contexto incrementa el riesgo de escalada no intencionada. Un agente autónomo podría, por ejemplo, interpretar erróneamente una respuesta defensiva como señal de vulnerabilidad y escalar una operación más allá de lo previsto. Del mismo modo, la atribución errónea de un ataque a un actor estatal podría desencadenar respuestas diplomáticas o incluso militares desproporcionadas. Como advierte UNIDIR (2025), la combinación de opacidad tecnológica y autonomía operativa en sistemas de IA aumenta la probabilidad de malentendidos estratégicos, especialmente en dominios críticos como el ciberespacio.

Desde la lógica de la zona gris, este riesgo no es accidental. La ambigüedad y la incertidumbre forman parte del diseño estratégico, ya que permiten ejercer presión sin asumir responsabilidades claras. Sin embargo, la acumulación de incidentes de baja intensidad puede generar efectos sistémicos difíciles de controlar, erosionando los mecanismos tradicionales de disuasión y gestión de crisis.

3.4. Normalización del ataque y erosión de la disuasión

Quizá el efecto más insidioso de la IA en el dominio cibernético sea la normalización del ataque como herramienta cotidiana de política exterior. Cuando las operaciones cibernéticas son frecuentes, de bajo coste y difíciles de atribuir, se convierten en un instrumento aceptable de coerción, situado permanentemente por debajo del umbral de respuesta armada.

Estados como Rusia, China o Irán han integrado esta lógica en sus estrategias, utilizando ciberataques, espionaje digital y campañas de *ransomware* para presionar a adversarios sin provocar una escalada abierta. La IA acelera este proceso al reducir el tiempo de preparación, aumentar la frecuencia de los ataques y dificultar la atribución, debilitando los fundamentos clásicos de la disuasión.

En el caso europeo, esta dinámica expone una doble vulnerabilidad. Por un lado, la dependencia tecnológica de proveedores extraterritoriales limita la capacidad de respuesta autónoma frente a incidentes graves. Por otro, la fragmentación operativa de la defensa cibernética —predominantemente nacional— dificulta la coordinación rápida y la articulación de una respuesta conjunta creíble (EPRS, 2025). Aunque iniciativas como el *Cyber Solidarity Act* buscan reforzar la cooperación, la ausencia de una doctrina común de respuesta y de capacidades ofensivas creíbles mantiene a la UE en una posición mayoritariamente reactiva.

El análisis de los ciberataques potenciados por IA refuerza una conclusión central: su impacto no puede evaluarse únicamente en términos técnicos. En el marco de la guerra híbrida, los ciberataques funcionan como disparadores cognitivos, diseñados para erosionar la confianza, amplificar narrativas de fragilidad y desestabilizar el proceso de toma de decisiones. La IA intensifica esta función al facilitar la integración entre ataque técnico y explotación informativa, consolidando un espacio *phygital* donde lo digital y lo físico se refuerzan mutuamente.

IV. LA DIMENSIÓN COGNITIVA DEL CONFLICTO: ATACAR PERCEPCIONES MÁS QUE REALIDADES

El desplazamiento del conflicto hacia el dominio cognitivo constituye una de las transformaciones más profundas del entorno estratégico contemporáneo. Más allá de los dominios tradicionales —tierra, mar, aire, espacio y ciber—, el conflicto se proyecta cada vez con mayor intensidad sobre el espacio donde se forman las percepciones, se interpretan los hechos y se toman decisiones individuales y colectivas. En este dominio, el objetivo no es destruir capacidades materiales, sino alterar la forma en que las sociedades comprenden la realidad y actúan en consecuencia.

Desde esta perspectiva, la guerra cognitiva no debe entenderse como una metáfora retórica, sino como una realidad operativa. Informes doctrinales recientes de la OTAN definen este ámbito como el conjunto de actividades destinadas a "influir, degradar o desorganizar los procesos cognitivos humanos con el fin de obtener ventajas estratégicas" (NATO Innovation Hub, 2020; NATO Science & Technology Organization, 2025). La Inteligencia Artificial amplifica este fenómeno al permitir intervenir de forma sistemática y personalizada en los circuitos de atención, emoción y decisión, integrando dimensiones psicológicas, tecnológicas y comunicativas.

4.1. Del Estado objetivo al Estado proyectado: la primacía de la percepción

En el dominio cognitivo, el poder no reside tanto en el control de los hechos como en el control de su interpretación social. Un incidente material —un ciberataque, un fallo energético o una crisis institucional— puede tener un impacto limitado en términos objetivos, pero convertirse en un evento de alto impacto político si se proyecta como síntoma de colapso sistémico. Esta disociación entre el estado objetivo de un sistema y el estado proyectado en la percepción colectiva es uno de los mecanismos centrales de la guerra cognitiva.

La IA facilita esta disociación al permitir generar y difundir narrativas altamente plausibles, adaptadas a distintos públicos y sincronizadas con eventos reales. La capacidad de producir múltiples versiones de un mismo relato, ajustadas a marcos culturales, ideológicos o emocionales específicos, erosiona la posibilidad de una interpretación compartida de los acontecimientos. Como resultado, la percepción se convierte en un campo de batalla, donde la verdad factual pierde centralidad frente a la eficacia emocional del relato.

Este fenómeno se vincula estrechamente con lo que se ha denominado el *liar's dividend*: en un entorno saturado de contenido sintético y desinformación, incluso los hechos verificados pueden ser cuestionados sistemáticamente, debilitando la autoridad de fuentes legítimas y fomentando una actitud de escepticismo generalizado. El objetivo estratégico no es imponer una narrativa dominante, sino hacer que ninguna narrativa resulte plenamente creíble, paralizando la acción colectiva.

4.2. Conflicto híbrido y construcción de fragilidad percibida

La guerra cognitiva no opera de forma aislada, sino integrada en estrategias híbridas que combinan presión informativa, ciberoperaciones y acciones físicas limitadas. En este marco, la percepción de fragilidad resulta tan relevante como la fragilidad real. La proyección constante de crisis —energéticas, migratorias, institucionales— puede generar la ilusión de un sistema permanentemente al borde del colapso, incluso cuando los indicadores objetivos no lo confirman.

Este mecanismo resulta especialmente eficaz en contextos caracterizados por pluralidad institucional y fragmentación política, como la Unión Europea. La diversidad de marcos normativos, narrativas nacionales y ecosistemas mediáticos dificulta la construcción de una respuesta comunicativa coherente, lo que amplifica el impacto de campañas coordinadas de influencia. Desde la lógica de la zona gris, esta fragmentación no es un obstáculo, sino una oportunidad estratégica para explotar fisuras y tensiones preexistentes (Mazarr, 2015; (Kłyszcz & Kohv, 2025).

La IA intensifica este proceso al reducir el tiempo necesario para detectar vulnerabilidades narrativas y explotar acontecimientos en tiempo casi real. Un incidente menor puede ser amplificado de forma desproporcionada, convirtiéndose en un símbolo de incompetencia o decadencia institucional, con efectos duraderos sobre la confianza ciudadana. En este sentido, la guerra cognitiva no busca derrotar al adversario, sino desgastarlo, erosionando progresivamente su cohesión interna.

4.3. El ciudadano como objetivo estratégico

El objetivo último de la guerra cognitiva no es la manipulación puntual de opiniones, sino la transformación del sujeto democrático. Las operaciones de influencia avanzadas buscan producir ciudadanos más temerosos, más cínicos y más polarizados, menos dispuestos a confiar en las instituciones y más proclives a interpretar la política como un espacio de confrontación permanente. Este perfil no es un efecto colateral, sino el resultado estratégico deseado.

La IA desempeña un papel central en esta transformación al permitir la personalización extrema de los mensajes y la explotación sistemática de sesgos cognitivos. La exposición reiterada a contenidos polarizadores y emocionalmente intensos altera los patrones de atención y refuerza dinámicas de tribalización, dificultando la deliberación racional. Como señalan análisis recientes, el éxito de estas operaciones no se mide en cambios inmediatos de comportamiento, sino en la alteración sostenida de los marcos mentales desde los que los individuos interpretan la realidad política (EEAS, 2025).

Este proceso tiene implicaciones directas para los derechos fundamentales. En contextos de miedo e incertidumbre, las sociedades tienden a aceptar restricciones a la libertad de expresión, la privacidad o el pluralismo informativo en nombre de la seguridad. Desde esta óptica, la guerra cognitiva representa una amenaza paradójica: no busca destruir la democracia desde fuera, sino inducirla a erosionarse desde dentro, empujándola a adoptar prácticas incompatibles con sus propios principios.

4.4. Dominio cognitivo y erosión de la legitimidad democrática

La consecuencia más profunda de la guerra cognitiva es la erosión de la legitimidad democrática. Cuando los ciudadanos dejan de compartir una base mínima de realidad, la deliberación pública se fragmenta y el consenso se vuelve inalcanzable. En este escenario, las instituciones no solo enfrentan una crisis de eficacia, sino una crisis de sentido: sus decisiones son percibidas como arbitrarias, manipuladas o carentes de legitimidad.

Desde la teoría democrática, esta erosión puede interpretarse como una degradación de las condiciones del espacio público deliberativo. Habermas (1996) sostuvo que la legitimidad democrática descansa en la posibilidad de una comunicación racional orientada al entendimiento, donde los ciudadanos participan en procesos discursivos libres de coacción estructural. De manera complementaria, Cortina (2010) ha subrayado que la ética cívica y la confianza constituyen elementos imprescindibles para la cohesión democrática. La fragmentación informativa inducida por dinámicas algorítmicas y operaciones de influencia sistemática socava ambos pilares, sustituyendo el intercambio argumentativo por dinámicas de polarización emocional y sospecha permanente.

En el contexto europeo, esta erosión se ve agravada por la dependencia de infraestructuras comunicativas privadas y extraterritoriales. Las plataformas digitales, gobernadas por lógicas comerciales y jurisdicciones ajenas, actúan como infraestructuras críticas del dominio cognitivo, sin estar plenamente integradas en los marcos de responsabilidad democrática. La capacidad de la UE para proteger el espacio informativo se ve así limitada, reforzando la asimetría entre la escala de las amenazas y la de las respuestas disponibles.

Desde una perspectiva estratégica, la resiliencia cognitiva emerge como un elemento tan crucial como la ciberseguridad técnica o la protección de infraestructuras físicas. No se trata únicamente de detectar y eliminar contenidos falsos, sino de preservar las condiciones de posibilidad de la deliberación democrática, garantizando que los ciudadanos puedan formar juicios informados en un entorno informativo mínimamente estable.

V. AMENAZAS DERIVADAS DEL USO DE LA IA: ACTORES ESTATALES, PRESIÓN GEOPOLÍTICA Y LABORATORIOS NARRATIVOS

Las amenazas asociadas al uso estratégico de la Inteligencia Artificial no se distribuyen de forma homogénea ni responden a un único modelo de actuación. Por el contrario, emergen de estrategias divergentes que, aunque persiguen objetivos distintos, convergen en un efecto común: la erosión de la confianza institucional, la polarización social y la degradación del entorno informativo europeo. En este sentido, la IA actúa como amplificador estructural, potenciando capacidades preexistentes de actores estatales y no estatales en el marco de la guerra híbrida.

Este apartado analiza tres dimensiones complementarias de esta amenaza: (1) Rusia, como actor disruptivo que integra la desinformación y la presión cognitiva en su política exterior; (2) Estados Unidos, como potencia hegemónica que ejerce influencia estructural y algorítmica a través de plataformas y estándares tecnológicos; y (3) determinados conflictos contemporáneos —Ucrania, Gaza y Venezuela— como laboratorios narrativos donde se experimentan y refinan técnicas de manipulación cognitiva escalables.

5.1. Rusia: desinformación y coerción cognitiva como prolongación de la política exterior

Rusia concibe la desinformación no como un instrumento accesorio, sino como una extensión directa de su política exterior, enmarcada en el concepto de confrontación informativa (*informatsionnoye protivoborstvo*). Esta tradición, heredera de las medidas activas soviéticas, no busca únicamente persuadir, sino deslegitimar, fragmentar y desorganizar los sistemas políticos adversarios (Galeotti, 2019).

Los análisis del Centro Internacional para la Defensa y la Seguridad (Kłyszcz & Kohv, 2025) subrayan que esta estrategia se apoya en una cultura organizativa de los servicios de inteligencia rusos marcada por una lógica asimétrica y oportunista, donde el éxito se mide menos por la consecución de objetivos propios que por la capacidad de inducir fracaso, desgaste o parálisis en el adversario. En este marco, la IA permite escalar operaciones de influencia, reducir costes y adaptar narrativas a distintos públicos europeos de forma casi simultánea (Kłyszcz & Kohv, 2025).

Las narrativas recurrentes identificadas por EUvsDisinfo —Rusia como víctima de una conspiración occidental, la UE como entidad decadente y dividida, o la guerra en Ucrania como una operación defensiva— no persiguen una coherencia ideológica estricta. Su función principal es erosionar la confianza, amplificar tensiones internas y fomentar la fatiga estratégica en las sociedades europeas (EUvsDisinfo, 2025). La IA facilita la multiplicación y personalización de estas narrativas, incrementando su penetración en segmentos específicos de la población.

Este enfoque se complementa con acciones físicas y cibernéticas que refuerzan el impacto cognitivo: sabotajes, ciberataques, campañas de *hack-and-leak* o intimidación selectiva. Informaciones periodísticas recientes documentan intentos de presión directa sobre empresas y responsables europeos vinculados al apoyo militar a Ucrania, ilustrando la integración entre coerción material y explotación narrativa (Reuters, 2024). En conjunto, estas prácticas configuran una estrategia de presión sostenida por debajo del umbral de la guerra abierta, característica de la zona gris.

5.2. Estados Unidos: hegemonía tecnológica y presión algorítmica

A diferencia de Rusia, Estados Unidos no busca la desestabilización directa del orden europeo, sino su reconfiguración bajo un marco de liderazgo tecnológico y normativo favorable a sus intereses estratégicos. Esta influencia se ejerce de manera multivectorial, combinando diplomacia, control de cadenas de suministro críticas y hegemonía algorítmica.

Los controles de exportación sobre semiconductores avanzados y tecnologías de IA, junto con la promoción de estándares técnicos y regulatorios de alcance global, ilustran esta capacidad de presión estructural. Aunque estas medidas se justifican en términos de seguridad nacional, tienen efectos colaterales sobre la autonomía tecnológica europea, reforzando dependencias en áreas clave como el *compute* y las infraestructuras *cloud* (BIS[3], 2025). Si bien esta herramienta no ha sido usada en contra de los "aliados europeos", al igual que otras de las palancas de poder que posee EEUU, en el contexto de presión de la administración Trump sobre Europa, se convierten en debilidades estructurales de la UE.

Un elemento central de esta dinámica es el papel de las plataformas digitales privadas, mayoritariamente bajo jurisdicción estadounidense, que actúan como infraestructuras críticas del dominio cognitivo europeo. Las decisiones de moderación de contenido, diseño algorítmico o priorización informativa responden a criterios comerciales y legales e inevitablemente geopolíticos, ajenos al marco democrático europeo, y que tienen un impacto directo sobre el debate público y la formación de opinión en los Estados miembros.

En este contexto, la presión no siempre adopta formas coercitivas explícitas. Puede manifestarse como financiación de iniciativas ideológicas, promoción selectiva de determinados marcos discursivos o intervención indirecta en debates regulatorios europeos (Lewis, 2026). La fragmentación del multilateralismo digital favorece esta dinámica: la ausencia de un marco global robusto deja espacio para que actores estatales y privados influyan en la gobernanza cognitiva de terceros países sin necesidad de confrontación directa. Para España, cuya proyección exterior se apoya en la defensa del orden internacional basado en reglas, esta realidad exige equilibrar la cooperación transatlántica con la preservación de autonomía estratégica normativa.

---

3 Bureau of Industry and Security, hace referencia al comunicado de prensa *Updates and controls on export licensing policy for advanced computing semiconductors and AI-related technologies*, citado en la bibliografía.

Esta forma de influencia, que puede describirse como presión algorítmica, no requiere intervención estatal directa. La fragmentación del ecosistema digital global permite que decisiones empresariales tomadas fuera de Europa condicionen de facto la gobernanza cognitiva interna de la UE. Como señalan Kłyszcz & Kohv (2025) y el último informe de interferencia extranjera del EEAS, esta asimetría complica la capacidad europea para ejercer soberanía cognitiva sin entrar en conflicto con aliados estratégicos.

5.3. Conflictos contemporáneos como laboratorios narrativos

Los conflictos de Ucrania, Gaza y Venezuela funcionan como entornos de experimentación narrativa, donde actores estatales y no estatales prueban y refinan técnicas de manipulación cognitiva potenciadas por IA. Estos escenarios no solo tienen relevancia local; sus dinámicas se exportan y adaptan a otros contextos, incluidas las democracias europeas.

En Ucrania, desde 2022, se ha documentado el uso sistemático de *deepfakes, bots* coordinados y campañas de desinformación destinadas a socavar la moral interna y el apoyo internacional. La difusión de contenidos sintéticos atribuidos a líderes políticos, aunque rápidamente desmentidos, ha contribuido a un clima de confusión informativa que ilustra la eficacia del enfoque basado en la saturación y la duda (EBDS, 2025).

En Gaza, la IA ha facilitado la descontextualización masiva de imágenes y vídeos, amplificando narrativas polarizadoras y dificultando la evaluación objetiva de los hechos. Informes periodísticos han mostrado cómo contenido generado o manipulado por IA se difundió como material auténtico, intensificando la confrontación emocional y reduciendo el espacio para el análisis crítico (The Guardian, 2024).

En Venezuela, la combinación de censura, vigilancia digital y propaganda asistida por IA ha contribuido a un entorno informativo degradado, donde la distinción entre información verificada y manipulación resulta cada vez más difusa. Organizaciones internacionales advierten que estas prácticas no solo restringen derechos fundamentales, sino que crean un precedente exportable a otros contextos autoritarios y semiautoritarios (Freedom House, 2025).

Estos laboratorios narrativos comparten un patrón común: la IA permite escalar la emocionalidad, reducir el coste de verificación y amplificar la incertidumbre, generando efectos que trascienden el conflicto original. Las técnicas desarrolladas en estos contextos pueden reactivarse en Europa en momentos de crisis, explotando vulnerabilidades cognitivas y fragmentaciones preexistentes.

VI. DEBILITAMIENTO DE LOS CIMIENTOS EUROPEOS: LEGITIMIDAD DEMOCRÁTICA, DERECHOS HUMANOS Y RESILIENCIA INSTITUCIONAL

La presión cognitiva sostenida derivada del uso estratégico de la Inteligencia Artificial no se traduce únicamente en episodios de desinformación, ciberataques o polarización discursiva. Su impacto más profundo se manifiesta en la erosión progresiva de los cimientos normativos y simbólicos que sostienen el proyecto europeo: la legitimidad democrática, el respeto efectivo a los Derechos Humanos y la confianza en la capacidad de las instituciones para gobernar en contextos de complejidad e incertidumbre.

Este debilitamiento no responde a un colapso repentino, sino a un proceso acumulativo de desgaste, característico de las estrategias híbridas. La IA actúa aquí como acelerador sistémico, amplificando tensiones preexistentes y reduciendo los márgenes de maniobra institucional, especialmente en sistemas políticos pluralistas y fragmentados como el europeo.

6.1. Crisis de legitimidad y erosión del consenso democrático

La legitimidad democrática descansa, entre otros elementos, en la existencia de un acuerdo básico sobre la realidad compartida: que los procesos electorales son justos, que las decisiones públicas responden a procedimientos transparentes y que las instituciones actúan dentro de un marco de legalidad reconocible. La guerra cognitiva, potenciada por la IA, socava estos supuestos al introducir duda sistemática sobre la integridad de los procesos y la fiabilidad de las fuentes de información.

Casos recientes en el ámbito europeo ilustran esta dinámica. La anulación de elecciones tras campañas masivas de desinformación, o la proliferación de narrativas que cuestionan sin evidencia la legitimidad de resultados electorales, no buscan necesariamente alterar el resultado inmediato, sino debilitar la confianza estructural en el sistema democrático. En un entorno saturado de contenido sintético y narrativas contradictorias, la percepción de manipulación constante puede ser suficiente para desactivar la aceptación social del proceso, incluso cuando los mecanismos formales funcionan correctamente (EPRS, 2025).

La IA intensifica este fenómeno al permitir la hipersegmentación del discurso político, exponiendo a distintos grupos sociales a interpretaciones radicalmente divergentes de los mismos acontecimientos. El resultado no es solo polarización ideológica, sino una fragmentación de la realidad percibida, que dificulta la construcción de consensos mínimos y convierte la deliberación democrática en un proceso cada vez más frágil.

6.2. Derechos humanos bajo presión: la paradoja de la protección

La erosión de la legitimidad democrática tiene efectos directos sobre los derechos humanos. En contextos de inseguridad cognitiva, miedo y desconfianza, las sociedades tienden a aceptar medidas excepcionales —vigilancia ampliada, restricciones a la libertad de expresión o controles algorítmicos opacos— en nombre de la seguridad y la estabilidad. Esta dinámica genera una paradoja normativa: las democracias, al intentar protegerse de amenazas híbridas, corren el riesgo de debilitar los mismos derechos que constituyen su fundamento.

El uso de sistemas de IA para monitorizar el discurso público, detectar supuesta desinformación o predecir comportamientos considerados de riesgo plantea dilemas significativos en materia de privacidad, libertad de expresión y debido proceso. Sin salvaguardas claras y mecanismos de rendición de cuentas, estas herramientas pueden derivar en formas de control preventivo incompatibles con los estándares europeos de derechos fundamentales. Como advierten diversos organismos internacionales, la línea entre resiliencia y restricción puede volverse difusa en contextos de presión cognitiva sostenida (EEAS, 2025; Freedom House, 2025).

Desde una perspectiva estratégica, este riesgo constituye un éxito indirecto de la guerra cognitiva: no imponer un modelo autoritario desde fuera, sino inducir a las democracias a adoptar prácticas que erosionan su legitimidad interna. El adversario no necesita ganar el control del sistema; basta con empujarlo a contradecir sus propios principios.

6.3. Fragmentación institucional y límites de la respuesta europea

La capacidad de la Unión Europea para responder a estas dinámicas se ve condicionada por su arquitectura institucional fragmentada. Aunque existen iniciativas relevantes —como el

AI Act, el *Digital Services Act* o el emergente Escudo Europeo de la Democracia—, la implementación efectiva de estas políticas depende en gran medida de los Estados miembros, cuyos marcos legales, capacidades técnicas y prioridades políticas difieren de forma significativa.

Esta fragmentación dificulta la articulación de una respuesta coherente y coordinada frente a amenazas que operan a escala transnacional y en tiempo real. Mientras las campañas de desinformación, los ciberataques y las operaciones cognitivas se despliegan sin respetar fronteras, las capacidades de detección, análisis y mitigación permanecen, en gran medida, ancladas al nivel nacional. La asimetría entre la escala del problema y la de las soluciones refuerza la percepción de ineficacia institucional, alimentando a su vez la desconfianza ciudadana.

6.4. Resiliencia cognitiva como condición de posibilidad democrática

Frente a este panorama, la noción de resiliencia cognitiva emerge como un elemento central para la sostenibilidad del proyecto europeo. A diferencia de enfoques centrados exclusivamente en la eliminación de contenidos falsos o en la regulación de plataformas, la resiliencia cognitiva se orienta a preservar las condiciones de posibilidad de la deliberación democrática: alfabetización mediática, transparencia algorítmica, pluralismo informativo y confianza institucional.

Esta perspectiva implica reconocer que la protección del espacio informativo no puede descansar únicamente en mecanismos técnicos o normativos. Requiere una estrategia integrada que combine regulación, educación, cooperación institucional y una comprensión clara de la IA como infraestructura de poder en el dominio cognitivo. Sin esta integración, las respuestas parciales corren el riesgo de ser superadas por la velocidad y adaptabilidad de las amenazas híbridas.

En última instancia, el desafío planteado por la IA y la guerra cognitiva no es únicamente tecnológico ni securitario, sino profundamente político. La cuestión central no es cómo proteger a las democracias de la IA, sino qué tipo de democracia es viable en un entorno informativo estructuralmente inestable. La respuesta a esta pregunta determinará no solo la eficacia de las políticas europeas, sino la capacidad del proyecto europeo para sostener su legitimidad y sus valores en el largo plazo.

VII. CONCLUSIONES

En el momento actual, recordar los valores que hacen la Unión Europea lo que es, y España por extensión, es esencial para poder enfrentar los retos que presenta la Inteligencia Artificial. Si bien no se puede definir la IA como una tecnología moralmente binaria, este capítulo señala la necesidad de control real de la infraestructura sobre la que se cimentan las relaciones de las sociedades europeas. Esa infraestructura es física —servidores, nube y capacidad computacional—, pero también cognitiva: plataformas y sistemas de recomendación que estructuran la atención, la emoción y la interpretación colectiva.

La magnitud del desafío no es abstracta. Si la demanda eléctrica de centros de datos se sitúa ya en torno a 415 TWh (2024) y la senda de crecimiento puede llevarla a ~945 TWh (2030) en el escenario base, la soberanía tecnológica se convierte también en una cuestión de energía, red y capacidad industrial. Sin infraestructura propia y mecanismos interoperables de respuesta, la regulación corre el riesgo de operar como contención defensiva más que como iniciativa estratégica, dejando el control económico en sistemas jurídicos y de valores con menor voluntad de protección de derechos humanos, y por extensión civiles y políticos.

Además de la dependencia en infraestructura también, la vulnerabilidad estructural de los regímenes democráticos es también su esencia, pues permite derechos sociales y políticos, que son la base política que permite defender los derechos humanos. En un entorno de guerra cognitiva, el adversario no necesita "tomar" el sistema: le basta con aprovechar los "agujeros" del sistema, degradando la confianza, intensificando la polarización y erosionando el espacio deliberativo. La falta de espacios de comunicación (Habermas, 1996) y éticos (Cortina, 2010) abiertos se torna realidad estructural cuando se permite la normalización, no tanto de discursos, sino de aproximaciones ofensivas en el ámbito cognitivo.

En este marco, la soberanía cognitiva emerge como condición necesaria para sostener democracias funcionales en Europa: no como cierre del espacio informativo, sino como capacidad de protegerlo de interferencia externa, manipulación industrializada y dependencia estructural de infraestructuras extraterritoriales. Una Europa soberana, transparente y valedora de los derechos humanos exige una estrategia que conecte regulación, infraestructura y resiliencia cognitiva en un mismo plano operativo.

VIII. BIBLIOGRAFÍA

Anthropic. (2025). *Disrupting the first reported AI-orchestrated cyber espionage campaign.* https://assets.anthropic.com/m/ec212e6566a0d47/original/Disrupting-the-first-reported-AI-orchestrated-cyber-espionage-campaign.pdf

Anthropic. (2026). *Cyber capabilities and frontier model risks (Red Team update).* https://red.anthropic.com/2026/cyber-toolkits-update/

BBC News Mundo. (2025, 23 de noviembre). *Australia: en qué consiste la prohibición del acceso a las redes sociales a los menores de 16 años y cómo la van a implementar.* https://www.bbc.com/mundo/articles/cx202xn46jlo

Benkler, Y., Faris, R., & Roberts, H. (2018). *Network propaganda: Manipulation, disinformation, and radicalization in American politics.* Oxford University Press. https://academic.oup.com/book/26406

Bradford, A. (2020). *The Brussels effect: How the European Union rules the world.* Oxford University Press. https://academic.oup.com/book/36491

Brundage, M., Avin, S., Clark, J., Toner, H., Eckersley, P., Garfinkel, B., Dafoe, A., Scharre, P., Zeitzoff, T., Filar, B., & Anderson, H. (2018). *The malicious use of artificial intelligence: Forecasting, prevention, and mitigation.* University of Oxford. https://arxiv.org/pdf/1802.07228.pdf

Cortina, A. (2010). *Ética mínima: Introducción a la filosofía práctica (nueva ed.). Tecnos.* https://www.tecnos.es/libro/ventana-abierta/etica-minima-adela-cortina-9788430951574/

Down, A. (2025, December 11). Meta shuts down global accounts linked to abortion advice and queer content. *The Guardian.* https://www.theguardian.com/global-development/2025/dec/11/meta-shuts-down-global-accounts-linked-to-abortion-advice-and-queer-content

du Cluzel, F. (2020). *Cognitive warfare.* NATO Innovation Hub. https://innovationhub-act.org/wp-content/uploads/2023/12/20210122_CW-Final.pdf

El País. *(2023, 23 de febrero). La Comisión Europea prohíbe el uso de TikTok en sus dispositivos electrónicos.* https://elpais.com/tecnologia/2023-02-23/la-comision-europea-prohibe-el-uso-de-tiktok-en-sus-dispositivos-electronicos.html

European Board for Digital Services (2025). *First report of the European Board for Digital Services in cooperation with the Commission pursuant to Article 35(2) DSA on the most prominent and recurrent systemic risks as well as mitigation measures.* https://table.media/assets/europe/first_article_352_dsa_report_on_systemic_risks_and_mitigations_final_ddxkzxhwga8vftj3unr0mgkwqvk_121707.pdf

European Data Protection Board & European Data Protection Supervisor. (2019, 12 julio). *Joint response to the LIBE Committee on the impact of the U.S. CLOUD Act on the European legal framework for personal data protection.* https://www.edpb.europa.eu/our-work-tools/our-documents/letters/edpb-edps-joint-response-libe-committee-impact-us-cloud-act_en

European Data Protection Board / EDPB. (2023). *Annual report 2023.* https://www.edpb.europa.eu/system/files/2024-04/edpb_annual_report_2023_en.pdf

European External Action Service. (2025). *Third EEAS report on Foreign Information Manipulation and Interference threats* (March 24 2025). https://www.eeas.europa.eu/sites/default/files/documents/2025/EEAS-3nd-ThreatReport-March-2025-05-Digital-HD.pdf

European Parliament Research Service. (2025). *The European democracy shield.* https://www.europarl.europa.eu/RegData/etudes/BRIE/2025/775835/EPRS_BRI(2025)775835_EN.pdf

European Union. (2016). *Regulation (EU) 2016/679 of the European Parliament and of the Council (General Data Protection Regulation).* https://eur-lex.europa.eu/eli/reg/2016/679/oj

EUvsDisinfo. (2025). *2025 in review: Winning the narrative.* https://euvsdisinfo.eu/2025-in-review-winning-the-narrative/

Freedom House. (2025). *Freedom on the Net 2025: An Uncertain Future for the Global Internet.* Freedom House. https://freedomhouse.org/sites/default/files/2025-11/Freedom_on_the_Net_2025_Digital.pdf

Galeotti, M. (2019). *Russian political war: Moving beyond the hybrid.* Routledge. https://www.taylorfrancis.com/books/mono/10.4324/9780429443442/russian-political-war-mark-galeotti

Gobierno de España, Ministerio de Asuntos Exteriores, Unión Europea y Cooperación. (2024). *Estrategia de Acción Exterior 2025–2028.* https://www.exteriores.gob.es/es/PoliticaExterior/Documents/EAE_2025-2028/Estrategia%20de%20Acci%C3%B3n%20Exterior%202025-2028.pdf

Guess, A., Nyhan, B., & Reifler, J. (2020). Exposure to untrustworthy websites in the 2016 U.S. election. *Nature Human Behaviour, 4*(5), 472–480. https://www.nature.com/articles/s41562-020-0833-x

Habermas, J. (1996). *Between facts and norms: Contributions to a discourse theory of law and democracy. MIT Press.* https://mitpress.mit.edu/9780262082433/between-facts-and-norms/

Hoffman, F. G. (2007). *Conflict in the 21st Century: The Rise of Hybrid Wars.* Potomac Institute for Policy Studies. https://www.potomacinstitute.org/images/stories/publications/potomac_hybridwar_0108.pdf

Horwitz, J., et al. (2025, December 31). Meta created 'playbook' to fend off pressure to crack down on scammers, documents show. *Reuters.* https://www.reuters.com/investigations/meta-created-playbook-fend-off-pressure-crack-down-scammers-documents-show-2025-12-31/

International Energy Agency. (2024). *Energy and AI.* https://www.iea.org/reports/energy-and-ai

Jalli, N. (2025). Reframing misinformation as informational-systemic risk in the age of societal volatility. *Harvard Kennedy School Misinformation Review.* https://doi.org/10.37016/mr-2020-192

Kłyszcz, I. U., & Kohv, M. (2025). *Confronting the Russian hydra: Continuity and innovation in the grey zone.* International Centre for Defence and Security. https://(Kłyszcz & Kohv, 2025).ee/static/(Kłyszcz & Kohv, 2025)_report_confronting_the_russian_hydra_klyszcz_kohv_december_2025.pdf

Lee, R. M., Assante, M. J., & Conway, T. (2016). *Analysis of the cyber attack on the Ukrainian power grid.* SANS Industrial Control Systems & Electricity Information Sharing and Analysis Center (E-ISAC). https://nsarchive.gwu.edu/sites/default/files/documents/3891751/SANS-and-Electricity-Information-Sharing-and.pdf

Lewandowsky, S., Kempe, V., Armaos, K., Hahn, U., Abels, C. M., Wibisono, S., Louis, W., Sah, S., Pagel, C., Jankowicz, N., DiResta, R., Markolin, P., Schoenemann, H., Hertwig, R., Crull, H., Mauer, B., Holford, D., Lopez-Lopez, E., & Cook, J. (2025). *The anti-autocracy handbook: A scholars' guide to navigating democratic backsliding.* https://doi.org/10.5281/zenodo.15510834

Lewis, S. (2026). US to fund free speech initiatives in Europe, Trump official says. *Reuters.* https://www.reuters.com/world/us-fund-free-speech-initiatives-europe-trump-official-says-2026-02-09/

Mazarr, M. J. (2015). *Mastering the gray zone: Understanding a changing era of conflict.* https://press.armywarcollege.edu/monographs/428/

NATO Science & Technology Organization. (2025). *Cognitive warfare (Chief Scientist research report).* https://www.nato.int/content/dam/nato/webready/documents/sto/chief-scientist-report-cognitive-warfare.pdf

Oxford Internet Institute. (2024). *Computational propaganda and elections.* University of Oxford. https://www.oii.ox.ac.uk/research/projects/computational-propaganda/

RTVE Noticias. (2023, 4 de abril). *Australia prohíbe TikTok en los dispositivos gubernamentales.* https://www.rtve.es/noticias/20230404/australia-prohibe-tiktok-dispositivos-gubernamentales/2435666.shtml

U.S. Department of Commerce, Bureau of Industry and Security. (2025). *Updates and controls on export licensing policy for advanced computing semiconductors and AI-related technologies* [Press releases & policy changes]. https://www.bis.gov/press-release/commerce-strengthens-restrictions-advanced-computing-semiconductors-enhance-foundry-due-diligence-prevent

U.S. Department of Energy. (2024). *DOE releases new report evaluating increase in electricity demand from data centers.* https://www.energy.gov/articles/doe-releases-new-report-evaluating-increase-electricity-demand-data-centers

United Nations Institute for Disarmament Research. (2025). *Securing cyberspace for peace: Insights into cyberthreats and international security in 2025.* https://unidir.org/publication/securing-cyberspace-for-peace-insights-into-cyberthreats-and-international-security-in-2025/

University of Cambridge. (2025, 11 de diciembre). *Price of a 'bot army' revealed across hundreds of online platforms.* https://www.cam.ac.uk/stories/price-bot-army-global-index

Capítulo 4.

IA y desórdenes informativos: de la automatización de la mentira a la respuesta híbrida del fact-checking

NOEMÍ MOREJÓN-LLAMAS
Profesora Adjunta
Universidad Loyola Andalucía

En las democracias del siglo XXI, los desórdenes informativos emergen no solo como un desafío comunicativo, también como una amenaza estructural a la deliberación pública, la confianza institucional y la legitimidad de los procesos representativos. En este contexto, las acciones desinformativas actúan simultáneamente como síntoma y motor de la fragilidad democrática contemporánea, y solo se comprende su complejidad si se interrelacionan las transformaciones tecnopolíticas, las dinámicas de comunicación política y las condiciones socioeconómicas que constituyen el escenario actual.

No cabe duda de que la desinformación crece a pasos agigantados por los espacios virtuales y que, si bien se ha visto más afectada tras la liberalización de la inteligencia artificial, también puede servirse de la misma para curar el contenido que circula por los ecosistemas digitales. Este capítulo examina la intersección entre desinformación, IA y la aplicación de la automatización, algoritmos y herramientas en el *fact-checking* español, articulando un análisis que transita desde los fundamentos teóricos de los desórdenes informativos, sus causas y consecuencias hasta las respuestas tecnológicas específicas que emergen en el contexto nacional.

La relevancia del tema radica en su capacidad para esclarecer cómo las transformaciones digitales han reconfigurado el ecosistema informativo, potenciando fenómenos como la posverdad, la polarización afectiva y el retroceso democrático, que erosionan las bases de la democracia liberal. En un entorno donde las plataformas algorítmicas amplifican contenidos manipuladores a escala masiva, el *fact-checking* se posiciona como una respuesta híbrida -humana y tecnológica- esencial para restaurar la veracidad y la contextualización informativa en el espacio público.

I. DESÓRDENES INFORMATIVOS: UN FENÓMENO POLIÉDRICO

Hablar de desórdenes informativos es hacerlo de *misinformation, disinformation* y *malinformation* (Wardle & Derakhshan, 2018). Lo que en un primer momento pueda parecer una simple cuestión semántica, encierra diferencias que son imprescindibles detallar para comprender las lógicas de producción, circulación, impacto y detección. La *misinformation* abarca información falsa que no pretende hacer daño y que se debe a la falta de pluralidad, el sesgo, la censura y la propaganda (Floridi, 2011); la *disinformation* se refiere a la información falsa, incompleta o inexacta difundida para dañar a una persona, grupo u organización, por lo que existe una intencionalidad evidente que encierra intereses económicos o ideológicos (Ireton & Posetti, 2018); la *malinformation* es información veraz utilizada de forma descontextualizada o manipulada con fines lesivos (Baines & Elliott, 2020). Todo lo expuesto evidencia que "a pesar de sus diferencias, todas estas manifestaciones comparten un objetivo común: tergiversar la información, alterar el discurso público y afectar las decisiones de la opinión pública" (Morejón-Llamas & Tarín-Sanz, 2025: 299).

La contextualización del fenómeno es poliédrica y se enmarca en cuestiones políticas-ideológicas, económicas, sociales y culturales. Desde la teoría democrática, estos desórdenes informativos tienen efectos directos sobre la calidad de la deliberación pública y la formación de la opinión. La democracia representativa requiere un conjunto de hechos básicos razonablemente consensuados que permitan que el conflicto político se articule en torno a interpretaciones y propuestas, y no acerca de la existencia misma de la realidad sobre la que se discute. Cuando esta situación se resquebraja -como ha ocurrido en España durante la gestión de la crisis económica del 2008, el procés catalán (Matarín Rodríguez-Peral et al., 2022), la pandemia (Salaverría et al., 2020) o fenómenos meteorológicos como la DANA (López-Marcos et al., 2025), el espacio público se fragmenta en universos informativos paralelos, con consecuencias directas para la capacidad de los ciudadanos de ejercer un juicio autónomo y exigir rendición de cuentas a los poderes públicos y privados. Esta fragmentación no es meramente técnica, sino más bien, profundamente política. La incapacidad para establecer acuerdos sociales debilita los mecanismos de responsabilidad horizontal -entre ciudadanos- y vertical –entre ciudadanía e instituciones-, convirtiendo el debate público en un campo de batalla asimétrico donde actores con recursos tecnológicos disfrutan de esta ventaja. En el contexto español, pero también en el europeo, esto se ha constatado en campañas coordinadas que cuestionan la legitimidad de procesos electorales o judiciales o casos de injerencia internacional prorusa (Parlamento Europeo, 2025), alimentando percepciones de ilegitimidad sistémica.

Estas carencias en la deliberación pública se sedimentan en un clima de posverdad, en el que la construcción de la opinión pública embebe de verdades a medias y no de realidades verificadas, manifestando un declive por la honestidad en el terreno político, pero, sobre todo, en el del comportamiento humano (Keyes, 2004). En este sentido, se ha establecido un régimen comunicativo en el que la centralidad de los hechos verificables se ve subordinada a la capacidad de las narrativas para reforzar identidades, emociones y lealtades grupales. Por tanto, los desórdenes informativos se instauran como una herramienta funcional para la construcción de relatos que sostienen proyectos políticos, incluso cuando entran en conflicto abierto con la evidencia empírica. Esta posibilidad es tal porque las emociones no solo deben ser consideradas estados psicológicos, sino también prácticas sociales y culturales (Katz, 1999). Partiendo de este escenario, la ira y el miedo se configuran como dos de las principales emociones para la articulación y construcción del imaginario político y, por ende, de la actividad y movilización social. Ejemplo de ello son las teorías de la conspiración durante la pandemia sanitaria (Taboada-Villamarín et al., 2024), los movimientos antivacunas (Morejón-Llamas, 2023), la negación del cambio climático (Sendra-Duro, 2025), la xenofobia o el racismo (Ruiz Andrés & Sajir, 2023) o el auge de los populismos contemporáneos, ya sea con los partidos de extrema derecha o con los movimientos sociales de protesta (Waisbord, 2020).

Otra de las causas que subyace a la merma del discurso público es la dimensión tecnopolítica. Las plataformas digitales -redes sociales, servicios de mensajería, agregadores de noticias- no operan como canales neutros, sino como infraestructuras que organizan la visibilidad mediante algoritmos de recomendación orientados a maximizar la atención y la interacción. Los desórdenes informativos encuentran, pues, un terreno especialmente fértil en este entorno, ya que el sensacionalismo, la polarización y la apelación emocional encajan perfectamente con los incentivos de una economía de la atención basada en el clic y la viralidad. Esta arquitectura comunicativa favorece una exposición fragmentada y selectiva a la información, en la que los usuarios consumen contenidos que refuerzan sus predisposiciones previas y tienen un contacto limitado con perspectivas discrepantes. El resultado es la consolidación de cámaras de eco y burbujas de filtro que reducen el espacio de argumentación común y dificultan la circulación de contraargumentos y correcciones (Ross Arguedas et al., 2022). Además, se enfatizan las asimetrías de poder comunicativo: actores políticos, económicos o estatales con recursos pueden explotar de forma estratégica estas dinámicas mediante campañas de desinformación segmentadas, mientras que la ciudadanía se enfrenta a un entorno informacional crecientemente opaco y difícil de evaluar críticamente (Hobolt et al., 2024).

La eclosión de plataformas digitales y la fragmentación del sistema global mediático han contribuido, por ende, a la expansión de los desórdenes desinformativos, más cuando la desconfianza en los medios tradicionales se acelera. En España, según el último estudio de Statista Consumer Insights, un 19% de los encuestados manifiesta no confiar en la prensa, la radio y la televisión (Statista, 2025). Otro estudio del Reuters Institute (2025) señala que solo un 32% de la población confía en la información que recibe de los medios. Ante esta desconfianza mediática, se produce una paradoja: los ciudadanos acuden a las redes sociales a buscar credibilidad y al mismo tiempo cuanto más acceden a ellas, más desconfiados se muestran ante la información (Park et al., 2020).

Esta brecha está siendo ampliamente explotada por la Manipulación e Interferencia Informativa Extranjera (FIMI, por sus siglas en inglés), que plantea una de las grandes amenazas para la información sobre asuntos públicos en espacios digitales, pues merma la seguridad de la integridad informativa y pone en entredicho la veracidad de los contenidos publicados por diversos actores políticos y mediáticos, lo que redunda en una reducción o pérdida de confianza en las instituciones democráticas y en sus procesos electorales. La actuación de actores extranjeros que pretenden desestabilizar las democracias occidentales aplica tácticas, técnicas y procedimientos (TTP) orquestados, entre los que destaca la viralización de desórdenes informativos, una estrategia que dinamita la cohesión social y polariza a las sociedades en el siglo XXI (International IDEA, 2025).

El tercer informe del European External Action Service (2025) pone de manifiesto que en 2024 más de ochenta países y más de doscientas organizaciones fueron objeto de ataques de manipulación e interferencia informativa extranjera. Estas prácticas para influir en los comportamientos incluyen ejércitos de *bots*, contenidos generados por IA y censura, influyendo considerablemente en la seguridad de la Unión Europea, pues intercede en sus valores y políticas públicas al intentar desviar a sus integrantes y candidatos de adhesión de su trayectoria democrática. Algunas de las potencias que aplican operaciones FIMI de manera magistral mediante arsenales digitales masivos son Rusia y China. Según la arquitectura FIMI estas operan desde cuatro frentes mediáticos:

- Canales oficiales del Estado. En el caso de la Federación de Rusia (Ministry of Foreign Affairs of the Russian Federation; Foreign Intelligence Service of the Russian Federation; Russian Embassies; Russian Missions). En China (China State Council Information Office; Chinese Foreign Ministry Spokesperson; Chinese Ministry of State Security; Chinese Embassies).

- Medios controlados por el Estado. En Rusia destacan RT, Moscow24, Rossiyskaya Gazeta, Channel One Russia, Zvezda TV, figuras mediáticas como Vladimir Solovyov, así como agencias y plataformas como RIA Novosti, Ruptly, Sputnik, TASS, Inosmi, Ukraina.ru y Red (The Red Stream). En el ámbito chino, este bloque incluye a Xinhua News Agency, China Radio International, CGTN, Global Times, People's Daily, China Daily y el portal T.s.cn.

- Canales vinculados al Estado. En Rusia se sitúan en esta categoría plataformas como African Initiative, New Eastern Outlook, Observer Continental, Ren TV, Mash, Global Research, African Stream, Life.ru, Argumenty i Fakty, Lenta.ru, Izvestia, Foundation to Battle Injustice, Readovka, Rybar LLC, NewsFront y Gazeta.ru. En el caso chino, aparecen medios y plataformas como *P*hoenix TV, Guancha y Sina.
- Canales alineados con el Estado. En Rusia se incluyen redes y operaciones como False Facade, Portal Kombat (News-Pravda.com*)* y la operación Metasyskha. En China, este bloque comprende entidades como HaiEnergy, Paperwall, Dragonbridge y VN Network.

Algunos ejemplos de estas acciones son Doppelgänger, una operación activa desde 2022, que ha evolucionado desde la suplantación de medios y sitios institucionales occidentales hacia una arquitectura FIMI multicapa basada en miles de dominios falsos, publicidad segmentada y redes masivas de cuentas coordinadas, con el objetivo de influir en audiencias específicas, incluidas las europeas en contextos electorales. Por su parte, la Operación Falsa Fachada (Storm-1516) y Portal Kombat, que ilustran estrategias de blanqueo informativo y republicación automatizada mediante ecosistemas mediáticos falsos que imitan cabeceras occidentales o locales, dirigen su proyección hacia Europa y África. Finalmente, las operaciones Sobrecarga y Matrioska manifiestan un giro táctico hacia la saturación deliberada de los sistemas de verificación y de las redacciones, combinando la difusión de contenidos falsificados con campañas coordinadas en plataformas sociales y mensajería, lo que revela una sofisticación creciente de las operaciones FIMI orientadas no solo a desinformar, sino a degradar las capacidades de respuesta del ecosistema informativo europeo, especialmente de las agencias de *fact-checking*, uno de los principales mecanismos de contención contra la desinformación en línea (EUvsDisinfo, 2025).

II. UNA CUESTIÓN DE DERECHOS HUMANOS

Esta problemática, la exposición a los desórdenes informativos, que acucia a los ciudadanos del nuevo milenio, sobre todo magnificada por la irrupción de internet, se ha intensificado con el nacimiento y democratización de la IA en el último lustro (Peña-Fernández et al., 2023), exhibiendo retos profundos para la preservación de los Derechos Humanos. El 12 de agosto de 2022, el Secretario General de Naciones Unidas, António Guterres, publicó su informe titulado *Contrarrestar la desinformación para promover y proteger los derechos humanos y las libertades fundamentales*, que señalaba que "para contrarrestar las diferentes manifestaciones de desinformación es necesario abordar las tensiones sociales subyacentes, fomentar el respeto de los derechos humanos, en línea y en otros medios, y apoyar un espacio cívico y un panorama mediático plurales" (Naciones Unidas, 2022: 1).

El documento en cuestión aludía a la necesidad de analizar la desinformación de manera multifacética, pues los contextos en los que esta surge son diversos y complejos -procesos electorales, crisis de salud pública, conflictos armados, procesos migratorios y crisis climática-. Además, imbricaba la desinformación con los discursos de odio contra las minorías y mujeres, perturbando la capacidad de decisión de los ciudadanos ante determinadas políticas públicas y socavando los avances en derechos humanos. Esto, que exacerba las divisiones sociales, se configura como un claro detonante ante la expansión de los populismos y los totalitarismos que afloran en la actualidad.

Coartar la libertad de opinión y expresión de los instigadores desinformativos choca frontalmente con una protección jurídica suficiente para encorsetar el poder de acción, como ejemplifican el artículo 19 de la Declaración Universal de Derechos Humanos, y los artículos 19 1) y 19 2) del Pacto Internacional de Derechos Civiles y Políticos, que protegen el derecho a tener opiniones sin injerencia y la libertad de buscar, recibir y difundir informaciones e ideas de diversa índole, aunque estas no sean veraces. Como expone el propio Guterres, para restringir la libertad de expresión y el derecho a la información, es imprescindible que estén fijadas por la ley y "ser necesarias para respetar los derechos y la reputación de otras personas, para proteger la seguridad nacional o el orden público o por razones de salud o moral públicas. Los Estados no pueden añadir motivos adicionales ni restringir la expresión más allá de lo que permite el derecho internacional. Por lo tanto, para ser legal, cualquier limitación a la libertad de expresión que pretenda impedir o restringir la desinformación debe cumplir con las razones legítimas para introducir una restricción que se enumeran en el artículo 19 3)" (Naciones Unidas, 2022: 4).

Para que los Estados hagan frente a los desórdenes informativos, la resolución propone cuatro vías:

1. Enfoques normativos centrados en la transparencia: exigir aumentar la transparencia de las operaciones en las plataformas; reducir los incentivos financieros para la desinformación; garantizar la transparencia en la publicidad política, cooperar con los verificadores de datos y facilitar el acceso a los investigadores y analizar las operaciones de información mediante el uso de automatizados (exigir que los bots o la persona que está tras ello revelen su identidad cuando pretenden vender productos o influir en un individuo).

2. Promoción de regímenes sólidos de información pública y un amplio acceso a la información: difusión constante de información por parte de gobiernos, políticos y funcionarios públicos; campañas estatales sobre información pública en contextos de crisis; publicación de información científica y campañas de alfabetización mediática digital y promoción de verificadores de hechos independientes.

3. Protección de los medios de comunicación libres e independientes y diálogo con las comunidades: fomentar la pluralidad informativa con diversidad de fuentes; promover y proteger a medios y periodistas para su ejercicio profesional y considerar que unos medios adecuados pueden reconsiderar el equilibrio entre plataformas en línea y medios de comunicación.

4. Fomento de la alfabetización digital, mediática e informacional: trabajar conjuntamente para identificar, disipar y desacreditar la información falsa y engañosa; aplicar programas por parte de los Estados; aplicación de herramientas y metodologías educativas en poblaciones con mayor riesgo; desarrollar sistemas educativos que promueve el diálogo, la tolerancia y la dignidad humana; trabajos cooperativos entre periodistas y organizaciones de la sociedad civil para investigar la desinformación; abordaje multilateral entre gobiernos, organizaciones de la sociedad civil y empresas y creación de herramientas para detectar la desinformación.

Sin embargo, el esfuerzo dedicado por los Estados para la puesta en funcionamiento y aplicación de estas iniciativas plantea innumerables desafíos como: 45.a) Falta de participación efectiva en el proceso legislativo; 45.b) Definiciones vagas del concepto de desinformación; 45.c) Sanciones excesivas o desproporcionadas; 45.d) Externalización de la moderación de contenidos a empresas privadas; 45.e) Cortes de Internet/ bloqueo de sitios web y medios de difusión y 45.f) Papel de los funcionarios públicos (Naciones Unidas, 2022: 14-16).

Siguiendo las recomendaciones articuladas por organismos como Naciones Unidas, los sistemas democráticos han impulsado tres estrategias básicas para contrarrestar la avalancha desinformativa: el primero pende de los Estados -articulación de políticas públicas-, el segundo dirigido a los conglomerados mediáticos y digitales -impulsar la autorregulación de las plataformas- y el tercero que recae sobre el ciudadano -alfabetización mediática y digital-. Estas iniciativas, sin embargo, plantean dilemas normativos relevantes: quién define qué es desinformación, hasta qué punto puede intervenir el Estado sin incurrir en restricciones desproporcionadas de la libertad de expresión y qué riesgos comporta delegar funciones de moderación en actores privados con intereses comerciales propios.

La autorregulación de plataformas y las medidas de co-regulación -etiquetado de contenidos, reducción del alcance de publicaciones dudosas, promoción de fuentes fiables- pueden contribuir a mitigar algunos efectos, pero no resuelven las tensiones asociadas a la opacidad algorítmica ni a la concentración de poder sobre la circulación de información. Y es que, en definitiva, es imposible detener la propagación desinformativa sin políticas que trasciendan la autorregulación y el voluntarismo de las plataformas digitales (Casero-Ripollés et al., 2023), pues la desinformación en todas sus vertientes se ha configurado como una industria global en auge de la que diversos actores obtienen grandes beneficios.

III. INTELIGENCIA ARTIFICIAL: ¿AMPLIFICADOR O ESCUDO ANTE LA DESINFORMACIÓN?

La incorporación de la inteligencia artificial al ecosistema comunicativo ha supuesto una transformación profunda de los procesos informativos. Desde la teoría funcionalista, la vigilancia del entorno que ejercen los medios de comunicación puede verse reforzada por la irrupción de la IA, ya que esta es capaz de agilizar el procesamiento de datos, la detección de desinformación o la identificación de patrones informativos mediante el aprendizaje automatizado o el procesamiento del lenguaje natural (PLN) (Matamoros-

Dávalos & Avilés-Pazmiño, 2024). Al mismo tiempo, la IA puede exacerbar la creación y circulación de los desórdenes informativos, al poner a disposición de cualquier individuo herramientas que facilitan la distorsión de la realidad o la modificación de la misma a un ritmo vertiginoso.

En el ámbito periodístico, la IA se emplea de forma generalizada con *newsbots* y aplicaciones de *software* destinadas a la recopilación, selección y jerarquización de informaciones; para la redacción automatizada de noticias; el análisis y visualización de datos; la creación de medios y el desarrollo de productos; la programación de publicaciones y el asesoramiento en línea; o los *chatbots* (Herrero-Diz & Varona-Aramburu, 2018), por ejemplo, Politibot en España, un caso de éxito que surgió para cubrir la información política nacional e internacional en redes sociales (Sánchez Gonzales & Sánchez González, 2020). Según una encuesta realizada por KPMG a 60 ejecutivos de medios españoles, un 57% ha incorporado herramientas de inteligencia artificial. En concreto, la usan para "generar contenidos (68%), analizar datos (63%) y automatizar procesos editoriales y de producción (63%)" (Sierra et al., 2025). Esta integración transversal convierte a la IA en un intermediario central del flujo informativo, en el que la automatización no solo reduce los tiempos de producción, sino que permite generar y adaptar contenidos en múltiples formatos e hipersegmentar a las audiencias; también sobresaturar el ecosistema y viralizar informaciones falsas, inexactas o descontextualizadas antes de que puedan ser contrastadas o corregidas.

En este sentido, la IA actúa hoy como una infraestructura generativa capaz de producir desinformación sintética (textos, audios, imágenes y videos hiperrealistas o *deepfakes*) sin intervención humana directa (Limia-Fernández, 2025). El uso eficiente de los datos permite generar contenidos en diversos formatos, pero implica procesos complejos de lenguaje natural, reutilización de información y aprendizaje automático que no garantizan, por sí mismos, la calidad ni la veracidad del resultado. Por esto, los sistemas algorítmicos pueden reproducir y amplificar sesgos preexistentes, así como generar contenidos inexactos o distorsionados, reforzando dinámicas de desinformación a gran escala (Peña-Fernández et al., 2023). Estos mecanismos priorizan el contenido que genera mayor interacción emocional, lo que favorece la viralidad de narrativas polarizadas, simplificadas o sensacionalistas. De hecho, se ha demostrado que los contenidos falsos se retuitean más y llegan a más personas que los veraces debido a que los robots aceleran este proceso (Manfredi-Sánchez & Ufarte-Ruiz, 2020); además, estos permiten que la desinformación se difunda a una velocidad que desborda la capacidad de respuesta de los verificadores humanos (*fact-checkers*), imposibilitando detener la propagación desinformativa y curar su contenido (Morejón-Llamas et al., 2022).

En el contexto político y bélico estas estrategias se ven reforzadas por la automatización y robotización de campañas electorales, que incorporan la propaganda computacional, basada en el uso de *bots* o cibertropas. Estas "operan principalmente a través de cuentas falsas, que pueden ser automatizadas, como los *bots*, o cuentas humanas falsas, que cumplen los mismos objetivos, pero mediante una coordinación de operadores que administran cuentas manualmente" (Santa & Huerta Canépa, 2019: 64). Aunque con procedimientos diferentes, ambas alteraciones pretenden generar corrientes artificiales de opinión. Un ejemplo paradigmático fue el caso de Cambridge Analytica durante la campaña de Donald Trump en 2016, donde se utilizaron datos personales con fines políticos distintos a aquellos para los que habían sido cedidos originalmente. Asimismo, Rusia y China se valen de estas tropas cibernéticas para proteger intereses políticos y comerciales. Otros casos documentados incluyen las elecciones presidenciales de Ecuador en 2017 y los procesos electorales de México y Colombia en 2018 (Barredo-Ibáñez et al., 2021).

En estos procesos donde la opinión pública depende sobremanera de la circulación de contenidos veraces, la IA "utiliza masivamente la información como un arma de disuasión, engaño, manipulación, control o desestabilización, potencializando su alcance y diversificando sus impactos. La desinformación creada con IA paraliza la acción internacional, intensifica las controversias, manipula las acciones, justifica atrocidades, genera confusión, expone un doble discurso y divide las opiniones" (Arreola-García, 2024: 93). De este modo, la automatización algorítmica refuerza así la instrumentalización de la información como herramienta de poder y control simbólico, sobre todo ahora que los contenidos creados por IA funcionan como máquinas de afectos que buscan adhesión visceral (Limia-Fernández, 2025).

Con la irrupción de softwares de IA generativa, la generación de *deepfakes* y el uso de tecnologías de realidad aumentada han amplificado aún más el peligro desinformativo (Gómez de Ágreda *et al.*, 2021). Las imágenes y vídeos falsos o manipulados suponen "un riesgo adicional para la credibilidad de las instituciones y constituye un desafío económico y creativo para las sociedades contemporáneas" (Ballesteros Aguayo & Ruiz del Olmo, 2024: 10). La mayoría de estos contenidos se concentra en el ámbito político y tiene como objetivo desacreditar a figuras públicas, erosionando su prestigio y aumentando la desconfianza hacia sus actores. Aunque las empresas tecnológicas aplican sistemas de autocontrol y verificación, como en el caso de ChatGPT o del Real-Time Deepfake Detector de Intel, estos mecanismos presentan limitaciones significativas. Este último sistema, por ejemplo, se vale de la fotopletismografía, un proceso basado en el análisis de los cambios de color en los rostros asociados al flujo sanguíneo. Sin embargo, ante la proliferación de *deepfakes* y los inconvenientes para detectarlos, los expertos subrayan la necesidad de fomentar la alfabetización visual para que la ciudadanía pueda identificar y evaluar críticamente las imágenes que consume (Slimovich, 2024).

Además, la democratización en el uso de la IA ha impulsado una nueva estrategia que fomenta la desinformación, conocida como *LLM grooming*, término acuñado por The American Sunlight Project. Estas campañas consisten en saturar el ecosistema informativo con grandes volúmenes de contenidos falsos o descontextualizados para aumentar su probabilidad de ser integrados en herramientas como ChatGPT, Gemini o Perplexity. Redes como *Pravda* han sido señaladas por producir millones de publicaciones en múltiples idiomas y por adaptar sus estrategias a los mecanismos de indexación de la IA (Maldita, 2025). Los resultados muestran que una proporción significativa de las respuestas generadas por distintos *chatbots* reproduce o cita estas narrativas, incluso cuando se presentan como desmentidos, incrementando su visibilidad. Además, la infiltración de estos contenidos en repositorios de alta credibilidad, como Wikipedia, refuerza su circulación indirecta y consolida un entorno informativo híbrido en el que la desinformación adquiere nuevas formas de legitimación algorítmica (Hernández & Rodríguez, 2025).

IV. INCORPORACIÓN DE LA IA AL *FACT-CHECKING* ESPAÑOL

El *fact-checking*, entendido como la comprobación y verificación de hechos, ha sido una práctica intrínseca al periodismo desde sus orígenes. De hecho, las mejores redacciones periodísticas del siglo XX, las de las revistas estadounidenses *The New Yorker* y *Time*, contaban con una sección dedicada exclusivamente a detectar errores y mantener el equilibrio entre los encuadres informativos, a fin de abogar por la honestidad del periodista y la calidad de la información (López-Pan & Rodríguez-Rodríguez, 2020). Como explica Rodríguez-Pérez (2020: 243) el objetivo es triple: "velar por la veracidad de la información difundida en redes y plataformas sociales, realizar un escrutinio al poder y transformar la información en conocimiento asumible por los ciudadanos".

En España el *fact-checking* cuenta con una larga tradición y asentamiento desde el nacimiento de Maldita (2018), Newtral (2018), EFE Verifica (2019), Verificat (2019), AFP Factual España (2019), Verifica RTVE (2020) e Infoveritas (2021). De hecho, la verificación en nuestro país goza de buena salud y, prueba de ello, es que en su mayoría las organizaciones cuentan con el sello de la International Fact-checking Network (IFCN), entidad que supervisa la transparencia y el rigor en los medios de verificación. Desde este prisma, los verificadores españoles han colaborado entre sí y con otros medios europeos y latinoamericanos en contextos de crisis sanitarias, procesos electorales y conflictos bélicos.

El inconveniente con el que siempre se han encontrado estas organizaciones, a pesar de los proyectos cooperativos lanzados para atajar la desinformación de manera coordinada, son la avalancha desinformativa y la lentitud en las tareas que supone la verificación con fuentes oficiales, involucradas y expertas. Por eso, Palau-Sampio (2018) ya se aventuró a predecir que el *fact-checking* emplearía la automatización de procesos para agilizar la actividad y dar una respuesta más rápida a la viralidad en la red. Prueba de ello es la introducción temprana y paulatina de determinadas herramientas de inteligencia artificial en estos procedimientos desde 2018, año en el que Newtral comienza a implementarla. Con este precedente, a partir de 2019 y hasta 2022, asistiremos al asentamiento de estas herramientas de la mano de EFE Verifica, VerificaRTVE, Maldita, AFP Factual España e Infoveritas (Cuartielles *et al.*, 2024), fundamentalmente mediante técnicas de *claim matching*, que se basa en cotejar afirmaciones con otras que ya han sido verificadas (Alonso-González & Sánchez-Gonzales, 2024).

La aplicación de esta tecnología por los *fact-checkers* ha avanzado paralelamente al propio desarrollo de la inteligencia artificial, por lo que se han ido incorporando nuevas funcionalidades, aunque ninguna de ellas desplazan al papel del periodista, sino que amplifican su capacidad analítica mediante modelos de trabajo híbridos o *human-in-the-loop*, en los que los sistemas algorítmicos se encargan del procesamiento y cribado de grandes volúmenes de información, mientras que la validación final recae en el criterio experto humano. Por ende, su utilidad destaca en las siguientes fases (Montoro-Montarroso *et al.*, 2023: 9):

> "(1) supervisión, reconocimiento y priorización de contenidos susceptibles de verificación;
>
> (2) evaluación de la verificabilidad de las afirmaciones y priorización de temas;
>
> (3) búsqueda de verificaciones anteriores que se apliquen al mismo caso;
>
> (4) recuperación de pruebas para una investigación más profunda;
>
> (5) clasificación semiautomatizada en categorías (bulo, contenido engañoso, contexto falso, etc.);
>
> (6) difusión de las verificaciones;
>
> (7) agilización de la redacción y documentación de las comprobaciones de hechos".

En términos más específicos, la automatización en el *fact-checking* ocupa las siguientes actividades clave:

- Automatización del flujo de trabajo: monitoreo y detección temprana (mediante *scraping* y *APIS-application programming interfaces*); extracción y priorización de desmentidos (a través de algoritmos) y búsqueda de verificaciones previas (haciendo uso del procesamiento del lenguaje natural) (Limia-Fernández, 2025).
- Análisis multimodal (texto, audio y vídeo): detección de ultrafalsificaciones-*deepfakes* (redes neuronales convolucionales con mecanismos de atención que analizan inconsistencias en vídeos y audios sintéticos); análisis

forense de imágenes (con herramientas como InVid) y trazabilidad de la fuente (para identificar el origen de los contenidos) (Manfredi-Sánchez & Ufarte-Ruiz, 2020; Moreno-Espinosa *et al.*, 2024).

- Caracterización estilística y de contenido: análisis de sentimientos y tono emocional (detección de lenguajes polarizados) y estilometría (detección de patrones morfológicos, elementos estructurales, variedad léxica, símbolos de puntuación y legibilidad del texto) (Montoro-Montarroso *et al.*, 2023).
- Análisis de Redes Sociales (ARS) y detección de bots: identificación de bots (detección de cuentas automáticas basándose en su comportamiento) y mapeo de rutas de propagación (estudiando la estructura red) (Des-Mesnards *et al.*, 2022).

Las principales plataformas de *fact-checking* en España utilizan diversas herramientas de inteligencia artificial, tanto propias como externas, para optimizar la verificación de hechos (Alonso-González & Sánchez-Gonzales, 2024; Cuartielles et al., 2024.). *Newtral,* pionera en la implementación de IA en el sector, utiliza como herramientas propias *ClaimHunter,* un sistema que emplea algoritmos de PLN para rastrear y verificar afirmaciones en redes sociales como Twitter (actualmente X), detectando rápidamente contenidos potencialmente falsos; ClaimCheck, una herramienta diseñada para rastrear y verificar informaciones falsas repetidas, identificando patrones de desinformación recurrentes en las plataformas digitales; Editor, que se fundamenta en la identificación de *claims* en discursos audiovisuales; y su software más reciente, FactFlow, que emplea IA para detectar patrones de desinformación en texto, audio, vídeo e imágenes en Telegram. Como herramientas externas aplica InVID, una solución avanzada para el análisis forense de imágenes y vídeos; PimEyes, un sistema de reconocimiento facial; su Chatbot, que ayuda en la clasificación y detección de información errónea, facilitando la automatización de ciertas etapas del proceso de verificación. Verificat también dispone de ClaimHunter, Editor y ClaimCheck, en consonancia con Newtral. Además, incorpora otras como TinEye, para búsqueda inversa de imágenes; Yandex, para identificar imágenes; Desgrabador, para convertir audios en textos; y AI or Not, para identificar imágenes detectando patrones invisibles al ojo humano.

Maldita cuenta en sus herramientas internas con su *chatbot,* que juega un papel crucial al gestionar las alertas y dirigirlas hacia los verificadores humanos; mientras que las herramientas externas incluyen InVID y Hive (que detecta específicamente el contenido generado por IA). Por otro lado, VerificaRTVE ha desarrollado un conjunto de herramientas propias que integran soluciones para la detección, archivo y transcripción automática de contenido. El proyecto IVERES de RTVE es una iniciativa interna que combina IA y PLN para realizar un análisis exhaustivo de noticias, mejorando la capacidad de la agencia para rastrear y validar información rápidamente. Además, VerificaRTVE usa como herramientas externas a Trint, que facilita la transcripción automática de contenido audiovisual a texto, y AI or Not, que evalúa si un contenido ha sido generado o manipulado mediante IA.

EFE Verifica, a pesar de no contar con herramientas completamente desarrolladas internamente, utiliza tecnologías externas avanzadas para el análisis de contenido: InVID, IVERES, Chatbot, Remini.ai (se emplea para mejorar la calidad de las imágenes, un aspecto crucial cuando se trata de evaluar la autenticidad visual de las fuentes) y Meltwater (para la identificación de contenidos virales y su trazabilidad mediante la detección de patrones de propagación de la información). AFP Factual España utiliza únicamente como herramienta interna InVID (un software desarrollado por un consorcio multidisciplinario de académicos, tecnólogos y organizaciones periodísticas europeas como la propia AFP y Deutsche Welle (DW), pertenecientes al proyecto veraAI) y como herramienta externa, Chatbot. Por último, Infoveritas ha integrado internamente soluciones de PLN para detectar bulos en redes sociales y como herramientas externas dispone de Hive y Hugging Face, una plataforma de código abierto que permite entrenar modelos de IA para la clasificación automática de contenidos y la detección de patrones lingüísticos asociados con desinformación.

V. A MODO DE CONCLUSIÓN

Esta revisión de la literatura permite concluir que los desórdenes informativos en el contexto actual no constituyen meras disfunciones comunicativas, sino que se erigen como una amenaza estructural a la deliberación pública y a la legitimidad de los procesos representativos. La complejidad de este fenómeno, caracterizado por su naturaleza poliédrica, evidencia que las acciones desinformativas actúan simultáneamente como síntoma y motor de la fragilidad democrática contemporánea. En este escenario, la desinformación no solo busca la distorsión de hechos concretos, más bien la fragmentación del espacio público en universos informativos paralelos, donde la propia veracidad se ve subordinada a narrativas orientadas a reforzar identidades y emociones grupales como la ira o el miedo.

La irrupción de la IA ha reconfigurado el ecosistema informativo al modificar las rutinas periodísticas de los profesionales de la información y de la audiencia. Por un lado, actúa como un vector de amplificación del desorden y, a su vez, como una infraestructura defensiva. Desde una óptica pesimista, la democratización de la IA generativa ha permitido la producción masiva de desinformación sintética (*deepfakes*) y la implementación de tácticas sofisticadas como el *LLM grooming*, destinadas a contaminar los repositorios de datos. Desde una óptica esperanzadora, la incorporación de sistemas algorítmicos y software inteligentes en el *fact-checking* ha demostrado ser una respuesta efectiva ante la rapidez y complejidad con la que circula la desinformación. La automatización, mediante técnicas de *claim matching* y procesamiento del lenguaje natural, permite agilizar la operatividad, al impulsar la detección temprana y la trazabilidad de la fuente, mitigando la asimetría operativa frente a las campañas de desinformación coordinadas, en ocasiones, con un propósito transnacional.

Como se ha evidenciado, la eficacia del *fact-checking* no reside en la sustitución tecnológica, sino en la adopción de modelos híbridos de trabajo entre el hombre y la máquina. Desde este prisma, si bien los algoritmos asumen las tareas de procesamiento, cribado y priorización de contenidos, la validación final y la interpretación contextual permanecen bajo la responsabilidad del criterio experto humano. Esta relación simbiótica es fundamental para contrarrestar la opacidad algorítmica y los sesgos preexistentes en los sistemas automatizados, garantizando que la verificación no pierda su compromiso con la honestidad y la calidad informativa.

En este sentido, tras la revisión de las organizaciones de *fact-checking* españolas, se detecta que, aunque mencionan el empleo de la IA en sus metodologías de verificación, no precisan en qué medida, en qué momento del proceso o con qué herramientas trabajan en sus redacciones. Esto alerta sobre una falta de transparencia y ética que debe subsanarse para seguir fomentando la credibilidad en estas agencias y su capacidad de acción. Esto converge con la limitación fundamental de este trabajo, que es la opacidad en el uso de la inteligencia artificial en estos espacios. En esta ocasión solo ha podido ser solventada con la literatura existente, en la que diversos expertos en comunicación españoles han entrevistado a los directores o jefes de redacción de estos *fact-checkers*. Solo a través de estas declaraciones se ha podido concluir la implementación de la automatización de procesos en la verificación del discurso público.

Finalmente, es imperativo reseñar que la lucha contra la desinformación trascienda las acciones puramente técnicas para situarse en el marco de la protección de los derechos humanos. La respuesta de los sistemas democráticos debe articularse mediante un abordaje multilateral que combine la transparencia de las plataformas, la promoción de regímenes de información pública veraces y un impulso decidido a la alfabetización mediática y digital de la ciudadanía. La cooperación internacional y la transparencia en el uso de IA y algoritmos serán esenciales para restaurar la confianza pública y fortalecer los mecanismos democráticos en un entorno cada vez más digitalizado, pues solo de esta manera se preservará una opinión pública autónoma capaz de exigir rendición de cuentas.

VI. BIBLIOGRAFÍA

Alonso-González, M. & Sánchez Gonzales, H. M. (2024). Inteligencia artificial en la verificación de la información política. Herramientas y tipología. *Revista Más Poder Local, 56,* 27-45. https://doi.org/10.56151/maspoderlocal.215

Arreola García, A. (2024). Inteligencia artificial y desinformación: Papel en los conflictos del siglo XXI. *Revista Seguridad y Poder Terrestre, 3*(3), 87-113. https://doi.org/10.56221/spt.v3i3.66

Ballesteros Aguayo, L. & Ruiz del Olmo, F. J. (2024). Vídeos falsos y desinformación ante la IA: El deepfake como vehículo de la posverdad. *Revista de Ciencias de la Comunicación e Información, 29,* 1-14. https://doi.org/10.35742/rcci.2024.29.e294

Barredo-Ibáñez, D., De-la-Garza-Montemayor, D.-J., Torres-Toukoumidis, Á., & López-López, P. C. (2021). Artificial intelligence, communication, and democracy in Latin America: A review of the cases of Colombia, Ecuador, and Mexico. *El Profesional de la Información, 30*(6), e300616. https://doi.org/10.3145/epi.2021.nov.16

Casero-Ripollés, A., Tuñón, J., & Bouza-García, L. (2023). The European approach to online disinformation: Geopolitical and regulatory dissonance. *Humanities and Social Sciences Communications, 10,* Article 657. https://doi.org/10.1057/s41599-023-02179-8

Cuartielles, R., Mauri-Ríos, M. & Rodríguez-Martínez, R. (2024). Transparencia en el uso de la IA en las plataformas de fact-checking en España y sus desafíos éticos. *Communication & Society, 37*(4), 257-271. https://doi.org/10.15581/003.37.4.257-271

Des-Mesnards, N.G.; Hunter, D.; El-Hjouji, Z.; Zaman, T. (2022). Detecting bots and assessing their impact in social networks. *Operations research, 70*(1). https://doi.org/10.1287/opre.2021.2118

EUvsDisinfo. (2025, 22 de abril). *Glosario: ¿quién es quién en el zoológico FIMI?* https://goo.su/gUSTK

European External Action Service. (2025, March). *3rd EEAS report on foreign information manipulation and interference (FIMI) threats.* https://www.eeas.europa.eu/sites/default/files/documents/2025/EEAS-3nd-ThreatReport-March-2025-05-Digital-HD.pdf

Floridi, L. (2011). *The philosophy of information.* Oxford University Press.
Hernández, S., & Rodríguez, A. (2025, 18 de diciembre). *Así gana terreno la desinformación en ChatGPT y otros bots de IA.* EFE Verifica. https://verifica.efe.com/chatgpt-ia-bots-llm-desinformacion-pravda-rusia-israel/ EFE Verifica

Herrero-Diz, P. & Varona-Aramburu, D. (2018). Uso de chatbots para automatizar la información en los medios españoles. *Profesional de la Información, 27*(4), 742-749. https://doi.org/10.3145/epi.2018.jul.03

Hobolt, S. B., Lawall, K. & Tilley, J. (2024). *The polarizing effect of partisan echo chambers. American Political Science Review, 118*(3), 1464-1479. https://doi.org/10.1017/S0003055423001211

IDEA (2025). https://www.idea.int/es/theme/informacion-manipulacion-e-interferencia-extranjeras.

Ireton, C., & Posetti, J. (2018). *Journalism, "fake news" & disinformation: Handbook for journalism education and training* (UNESCO series on journalism education). UNESCO.

Katz, J. (1999). *How Emotions Work.* University of Chicago Press.

Keyes, R. (2004). *The Post-Truth Era. Dishonesty and Deception in Contemporary Life.* St. Martin´s Press.

López-Marcos, C., Vicente-Fernández, P. & Hidalgo-Cobo, P. (2025). Desinformación en situaciones de emergencia: estudio del caso de las agencias de verificación durante la DANA en España. R*evista Mediterránea De Comunicación, 16*(2), e29275. https://doi.org/10.14198/MEDCOM.29275

López Pan, F. & Rodríguez Rodríguez, J. (2020): "El Fact Checking en España. Plataformas, prácticas y rasgos distintivos". *Estudios sobre el Mensaje Periodístico, 26*(3), 1045-1065. https://doi.org/10.5209/esmp.65246

Maldita.es. (2025, 19 de marzo). *'LLM grooming' y cómo esta técnica busca manipular las respuestas de los chatbots de IA para fomentar la desinformación.* https://maldita.es/malditatecnologia/20250319/llm-grooming-manipular-ia-desinformar/

Matamoros Dávalos, Á. & Avilés Pazmiño, M. (2024). Dinámicas entre la Inteligencia Artificial y la Creatividad Periodística. *Comhumanitas, 15*(2), 158-174. https://doi.org/10.31207/rch.v15i2.454

Matarín Rodríguez-Peral, E., Pastor García, M. M. & García García, F. (2022). Independentismo catalán: análisis de las agencias de verificación. *Pangea. Revista De Red Académica Iberoamericana De Comunicación, 13*(1), 1–17. https://doi.org/10.52203/pangea.v13i1.194

Montoro-Montarroso, A.; Cantón-Correa, J.; Rosso, P.; Chulvi, B.; Panizo-Lledot, Á.; Huertas-Tato, J.; Calvo-Figueras, B.; Rementeria, M. J. & Gómez-Romero, J. (2023). Fighting disinformation with artificial intelligence: fundamentals, advances and challenges. *Profesional de la información, 32*(3), e320322. https://doi.org/10.3145/epi.2023.may.22

Morejón-Llamas, N. (2023). Características y ejes discursivos de la desinformación y el proceso de fact-checking sobre las vacunas COVID 19 en Latinoamérica. *Revista Española de Comunicación en Salud,* 47-61. https://doi.org/10.20318/recs.2023.7005

Morejón-Llamas, Noemí; Martín-Ramallal, Pablo; Micaletto-Belda, Juan-Pablo (2022). Twitter content curation as an antidote to hybrid warfare during Russia's invasion of Ukraine. *Profesional de la información, 31*(3), e310308. https://doi.org/10.3145/epi.2022.may.08

Morejón-Llamas, N., & Tarín-Sanz, A. (2025). Fact-checking y cooperación transnacional: Análisis de la respuesta europea a la desinformación bélica en el contexto de las elecciones europeas de 2024. *Revista de Comunicación, 24*(2), 297-320. https://doi.org/10.26441/RC24.2-2025-3858

Naciones Unidas-Asamblea General (12 de agosto de 2022). *A/77/287. Informe del Secretario General. Contrarrestar la desinformación para promover y proteger los derechos humanos y las libertades fundamentales.* https://www.un.org/es/countering-disinformation

Palau-Sampio, D. (2018). Fact-checking y vigilancia del poder: La verificación del discurso público en los nuevos medios de América Latina. *Communication & Society, 31*(3), 347-365. https://doi.org/10.15581/003.31.3.347-363

Park, S., Fisher, C., Flew, T. & Dulleck, U. (2020). Global Mistrust in News: The Impact of Social Media on Trust. *International Journal on Media Management, 22*(2), 83–96. https://doi.org/10.1080/14241277.2020.1799794

Parlamento Europeo. (2025, 17 de septiembre). *Resolución de 25 de abril de 2024 sobre las nuevas acusaciones de injerencia rusa en el Parlamento Europeo y en las próximas elecciones europeas y sus repercusiones para la Unión Europea* (2024/2696(RSP), P9TA(2024)0380). *Diario Oficial de la Unión Europea,* C/2025/3710. https://eur-lex.europa.eu/legal-content/ES/TXT/PDF/?uri=OJ:C_202503710

Peña-Fernández S., Peña-Alonso U. & Eizmendi-Iraola M. (2023). El discurso de los periodistas sobre el impacto de la inteligencia artificial generativa en la desinformación. *Estudios sobre el Mensaje Periodístico, 29*(4), 833-841. https://doi.org/10.5209/esmp.88673

Rodríguez-Pérez, C. (2020). Una reflexión sobre la epistemología del fact-checking journalism: retos y dilemas. *Revista de Comunicación, 19*(1), 243-258. https://doi.org/10.26441/RC19.1-2020-A14

Ross Arguedas, A., Robertson, C., Fletcher, R. & Nielsen, R. (2022). Echo chambers, filter bubbles, and polarisation: A literature review. *Reuters Institute for the Study of Journalism.* https://doi.org/10.60625/risj-etxj-7k60

Ruiz Andrés, R., & Sajir, Z. (2023). Desinformación e islamofobia en tiempos de infodemia: Un análisis sociológico desde España. *Revista Internacional de Sociología, 81*(3), e236. https://doi.org/10.2989/ris.2023.81.3.20.185

Salaverría, R.; Buslón, N.; López Pan, F.; León, B.; López Goñi & Erviti, M.C. (2020). Desinformación en tiempos de pandemia: tipología de los bulos sobre la Covid-19. *Profesional de la información, 29*(3). https://doi.org/10.3145/epi.2020.may.15

Sánchez Gonzales, H.M. & Sánchez González, M. (2020). Botsconversacional en la información política desde la experiencia de los usuarios: Politibot. *Communication & Society, 33*(4), 155-168. https://doi.org/10.15581/003.33.4.155-168

Santana, L. & Huerta Cánepa, G. (2019). ¿Son bots? Automatización en redes sociales durante las elecciones presidenciales de Chile 2017. *Cuadernos.info, 44,* 61-77. https://doi.org/10.7764/cdi.44.1629

Sendra-Duro, E. (2025). Fact-checking y desinformación climática en España. Tendencias en la cobertura, tematización y gestión de fuentes en la estrategia profesional de EFE Verifica, Maldito Clima y Newtral.

Doxa Comunicación. Revista Interdisciplinar De Estudios De Comunicación Y Ciencias Sociales, 41, 561-587. https://doi.org/10.31921/doxacom.n41a2861

Sierra, A., Labiano, R., Novoa-Jaso, M. F., & Vara-Miguel, A. (2025). *Digital News Report España 2025: Periodismo y democracia: confianza, comunidad y narrativas innovadoras.* Reuters Institute. University of Oxford. https://reutersinstitute.politics.ox.ac.uk/es/digital-news-report/2025/espana

Slimovich, A. (2024). *Desinformación política e inteligencia artificial en la campaña presidencial argentina de 2023.* En O. Almazán López, B. Cabanés Cacho, & E. Bunbury Bustillo (Coords.), IA, educación y medios de comunicación: modelo TRIC (pp. 263–285). Tirant lo Blanch.

Statista (2025). Statista Consumer Insights 2025. https://goo.su/7GhpR6

Taboada-Villamarín, A., Romero-Reche, A., & Torres-Albero, C. (2024). "Gateway Conspiracy": La desconfianza en la pandemia por COVID-19 como puerta de entrada a teorías de la conspiración. *Revista Española De Investigaciones Sociológicas, 188,* 145-164. https://doi.org/10.5477/cis/reis.188.145-164

Waisbord, S. (2020). ¿Es válido atribuir la polarización política a la comunicación digital?: Sobre burbujas, plataformas y polarización afectiva. *Revista SAAP, 14*(2), 249-279. https://doi.org/10.46468/rsaap.14.2.A1

Wardle, C., & Derakhshan, H. (2018). *Thinking about 'information disorder': formats of misinformation, disinformation, and mal-information.* UNESCO.

Capítulo 5.

De la desinformación digital a la incitación al odio: desafíos jurídico-penales en la protección de colectivos vulnerables

BLANCA MARTÍN RÍOS
Prof[a]. Contratada Dra.
Universidad Loyola Andalucía

I. INTRODUCCIÓN: EL AUGE DE LA DESINFORMACIÓN EN LOS ENTORNOS DIGITALES

La persuasión se ha convertido en uno de los principales objetivos de la comunicación. El traslado de información, lejos de poder considerarse neutral, se realiza o bien con el objetivo de crear una opinión o actitud no existente previamente, o bien con la idea de aumentar, disminuir o desplazar la intensidad de una creencia o comportamiento preexistente.

En consecuencia, en el escenario comunicativo actual, la desinformación –entendida como aquel contenido falso, engañoso o manipulado que altera la percepción pública de hechos o colectivos y que puede ser difundido con esa intención o no– ha pasado de utilizarse como elemento accidental a consolidarse como uno de los fenómenos característicos del ecosistema digital (Guallar *et al.*, 2020).

Por medio de distintas técnicas, los medios influyen decisivamente en la opinión pública. La elección de los temas sobre los que se informa y sobre los que, por tanto, se centra el debate público (fenómeno conocido como *agenda-setting*), la determinación del proceso de la información y de la valoración de ciertos aspectos, al desconocer muchos otros (*priming*) y la forma en la que se enfoca la información seleccionada (*framing*), hace que nos encontremos ante un gran poder mediático que puede llegar a manipular la percepción de la realidad, especialmente cuando se trata de temas complejos o polémicos (Saperas Lapiedra, 2022).

Teniendo tanto poder de influencia en la opinión y el debate público, y gracias a las distintas plataformas digitales, caracterizadas por la inmediatez, la falta de filtros de verificación y los algoritmos — que ofrecen contenidos similares a los consumidos—, la desinformación se ha visto multiplicada exponencialmente en la última década, primando la viralidad sobre la veracidad. La propagación de estos contenidos virales no es, sin embargo, lineal, sino que los estudios muestran la afectación de sesgos cognitivos que facilitan su difusión, como la homofilia —la tendencia de las personas a relacionarse o vincularse con personas similares— y el sesgo de confirmación —la tendencia a buscar, interpretar y recordar la información que confirme nuestras creencias previas (*Blanco et al.*, 2024).

Si bien es cierto que las generaciones cuyo acceso a la tecnología se ha dado a una edad más avanzada pueden confiar en un mayor grado en la información que les llega a través de los medios digitales, Fernández-Muñoz *et al.* (2024) evidencian que incluso la Generación Z, pese a su alfabetización digital, es vulnerable a contenidos manipulados. No podemos considerar, sin embargo, que la desinformación queda restringida a plataformas digitales bajo la excusa de que permiten la difusión de bulos sin sistemas de verificación, ya que incluso en el ámbito de los informativos televisivos se ha llegado a mostrar cada vez más presente, lo que potencia su afirmación como un problema público (Blanco *et al.*, 2023).

La crisis vivida por la pandemia de COVID-19 intensificó este fenómeno, promoviendo la proliferación de teorías conspiratorias y la estigmatización de ciertos colectivos (Casino, 2020; Salaverría *et al.*, 2020), generando una desinformación que, mediante narrativas que deshumanizan al otro, alimentaban discursos de odio hacia colectivos concretos (Blanco Herrero *et al.*, 2024). A este tipo de desinformación, basada en estereotipos, prejuicios o atribuciones falsas dirigida especialmente contra colectivos vulnerables y que refuerza la hostilidad social, se la conoce como desinformación prejuiciosa. Más allá de su dimensión estrictamente comunicativa, esta desinformación se erige como un instrumento de incitación capaz de articular estados de hostilidad y violencia hacia grupos vulnerables, adquiriendo con ello una clara relevancia en el ámbito penal. Este fenómeno funciona como un catalizador que potencia prejuicios y consolida estereotipos, validando narrativas de odio y configurando un escenario social que facilita la ejecución de conductas delictivas de naturaleza discriminatoria.

II. DIFERENCIACIÓN CONCEPTUAL Y REGULACIÓN PENAL

Para la correcta comprensión de esta problemática, resulta necesario delimitar conceptualmente categorías que, si bien están relacionadas, muestran diferencias fundamentales: desinformación, discurso de odio, delito de odio e incitación penalmente relevante. En aras de una mayor claridad conceptual, podemos adelantar que la desinformación se concibe como la propagación de prejuicios; el discurso de odio, como la manifestación externa de la hostilidad; el delito de odio, como una categoría doctrinal y mediática que aglutina distintas conductas penales motivadas por el sesgo contra colectivos vulnerables; y la incitación penalmente relevante como aquella que fomenta al odio, discriminación o violencia con riesgo real.

Todos estos conceptos pueden llegar a tener relación con los dos primeros apartados del art. 510 CP: en su primer párrafo sanciona las conductas de incitación directa o indirecta al odio, la hostilidad y la violencia (510.1a), también cuando las mismas se realizan mediante la difusión de material (510.1b), mientras que en su segundo apartado castiga los comportamientos humillantes hacia ciertos colectivos (510.2).

2.1. Delito de odio: título aglutinador de conductas discriminatorias

Si bien el término "delito de odio" es el más conocido mediáticamente y se identifica normalmente con el art. 510 CP —que sanciona la incitación, la humillación y el fomento de la hostilidad—, es necesario precisar que, en realidad, este concepto penal funciona como un paraguas conceptual bajo el que se sitúan distintas infracciones, situadas en la frontera con la libertad de expresión. El delito de odio es, por tanto, un título doctrinal y mediático que aglutina diversas realidades jurídicas: la agravante de discriminación aplicable a los delitos motivados por prejuicios del art. 22. 4 ª CP, diversos delitos que sancionan conductas discriminatorias (314, 511 o 512 CP) y, de forma destacada, el art. 510, que sanciona la incitación, directa o indirecta, a vulnerar la dignidad de los colectivos vulnerables, la humillación y el negacionismo (Alcácer Guirao, 2023). En consecuencia, si bien mediática y popularmente se considera que cualquier conducta discriminatoria debe entenderse como delito de odio, penalmente, ante una de estas conductas discriminatorias, debemos determinar el tipo penal concreto que, en su caso, pueda ser aplicable.

2.2. Desinformación: concepto comunicativo y sociológico

Podemos entender la desinformación como aquel contenido —ya sea falso, engañoso o alterado— dirigido contra un grupo, que refuerza estereotipos y que se propaga por la red, al margen de si existe o no una intención real de causar daño.

Sus rasgos más característicos son la manipulación de los datos, el sacar los hechos de contexto y una extraordinaria capacidad para hacerse viral dentro del ecosistema digital. La desinformación ha sido ampliamente estudiada desde la comunicación y las ciencias sociales, tratándose no de un concepto penal, sino comunicativo y sociológico. Guallar *et al.* (2020) la clasifican distinguiendo entre bulos, contenidos manipulados, descontextualización, impostores informativos y narrativas conspirativas, tipología que ha sido confirmada por estudios empíricos en España (Cea Esteruelas *et al.*, 2023; Del Hoyo Hurtado *et al.*, 2020).

La literatura española ha identificado que este tipo de desinformación se dirige normal y especialmente contra colectivos vulnerables mediante narrativas falsas y prejuiciosas que, mediante la repetición sistemática en redes sociales, refuerzan estereotipos aludiendo a la delincuencia, abuso de recursos o amenaza cultural (Blanco Herrero, 2024; Tamarit Sumalla, 2018; Blanco *et al.*, 2023). Este enfoque integral resulta especialmente útil, ya que reconoce la realidad con sus múltiples aristas y desde un enfoque interseccional, dada la diversidad de colectivos afectados y la complejidad de las motivaciones discriminatorias (religión, género, orientación sexual, discapacidad, etc.).

Si bien es cierto que, jurídicamente, estas prácticas no siempre son castigables por sí solas, tienen una innegable importancia en el ámbito penal, dado que funcionan como un contexto agravante o como un mecanismo de "preincitación" que prepara el terreno para actitudes hostiles posteriores. Desde la perspectiva penal, la desinformación comienza a resultar relevante cuando deshumaniza colectivos o refuerza estereotipos discriminatorios, porque genera un caldo de cultivo que predispone a la hostilidad y que puede ser el desencadenante de otro tipo de conductas penales. Solo cuando esa desinformación genera un riesgo real y encaja en el art. 510.1.a CP tendrá relevancia penal, pasando a considerarse, entonces, incitación penalmente relevante.

2.3. La incitación penalmente relevante: 510.1a CP

La incitación directa e indirecta a la vulneración de la dignidad de ciertos colectivos vulnerables, prohibida por el art. 510.1.a CP, es la categoría más grave de conducta discriminatoria recogida por nuestro ordenamiento jurídico, al castigar diversas formas de expresión que suponen, de forma directa o indirecta, una incitación al odio, hostilidad, discriminación o violencia contra colectivos protegidos, en base a la dignidad humana como valor superior (art. 10 CE) y a la igualdad, cuya garantía es necesaria frente a prácticas discriminatorias que erosionan la cohesión social. El art. 510 de nuestro Código penal proscribe expresamente cualquier tipo de incitación al odio, hostilidad, discriminación o violencia por determinados motivos tasados (raza, religión, orientación sexual, etc.), contra aquellos grupos considerados vulnerables.

En este contexto, debe entenderse por hostilidad cualquier actitud de animadversión intensa hacia un colectivo, que puede exteriorizarse mediante desprecio, humillación o deshumanización, sin que exija violencia física, pero sí un riesgo real de excluir o discriminar. Si bien es cierto que la posesión o distribución de estos contenidos no se realiza en ocasiones con intención de generar odio o violencia directa contra estos grupos, no debe obviarse que esta desinformación basada en prejuicios (mediante estereotipos, exageraciones o falsedades) genera un clima hostil que puede predisponer a conductas discriminatorias o violentas. En este sentido se han pronunciado tanto investigaciones recientes (que muestran cómo los bulos racistas y xenófobos generan un clima que facilita la aceptación de discursos discriminatorios: Souto Galván (2024) como la jurisprudencia de nuestro Tribunal Supremo (STS 72/2018)[1].

---

1 STS 72/2018, 9 de febrero 2018 (TOL6.511.003).

Para que una conducta sea considerada incitación, los tribunales analizan elementos clave como la intención del autor, el contexto en el que se produce y la capacidad real del mensaje para provocar dichas reacciones, se haya producido la incitación directa o indirecta (como la STS 72/2018)[2]. No obstante, estos delitos constituyen una categoría sensible, ya que se sitúan en una discutible frontera entre la protección de colectivos vulnerables y la salvaguarda de la libertad de expresión. En este sentido, la doctrina española, si bien defiende la legitimidad de este precepto para evitar la impunidad de discursos que lesionen la dignidad de grupos vulnerables y otros colectivos especialmente expuestos a desinformación prejuiciosa, considera que debe ser interpretado restrictivamente (sobre los límites al derecho a la libertad de expresión, Lascuraín Sánchez, 2021; Terradillos Basoco, 2025). La jurisprudencia del Tribunal Europeo de Derechos Humanos (TEDH), en casos como *Vejdeland v. Sweden*[3] y *Garaudy v. France*[4], sostiene que el discurso de odio no goza de protección cuando, basado en afirmaciones falsas o manipuladas, lesiona la integridad de colectivos vulnerables, aun sin existir llamamientos explícitos a la violencia.

2.4. Discurso de odio: 510.2 CP

El discurso de odio se define por aquellas manifestaciones que buscan la humillación, deshumanización o estigmatización de colectivos vulnerables a través de estereotipos, el desprecio y la hostilidad. Este fenómeno se encuentra estrechamente vinculado a la desinformación prejuiciosa, fenómeno del que

---

2 STS 72/2018, 9 de febrero 2018 (TOL6.511.003).

3 Case of Vejdeland and others v. Sweden, 9th February 2012–Application no. 1813/07 (TOL9.064.736).

4 Décision sur la recevabilité de la requête no.65831/01 présentée par Roger Garaudy contre la France, 24 juin 2003 (TOL9.089.496).

se nutre, actuando como un catalizador que intensifica la animadversión social hacia grupos específicos. Su trascendencia jurídico-penal es más directa que la de la desinformación genérica, ya que el artículo 510.2 del Código Penal permite sancionarlo siempre que se demuestre que incita de manera efectiva a la discriminación o la hostilidad.

En los últimos años, los discursos de odio han ido adquiriendo cada vez una mayor presencia social, tratándose de declaraciones o manifestaciones que generan un clima hostil contra ciertos colectivos especialmente protegidos, sin que requiera necesariamente un llamamiento explícito a la violencia (TEDH, Vejdeland, Féret)[5], pero que, en ocasiones, pueden ocasionar, de forma indirecta, un atentado contra el necesario respeto a la dignidad de las personas. Es extenso el debate acerca de la adecuada intervención jurídica frente a la desinformación, ya que existe el riesgo de caer en una sobrerregulación que limite indebidamente la libertad de expresión. La doctrina recuerda, a este respecto, el principio de *ultima ratio* que debe inspirar al Derecho penal (Silva Sánchez, 2001; Alcácer Guirao, R., 2021; Berdugo, 2025), especialmente en ámbitos relacionados con la comunicación.

A este respecto se ha pronunciado también nuestro TC, que, en sentencias como la STC 235/2007[6] ha declarado que, si bien las ideas y opiniones contrarias al sentir mayoritario se encuentran amparadas constitucionalmente, los discursos de odio no pueden considerarse protegidos por la libertad de expresión.

---

5 Case of Vejdeland and others v. Sweden, 9th February 2012–Application no. 1813/07 (TOL9.064.736). Affaire Féret c. Belgique, 16 juillet 2009–Requête no.15615/07 (TOL9.072.546).

6 STC 235/2007, 7 de noviembre de 2007 (TOL1.179.105).

III. PERSPECTIVA CRIMINOLÓGICA Y VICTIMOLÓGICA

Tanto la criminología como la victimología pueden aportar información relevante para tener una visión más holística de la relación entre la desinformación y los delitos de odio.

3.1. Perspectiva criminológica

Por su parte, la criminología, desde sus distintas perspectivas, puede ofrecernos sólidas explicaciones de cómo la desinformación puede favorecer estas conductas odiosas o discriminatorias. En primer lugar, la teoría de la deshumanización desarrollada por Bandura (1999) incide en cómo las personas pueden hacer daño a otras sin sentir culpa, viéndolos como menos humanos y desconectándose moralmente de ellos al atribuirles rasgos negativos.

En segundo lugar, la teoría de la neutralización (Sykes y Matza, 1957) explica cómo, a través de distintas técnicas, los agresores justifican su conducta, ya sea apelando a grandes lealtades superiores; rechazando la autoridad o competencia de los denunciantes; negando la existencia de un daño real, como ocurre con la desinformación misógina que banaliza la violencia de género (Barjola, 2018); restando importancia al daño causado o incluso negando la condición de víctima. Esto último suele ocurrir cuando se identifica a los migrantes o personas sin hogar como delincuentes (Blanco Herrero, 2024), se acusa a las personas trans de adoctrinamiento o se relaciona a comunidades musulmanas con terrorismo. Esta teoría explicaría la posterior justificación del agresor de delitos cometidos contra estos colectivos minoritarios y vulnerables, a los que previamente se han presentado como amenazas, tal y como suele ocurrir cuando se presentan a migrantes o minorías religiosas.

En tercer lugar, la criminología cultural (desarrollada por Ferrell, Hayward y Young en 2008) destaca expresamente la construcción por los medios de narrativas de criminalidad, que generan estereotipos y definen a quién debe considerarse como peligroso. En relación con esta teoría, Cohen (1972) identificaba cómo la información distorsionada y exagerada a través de los medios no solo genera alarma social y una percepción desproporcionada de riesgo, sino que, además, identifica al grupo al que considera responsable de ese peligro, provocando reacciones sociales de hostilidad o miedo. Estos enfoques científicos permiten ver que los bulos no solo falsean la realidad, sino que reconfiguran la mentalidad y los sentimientos de la sociedad hacia ciertos grupos, funcionando como un detonante que allana el camino para agresiones basadas en prejuicios.

3.2. Perspectiva victimológica

En la actualidad, los estudios sobre víctimas afirman con rotundidad que la desinformación no es inofensiva, sino que puede provocar daños de formas muy variadas. Por un lado, Fattah (1991) y Walklate (2007) describen lo que se conoce como victimización secundaria, que se produce cuando la víctima es desacreditada o ridiculizada públicamente, fenómeno documentado en relación con la LGTBIfobia (Siverio Luis, 2024) y en estudios sobre violencia digital contra mujeres.

Por otro lado, la victimización terciaria, conceptualizada por Miers (1990), aparece cuando es la propia sociedad la que minimiza el daño sufrido por la persona, apelando a narrativas falsas que explican o justifican la agresión. La Directiva 2012/29/UE exige evitar estas formas de desprotección, especialmente en delitos motivados por discriminación. La desinformación genera una victimización estructural, agravando y reforzando estereotipos que perpetúan la exclusión social de colectivos vulnerables. Desde una perspectiva victimológica, se detecta, en definitiva, que la desinformación no solo provoca la comisión del delito, sino que agrava el daño, dificulta la denuncia y erosiona la credibilidad de la víctima.

IV. LA DESINFORMACIÓN PREJUICIOSA COMO INSTIGACIÓN AL ODIO

4.1. Consideración de las narrativas falsas como instigación al odio

Diversos estudios han demostrado que la desinformación puede funcionar como un mecanismo de preincitación, creando un clima emocional y cognitivo que facilita la aceptación de discursos de odio explícitos. Souto Galván (2024) analiza cómo los bulos racistas y xenófobos —por ejemplo, aquellos que atribuyen falsamente delitos o comportamientos antisociales a personas migrantes— actúan como catalizadores de hostilidad, predisponiendo a la población a aceptar narrativas discriminatorias más intensas. En el ámbito de la comunicación digital, Zamora Cánovas y Martínez María Dolores (2023), Dafonte Gómez & Míguez González (2023) y Castillo de Mesa *et al.*, (2021) muestran que la homofilia y la polarización afectiva en redes sociales intensifican la difusión de contenidos falsos durante crisis migratorias. Estos autores evidencian que los usuarios tienden a compartir información alineada con sus prejuicios, lo que refuerza burbujas ideológicas y facilita la circulación de narrativas hostiles hacia colectivos vulnerables (Zamora Cánovas & Martínez MaríaDolores, 2023).

La desinformación también opera como mecanismo de pánico moral, un concepto sociológico que describe la construcción de amenazas exageradas o inexistentes que justifican respuestas sociales o políticas desproporcionadas (Cohen, 1972). Puertas-Graell y Suau-Martínez (2025) destacan que las narrativas de desinformación suelen estructurarse en torno a amenazas identitarias, lo que facilita su instrumentalización para fines discriminatorios. En este sentido, la amplificación algorítmica —proceso mediante el cual los sistemas de recomendación priorizan contenidos polarizantes— aumenta su difusión y potencial incitador.

4.2. Ámbitos temáticos de la desinformación prejuiciosa en España

La desinformación prejuiciosa afecta a diversos colectivos vulnerables, atribuyéndoseles falsamente comportamientos peligrosos o irresponsables, lo que aumenta la hostilidad hacia ellos. Así ocurrió durante la pandemia de COVID-19, donde se vieron afectados grupos como migrantes, minorías religiosas, jóvenes o personas de mayor edad (Salaverría *et al.*, 2020).

En España, el ámbito más afectado es el relacionado con las migraciones, donde se fomenta el racismo y la xenofobia vinculándolas constantemente con la delincuencia, el abuso de recursos y la amenaza cultural (Souto Galván, 2024; Blanco Herrero *et al.*, 2024). En segundo lugar, es muy frecuente la difusión de noticias falsas relacionadas con la LGTBIfobia, centradas en alarmar sobre posible adoctrinamiento o peligrosidad (Siverio Luis, 2024; Observatorio Madrileño contra la LGTBIfobia). Resulta habitual, también, la desinformación islamófoba, con bulos sobre terrorismo o "sustitución demográfica", lo que afecta también a otras minorías religiosas como comunidades judías o evangélicas.

Otros estudios incluyen la desinformación con motivos políticos que genera polarización extrema (Jiménez García, 2025); prejuicios capacitistas contra personas con discapacidad (Barranco Avilés, 2012; Mercado García, 2019); misoginia y sexismo mediante narrativas falsas sobre violencia sexual (Barjola, 2018); y estigmatización de personas sin hogar, mayores (Onuma, 2025), activistas o personas con enfermedades como el VIH.

4.3. Conexión con figuras penales: provocación, apología e incitación

Desde la perspectiva jurídico-penal, la desinformación prejuiciosa puede constituir una forma de incitación indirecta, especialmente cuando presenta a un colectivo como peligroso o responsable de males sociales. Aunque no siempre se formula un llamamiento explícito a la violencia, la narrativa construida puede predisponer a los receptores a aceptar comportamientos discriminatorios. Asimismo, la difusión de contenidos falsos que ensalzan actos discriminatorios podría encajar en la figura de la apología. La jurisprudencia del TEDH ha reconocido que la difusión de afirmaciones falsas que justifican la violencia contra colectivos vulnerables puede quedar excluida de la protección de la libertad de expresión (Garaudy v. France, 2003)[7].

4.4. Deepfakes y manipulación audiovisual como formas de incitación

La irrupción de la inteligencia artificial generativa y los *deepfakes* introduce una dimensión inédita, permitiendo generar contenidos audiovisuales altamente verosímiles que atribuyen declaraciones a personas o colectivos. Rodríguez del Blanco (2025) advierte que los *deepfakes* pueden utilizarse para fabricar discursos de odio atribuidos falsamente a líderes o minorías, generando reacciones hostiles basadas en hechos inexistentes. Además de generar hostilidad, estas herramientas pueden desacreditar a la víctima o contaminar pruebas.

---

7 Décision sur la recevabilité de la requête no.65831/01 présentée par Roger Garaudy contre la France, 24 juin 2003 (TOL9.089.496).

La sofisticación de la IA hace que, en ocasiones, sea casi imposible distinguir técnicamente un vídeo real de uno manipulado sin herramientas de análisis forense muy avanzadas, lo que puede llevar a situaciones de impunidad o, por el contrario, a errores judiciales si se admite como prueba un contenido fabricado. En este sentido, la desinformación no solo plantea un problema probatorio, sino un desafío a la construcción misma de la verdad procesal.

V. RETOS DOGMÁTICOS Y PROCESALES

La desinformación no solo es una causa o instrumento del odio, sino que también actúa como un obstáculo para la eficacia del sistema de justicia penal, generando dificultades críticas para la persecución de estas conductas a través de la distorsión de los hechos, el deterioro de la credibilidad de víctimas y testigos, la contaminación de las pruebas o la generación de evidencias falsas.

5.1. La prueba de la motivación discriminatoria en entornos contaminados por desinformación

La motivación discriminatoria es un elemento esencial en los delitos de odio, pero su prueba se complica extraordinariamente en entornos contaminados por desinformación. Pérez Escoda y Boulos (2021) muestran que la polarización mediática genera marcos interpretativos que pueden influir incluso en la percepción judicial. La desinformación puede distorsionar los indicios que permiten acreditar la motivación de las siguientes formas:

1. Contenido del mensaje: Si circulan bulos previos que justifican la hostilidad hacia un grupo (por ejemplo, noticias falsas sobre ayudas sociales), el mensaje del agresor

puede interpretarse erróneamente como una "opinión política" o una crítica social legítima en lugar de una incitación al odio.

2. Contexto social: Si la desinformación ha generado un clima de hostilidad generalizada, la agresión puede percibirse social y judicialmente como un conflicto "normalizado" o una reacción espontánea, invisibilizando el sesgo discriminatorio subyacente.
3. Conducta previa del autor: La difusión sistemática de desinformación prejuiciosa en el perfil digital del autor puede ser un indicio claro de motivación discriminatoria, pero a menudo se desestima como mero consumo pasivo de contenidos en red.
4. Patrones discriminatorios: La desinformación puede ocultar patrones de hostilidad hacia un colectivo al presentar incidentes aislados como parte de una narrativa de autodefensa social frente a una supuesta amenaza.

La jurisprudencia del Tribunal Supremo (STS 72/2018; STS 677/2018)[8] exige valorar el contexto social para determinar la concurrencia de la incitación. No obstante, si ese contexto está profundamente contaminado por desinformación, la valoración judicial se vuelve mucho más compleja. Por ello, la desinformación actúa como un factor de opacidad, dificultando la identificación de la motivación real del autor y, por tanto, la aplicación efectiva del art. 510 CP.

---

8 STS 72/2018, 9 de febrero 2018 (TOL6.511.003). STS 677/2018, 20 de diciembre 2028 (TOL.7.658.849).

5.2. Verdad procesal y desinformación

La doctrina procesal ha subrayado que la construcción de la verdad judicial depende de la fiabilidad de las fuentes y de la coherencia narrativa del caso, y la desinformación afecta a ambos elementos de manera sistémica. Los sistemas judiciales son especialmente vulnerables al error cuando la información disponible en la esfera pública está contaminada, ya que los jueces y jurados no son ajenos al clima informativo.

La jurisprudencia española reconoce la necesidad de verificar con rigor la autenticidad de la prueba (STS 489/2020; STS 123/2021)[9]. Los *deepfakes* cuestionan la autenticidad de la prueba audiovisual tradicional, lo que obliga a los operadores jurídicos a reforzar la cadena de custodia y recurrir de forma obligatoria a peritajes técnicos especializados. En este sentido, la desinformación no solo plantea un problema de prueba, sino un desafío a la construcción misma de la verdad procesal y a la seguridad jurídica.

5.3. Distorsión de los hechos y banalización de la motivación discriminatoria

El art. 510 CP exige acreditar una motivación discriminatoria, la cual debe inferirse de indicios y del contexto. La desinformación puede reforzar la peligrosidad del discurso, deduciéndose la motivación discriminatoria cuando se han difundido en redes estereotipos y prejuicios. Una de las primeras dificultades es la distorsión de la base fáctica sobre la que debe trabajar el juez. En los delitos de odio, el contexto es fundamental para determinar la motivación discriminatoria del autor. Si el entorno digital está saturado de desinformación

---

[9] STS 489/2020, 1 de octubre de 2020 (TOL.8.111.935). STS 123/2021, 11 de febrero 2021 (TOL.8.431.518).

sobre un incidente, resulta extremadamente complejo separar lo que realmente ocurrió de la narrativa interesada construida a su alrededor.

5.4. Revictimización y desacreditación de testigos

La desinformación prejuiciosa se utiliza a menudo, también, como una estrategia de defensa o contraataque dirigida a desacreditar a la víctima. Mediante la difusión de datos falsos sobre la vida privada, antecedentes o conducta de la persona que ha sufrido el delito de odio, se busca presentarla ante la opinión pública como alguien que "merecía" el ataque o que ha provocado la situación. Se utiliza para generar dudas sobre la credibilidad de las víctimas y testigos, presentándolos como farsantes o radicales (Lamas, 2011) poco fiables o no aptos para valorar su experiencia (Barranco Avilés, 2012), o cuestionando la veracidad de las denuncias basándose en narrativas misóginas o prejuicios capacitistas.

Nuestros tribunales, siguiendo la Directiva 2012/29/UE, tienen la obligación de evitar esta revictimización secundaria. El Tribunal Constitucional ha reconocido que se debe dar una protección reforzada a colectivos vulnerables frente a esta desinformación hostil (STC 112/2016)[10], ya que el Estado tiene la obligación de proteger la dignidad de las víctimas para evitar que el proceso judicial se convierta en un nuevo escenario de humillación pública.

---

[10] STC 112/2016, 20 de junio de 2016 (TOL.5.860.450).

5.5. Problemas probatorios y autenticidad digital

Finalmente, la desinformación plantea desafíos técnicos y procesales insólitos. La manipulación especializada de audios, vídeos y perfiles falsos exige garantías específicas de integridad y cadena de custodia (Bachmaier Winter, 2024). La volatilidad de los contenidos digitales, la facilidad para alterar metadatos y la utilización de redes de *bots* para difundir bulos dificultan enormemente la identificación de los autores originales. Los *deepfakes* representan el mayor desafío probatorio actual, ya que permiten generar declaraciones inexistentes con un realismo extremo que pueden constituir delitos contra la integridad moral o incluso de obstrucción a la justicia.

VI. MARCO EUROPEO: NORMATIVA Y DOCTRINA RELEVANTE

La Unión Europea ha desarrollado un marco regulatorio robusto para combatir la desinformación y el discurso de odio, con implicaciones directas para los Estados miembros y la interpretación de sus tipos penales. Este marco no solo busca proteger la veracidad de la información, sino salvaguardar los valores democráticos y la dignidad de los colectivos vulnerables frente a ataques sistemáticos en el entorno digital.

El Reglamento (UE) 2022/2065 del Parlamento Europeo y del Consejo, de 19 de octubre de 2022, relativo a un mercado único de servicios digitales, establece obligaciones específicas para las plataformas digitales, especialmente las consideradas "plataformas en línea de muy gran tamaño" (VLOPs) y "motores de búsqueda en línea de muy gran tamaño" (VLOSEs). Entre sus disposiciones más relevantes con impacto en la problemática de la desinformación y el odio destacan:

- La obligación de analizar y evaluar riesgos sistémicos (arts. 34 y 35): Las plataformas deben identificar y analizar los riesgos que sus servicios plantean para los derechos fundamentales, incluyendo la propagación de contenidos ilícitos (discurso de odio) y los efectos negativos reales o previsibles sobre el discurso público y los procesos electorales (desinformación).

- Mecanismos de trazabilidad y transparencia algorítmica (arts. 27 y 37): La DSA exige que los sistemas de recomendación sean transparentes, permitiendo comprender por qué se muestra cierto contenido a un usuario. Esto es vital para combatir la amplificación de "burbujas de odio" creadas por algoritmos que priorizan el *engagement* emocional basado en la indignación o el prejuicio.
- Cooperación con autoridades y retirada de contenidos (arts. 9 y 16): Se establecen procedimientos claros de "notificación y acción" para que las autoridades nacionales puedan ordenar la retirada de contenidos ilícitos de forma expedita.
- Etiquetado de IA (art. 52.3): Existe una obligación creciente de identificar y etiquetar de manera clara los contenidos generados o manipulados mediante inteligencia artificial (como los *deepfakes*) cuando estos puedan inducir a error al público sobre hechos de relevancia social.

Aunque la DSA tiene una naturaleza principalmente administrativa y de regulación de mercado, influye decisivamente en la interpretación penal al establecer estándares de diligencia debida, pudiendo su incumplimiento ser un indicio de la responsabilidad de los intermediarios en la propagación de campañas de odio basadas en falsedades.

En este sentido, se ha establecido, también, un Código de Buenas Prácticas contra la Desinformación (2022), instrumento voluntario, suscrito por las principales plataformas tecnológicas y actores del ecosistema publicitario, que reconoce explícitamente que la desinformación puede ser un catalizador que alimenta el discurso de odio y la discriminación. Los firmantes se comprometen a reforzar el etiquetado de contenidos que han sido verificados como falsos o manipulados por organizaciones independientes de *fact-checking*, reducir la monetización de la desinformación y garantizar medidas específicas para proteger a colectivos vulnerables que son blanco frecuente de campañas coordinadas de desinformación prejuiciosa.

Por su parte, el Comité de Ministros del Consejo de Europa ha adoptado una recomendación específica sobre la lucha contra el discurso de odio (Recomendación CM/Rec (2022)16) que insta a los Estados miembros a desarrollar marcos normativos integrales. En ella se subraya que la incitación basada en afirmaciones manifiestamente falsas debe ser objeto de especial atención, promoviendo no solo la respuesta penal como *ultima ratio*, sino también la alfabetización mediática y la resiliencia social. El Consejo enfatiza la necesidad de un enfoque interseccional, reconociendo que los ataques basados en desinformación suelen golpear de forma múltiple (por ejemplo, por razón de género y religión simultáneamente).

También la jurisprudencia del TEDH, piedra angular para entender los límites legítimos de la libertad de expresión (art. 10 CEDH) en relación con la desinformación hostil, ha establecido criterios fundamentales que deben guiar la interpretación de tipos como el art. 510 CP:

En el asunto Garaudy v. France (2003)[11], el Tribunal afirmó que la negación de hechos históricos probados (como el Holocausto) —una forma extrema de desinformación— constituye un abuso de derecho según el art. 17 CEDH. Tales expresiones

[11] Décision sur la recevabilité de la requête no.65831/01 présentée par Roger Garaudy contre la France, 24 juin 2003 (TOL9.089.496).

no gozan de protección porque su objetivo no es contribuir al debate público, sino destruir los derechos y libertades de los demás.

En la resolución Féret v. Belgium (2009)[12], El TEDH validó la condena de un político por difundir propaganda que presentaba a los inmigrantes como una amenaza para la seguridad y la economía basándose en datos manipulados. El Tribunal recordó que los discursos que fomentan la exclusión y el desprecio hacia las minorías no están protegidos por la libertad de expresión, especialmente cuando se realizan de forma reiterada y en contextos de polarización social.

Por su parte, en el caso Vejdeland v. Sweden (2012)[13], sostuvo que la difusión de folletos con afirmaciones despectivas y falsas sobre el colectivo LGTBI constituye discurso de odio. El Tribunal subrayó que no es necesario un llamamiento explícito a la violencia para que una expresión sea sancionable; basta con que el mensaje sea gravemente insultante y se base en prejuicios que lesionen la dignidad de un colectivo vulnerable.

Por último, en Perinçek v. Switzerland (2015)[14] matizó que la mera falsedad de una afirmación no es suficiente para imponer una sanción penal en una sociedad democrática. Sin embargo, la sanción es legítima cuando esa falsedad se utiliza de forma deliberada para incitar a la hostilidad o cuando existe un riesgo real de desórdenes públicos o violencia contra un grupo específico.

---

12 Affaire Féret contre Belgique, 16 juillet 2009–Requête nº 15615/07 (TOL.072.546).

13 Case of Vejdeland and others v. Sweden, 9th February 2012–Application no. 1813/07 (TOL9.064.736).

14 Affaire Perinçek contre Suisse, 17 décembre 2013–Requête no.27510/08 (TOL9.059.205).

VII. PROPUESTAS DE REFORMA LEGISLATIVA Y JURISPRUDENCIAL

A partir del análisis comparado y de la realidad criminológica expuesta, resulta evidente que el marco legal debe evolucionar para no quedar obsoleto frente a la sofisticación tecnológica de la desinformación.

Para ello, podría proponerse, en primer lugar, una mayor clarificación legislativa del papel de la desinformación en los delitos de odio. El artículo 510 CP podría incorporar una referencia explícita a la incitación basada en afirmaciones manifiestamente falsas. Siguiendo el modelo propuesto por el Consejo de Europa y la jurisprudencia del TEDH en sentencias como *Vejdeland, Féret* no se trata de castigar la mentira *per se*, sino de reconocer que cuando la falsedad es el vehículo deliberado para generar hostilidad hacia un colectivo vulnerable, la gravedad del injusto aumenta y la necesidad de protección es mayor.

En segundo lugar, podría plantearse la tipificación autónoma de la manipulación audiovisual maliciosa, creando un tipo penal específico o agravado para los *deepfakes* utilizados con fines de incitación o discriminación o de manipulación de pruebas judiciales. Esta "usurpación de la realidad" tiene una capacidad de daño muy superior al texto escrito, al impactar directamente en la percepción sensorial del espectador, lo que justifica una respuesta penal diferenciada.

En tercer lugar, puede ser necesaria una actualización de la LECrim, que refuerce la prueba digital en aspectos como la cadena de custodia digital para contenidos virales y volátiles, los requisitos mínimos de peritaje técnico para validar la autenticidad de pruebas audiovisuales sospechosas de manipulación por IA y unos estándares de verificación algorítmica que permitan rastrear el origen de campañas de desinformación coordinadas.

A mayor abundamiento, podría plantearse la responsabilidad penal de las plataformas en los casos de desinformación incitadora, ya que, si bien la DSA establece obligaciones administrativas, el debate doctrinal debe avanzar hacia la responsabilidad penal por omisión de las plataformas en casos de desinformación que constituya incitación grave, especialmente cuando, tras ser notificadas de la ilicitud y peligrosidad del contenido, mantengan algoritmos de amplificación que maximicen su difusión.

Por último, la jurisprudencia debe integrar de manera más explícita la diversidad de colectivos afectados, teniendo en cuenta que la motivación discriminatoria puede ser múltiple y los discursos de odio pueden dirigirse simultáneamente a varios ejes de identidad (por ejemplo, mujer, migrante y musulmana). La desinformación opera de manera diferenciada según el colectivo, y el juez debe estar capacitado para identificar estas capas de hostilidad. Para ello, debe aplicar un enfoque contextual, entendiendo que la motivación discriminatoria no siempre es explícita y que a menudo reside en el consumo y difusión previa de desinformación prejuiciosa por parte del autor (STS 72/2018[15]) y evitando la revictimización secundaria al proteger la credibilidad de la víctima frente a campañas de desacreditación digital (Directiva 2012/29/UE).

VIII. CONCLUSIONES

El análisis desarrollado permite afirmar que la desinformación digital constituye hoy un elemento estructural en la configuración de los discursos y delitos de odio, y no un fenómeno accesorio o meramente comunicativo. Su capacidad para distorsionar percepciones, reforzar prejuicios y erosionar la con-

---

15 STS 72/2018, 9 de febrero de 2018 (TOL6.511.003).

fianza en la información verificada la convierte en un factor criminógeno de primer orden, con efectos directos tanto en la génesis de la hostilidad como en la respuesta institucional frente a ella. La desinformación prejuiciosa, en particular, opera como un mecanismo de preincitación que facilita la aceptación social de narrativas discriminatorias y condiciona la interpretación jurídica de los hechos.

Desde la perspectiva dogmática, el marco penal vigente ofrece herramientas relevantes —especialmente a través del art. 510 CP—, pero se enfrenta a límites evidentes cuando la hostilidad se articula mediante falsedades, manipulaciones o contenidos audiovisuales generados por inteligencia artificial. La creciente difuminación entre desinformación, discurso de odio e incitación exige una interpretación más contextualizada del tipo penal, capaz de integrar la influencia de los algoritmos, la viralidad y la construcción digital del clima social. La irrupción de los *deepfakes* y otras formas avanzadas de manipulación audiovisual introduce, además, desafíos inéditos para la autenticidad probatoria y la determinación de la motivación discriminatoria.

La perspectiva criminológica permite comprender que la desinformación no solo altera la percepción pública, sino que reconfigura las dinámicas de deshumanización, neutralización y pánico moral que preceden a las agresiones motivadas por prejuicios. La victimología, por su parte, evidencia que la desinformación agrava el daño sufrido por las víctimas, intensifica la revictimización y debilita su credibilidad en el proceso penal, generando una forma de victimización estructural que afecta especialmente a colectivos vulnerables.

En el plano procesal, la desinformación compromete la construcción de la verdad judicial al contaminar el contexto social, dificultar la valoración de indicios y poner en cuestión la autenticidad de la prueba digital. La necesidad de reforzar la cadena de custodia, los peritajes técnicos y los estándares de verificación se vuelve ineludible ante un ecosistema informativo donde la manipulación audiovisual puede pasar inadvertida incluso para operadores jurídicos experimentados.

Este estudio muestra que la respuesta frente a la desinformación y su conexión con los delitos de odio no puede limitarse al ámbito penal. Se requiere un enfoque integral que combine reformas legislativas, criterios jurisprudenciales sensibles al contexto digital, fortalecimiento de la prueba tecnológica, formación especializada y políticas públicas orientadas a la alfabetización mediática y la resiliencia social. Solo mediante una aproximación multidisciplinar será posible garantizar una protección efectiva de los colectivos vulnerables y preservar la función democrática del espacio público en un entorno informativo profundamente transformado.

IX.BIBLIOGRAFÍA

Alcácer Guirao, R. (2021). Discurso de odio, derecho penal y libertad de expresión. *OTROSÍ: Revista del Colegio de Abogados de Madrid,* (10): 22–25.

Alcácer Guirao, R. (2023). Delitos de odio y discurso del odio: Clarificaciones conceptuales. En S. Martín Guardado & Á. Figueruelo Burrieza (Coords.), *Desinformación, odio y polarización (I).* Comunicación Social Ediciones y Publicaciones.

Bachmaier Winter, L. (Coord.). (2024). *Prueba penal y derecho de defensa en la era digital: Nuevos paradigmas y nuevos retos.* Aranzadi. ISBN 978-84-10308-85-5.

Barjola Ramos, N. (2018). *Microfísica sexista del poder: El caso Alcàsser y la construcción del terror sexual* (Pról. de S. Federici). Virus. ISBN 9788492559831.

Bandura, A. (1999). *Moral disengagement in the perpetration of inhumanities.* Personality and Social Psychology Review, 3(3): 193–209.

Barranco Avilés, M. C., Cuenca Gómez, P., & Ramiro Avilés, M. Á. (2012). Capacidad jurídica y discapacidad: el artículo 12 de la Convención de Derechos de las Personas con Discapacidad. *Anuario de la Facultad de Derecho,* (5): 53–80.

Berdugo Gómez de la Torre, I. (2025). La libertad de expresión: Algunas reflexiones desde el Derecho penal. *Revista Penal.*

Blanco Herrero, D., Arcila Calderón, C. y Tovar Torrealba, M. (2024). Pandemia, politización y odio: características de la desinformación en España. *Estudios sobre el Mensaje Periodístico, 30*(3): 503-515. https://dx.doi.org/10.5209/emp.96593

Blanco, S., Martín-Martín, F. M. & Sedano, J. (2023). La visibilidad mediática de la desinformación en los programas informativos: el caso de La 1 de RTVE. *Estudios sobre el Mensaje Periodístico* 29 (4): 893-904. https://dx.doi.org/10.5209/esmp.88595

Blanco Alfonso, I., Solano Altaba, M. y Rodríguez Luque, C. (2024). Actitudes, sesgos cognitivos y sentimientos ante la desinformación a través de redes sociales. *Estudios sobre el Mensaje Periodístic, 30*(3): 467-475. https://dx.doi.org/10.5209/emp.96800

Casino, G. (2020). *Comunicación en tiempos de pandemia: información, desinformación y lecciones provisionales de la crisis del coronavirus.* Gac Sanit. 2022;36(S1): S97–S104.

Castillo de Mesa, J., Méndez Domínguez, P., Carbonero Muñoz, D., & Gómez Jacinto, L. (2021). *Homofilia, polarización afectiva y desinformación en Twitter: Caso de estudio sobre la crisis migratoria #Openarms.* REDES: Revista Hispana para el Análisis de Redes Sociales, 32(2): 153–172. https://doi.org/10.5565/rev/redes.913

Cea Esteruelas, N., Fernández Torres, M. J., & Teruel Rodríguez, L. (2023). *Tratamiento del fenómeno de la desinformación en la prensa española. Un análisis de su evolución.* Estudios sobre el Mensaje Periodístico. http://dx.doi.org/10.5209/esmp.88087

Cohen, S. (1972). *Folk devils and moral panics: The creation of the Mods and Rockers.* MacGibbon and Kee.

Colom Piella, G. (2019). *Anatomía de la desinformación rusa.* Historia y Comunicación Social, 24(2). https://doi.org/10.5209/hics.63373

Dafonte Gómez, A., & Míguez González, M. I. (Coords.). (2023). El fenómeno de la desinformación: reflexiones, casos y propuestas. Dykinson.

Del Hoyo-Hurtado, M., García-Galera, M. C., & Blanco-Alfonso, I. (2020). *Desinformación y erosión de la credibilidad periodística en el contexto de las noticias falsas.* Estudios sobre el Mensaje Periodístico. http://dx.doi.org/10.5209/esmp.70238

Fattah, E. A. (1991). *Understanding Criminal Victimization: An Introduction to Theoretical Victimology.* Prentice Hall.

Fenoll, V., Gamir-Ríos, J., & Alonso-del-Barrio, E. (2024). *Política, ideología, populismo y desinformación.* Verificación de la comunicación política de los partidos españoles. Estudios sobre el Mensaje Periodístico. http://dx.doi.org/10.5209/esmp.96629

Fernández-Muñoz, C., Rubio-Moraga, Á. L., & Álvarez-Rivas, D. (2024). *La Generación Z frente a la desinformación*: percepciones y prácticas en la era digital. Estudios sobre el Mensaje Periodístico. http://dx.doi.org/10.5209/esmp.96511

Ferrell, J., Hayward, K., & Young, J. (2008). *Cultural criminology: An invitation.* SAGE.

Garaudy v. France, Tribunal Europeo de Derechos Humanos (2003).

Guallar, J., Codina, L., Freixa, P., & Pérez-Montoro, M. (2020). *Desinformación, bulos, curación y verificación: Revisión de estudios en Iberoamérica 2017-2020.* Telos: Revista de Estudios Interdisciplinarios en Ciencias Sociales, 22(3): 595–613. https://doi.org/10.36390/telos223.09

Handyside v. United Kingdom, Tribunal Europeo de Derechos Humanos (1976).

Jiménez García, F. (2025). *Libertad de expresión, discursos de odio y las TIC: El problema de los tres cuerpos. Soluciones desde el Derecho internacional y europeo en la era de la desinformación.* AFDUAM, 29: 163–203.

Lamas, M. (2011). *Dolor y política.* Taurus.

Lascuraín Sánchez (2021). Cinco tesis sobre los límites de la libertad de expresión. En J. J. Queralt Jiménez & S. Cardenal Montraveta (Coords.), *Derecho penal y libertad de expresión:* 15–28. Thomson Reuters Aranzadi.

Mercado García (2019). Trabajo social, estigma y discapacidad. En E. J. Gómez Ciriano (Coord.), *Imagen, estigma y derechos humanos: Claves para abordar la vulnerabilidad y la exclusión desde el trabajo social y la comunicación:* 229–259. Universidad de Castilla-La Mancha.

Miers, D. (1990). *Positivist Victimology: A Critique.* In M. Tonry & N. Morris (Eds.), *Crime and Justice: A Review of Research* (Vol. 14: 3–62). University of Chicago Press.

Observatorio Madrileño contra la LGTBIfobia. (2016–2024). *Informes anuales.*

Peña-Fernández, S., Peña-Alonso, U., & Eizmendi-Iraola, M. (2023). *El discurso de los periodistas sobre el impacto de la inteligencia artificial generativa en la desinformación.* Estudios sobre el Mensaje Periodístico. http://dx.doi.org/10.5209/esmp.88673

Perinçek v. Switzerland, Tribunal Europeo de Derechos Humanos (2015).

Pérez-Escoda, A., & Boulos, S. (2025). *Polarización, desconfianza y desinformación en la cobertura mediática*: percepciones de la opinión pública en España. Estudios sobre el Mensaje Periodístico. http://dx.doi.org/10.5209/esmp.100635

Onuma, T. T. (2025). Edad, discriminación y desinformación: los riesgos democráticos del edadismo político y digital. El caso del 8 de enero de 2023 en Brasil. *Cuadernos de Gobierno y Administración Pública*, 12(2).

Puertas-Graell, D., & Suau-Martínez, J. (2025). *Narrativas de desinformación: impacto, exposición y componente ideológico.* Estudios sobre el Mensaje Periodístico. http://dx.doi.org/10.5209/esmp.100562.

Reglamento (UE) 2022/2065 del Parlamento Europeo y del Consejo, de 19 de octubre de 2022, relativo a un mercado único de servicios digitales y por el que se modifica la

Directiva 2000/31/CE (Ley de Servicios Digitales).

Rodríguez del Blanco, A. (2025). Nuevos desafíos para la prueba: *deepfakes* y proceso penal. En J. Picó i Junoy & C. de Miranda Vázquez (Coords.), *Nuevos retos del derecho probatorio:* 163–176. Aranzadi. ISBN 9791387828646.

Rodríguez-Fernández, L. (2019). *Desinformación: retos profesionales para el sector de la comunicación. El profesional de la información, 28*(3), e280306. https://doi.org/10.3145/epi.2019.may.06

Rodríguez-Fernández, L., & Establés, M. J. (2023). *Impacto de la desinformación en las relaciones públicas*: aproximación a la percepción de los profesionales. Estudios sobre el Mensaje Periodístico. http://dx.doi.org/10.5209/esmp.88661

Rodríguez-Pérez, C. (2022). *Desinformación online y fact-checking en entornos de polarización social*: el periodismo de verificación de Colombiacheck, La Silla Vacía y AFP durante la huelga nacional del 21N en Colombia. Estudios sobre el Mensaje Periodístico. http://dx.doi.org/10.5209/esmp.68433

Rodríguez-Pérez, C., Ortiz Calderón, L. S., & Esquivel Coronado, J. P. (2020). *Desinformación en contextos de polarización social: el paro nacional en Colombia del 21N.* Ánfora, 19(38), artículo 7. https://doi.org/10.22395/angr.v19n38a7

Rodríguez-Pérez, C., & Canel, M. J. (2022). *La resiliencia a la desinformación como recurso intangible* asociado a los países. Estudios sobre el Mensaje Periodístico. http://dx.doi.org/10.5209/esmp.82723.

Salaverría, R., Buslón, N., López-Pan, F., León, B., López-Goñi, I., & Erviti, M.-C. (2020). Desinformación en tiempos de pandemia: tipología de los bulos sobre la COVID-19. *El profesional de la información, 29*(3), e290315. https://doi.org/10.3145/epi.2020.may.15

Saperas Lapiedra, E. (2022). ¿Quién establece la agenda en la era de internet?: El actual debate sobre la vigencia de la teoría de la "agendasetting" en el actual contexto de los medios digitales, las redes sociales y los motores de búsqueda. En E. F. Rodríguez & A. Barranquero (Coords.), *De lo viejo a lo nuevo: Teorías, métodos e instituciones de la investigación en comunicación.* Comunicación Social Ediciones y Publicaciones. setting" en el actual contexto de los medios digitales, las redes sociales y los motores de búsqueda. En E. F. Rodríguez & A. Barranquero (Coords.),

Siverio Luis, S. (2024). El tratamiento de las personas LGTBI en los medios: desafíos jurídicos para abordar su vulnerabilidad ante la discriminación mediática y la desinformación social. En H. Aznar Gómez & R. F. Rodríguez Borges (Coords.), *Vulnerabilidad y comunicación social: fragilidad humana en la esfera pública:* 337–350. Tecnos.

Silva Sánchez, J.M. (2001). *La expansión del Derecho penal: aspectos de la política criminal en las sociedades postindustriales.* Civitas.

Souto Galván, B. (2024). *El impacto de la desinformación en la propagación del discurso de odio racista y xenófobo.* Revista de Derecho Político, 121: 111–142. https://doi.org/10.5944/rdp.121.2024.43064

Sykes, G. M., & Matza, D. (1957). Techniques of neutralization: A theory of delinquency. *American Sociological Review,* 22(6): 664–670.

Tamarit Sumalla, J. M. (2018). Los delitos de odio en las redes sociales. *IDP: Revista de Internet, Derecho y Política,* (27): 17–29.

Terradillos Basoco, J. M. (2025). Populismo punitivo en los medios: las sinergias *mediafare–lawfare.* En A. Llabrés Fuster, A. Gili Pascual, C. Tomás-Valiente Lanuza, E. Ramón Ribas, L. Martínez Garay, J. Guardiola García, C. Viana Ballester y J. Correcher Mira (Coords.), *Estudios penales en homenaje al Profesor Juan Carlos Carbonell Mateu* (pp. 1353–1366). Tirant lo Blanch.

Unión Europea. (2012). *Directiva 2012/29/UE del Parlamento Europeo y del Consejo, de 25 de octubre de 2012, por la que se establecen normas mínimas sobre los derechos, el apoyo y la protección de las víctimas de delitos.* Diario Oficial de la Unión Europea, L 315: 57–73.

Vejdeland v. Sweden, Tribunal Europeo de Derechos Humanos (2012).

https://hudoc.echr.coe.int/fre#{%22itemid%22:[%22001-109046%22]}

Walklate, S. (2011). *Handbook of Victims and Victimology*. Routledge.

Zamora Cánovas, J. J., & Martínez MaríaDolores, S. M. (2023). Fake News y polarización en las redes sociales. En A. Dafonte Gómez & M. I. Míguez González (Coords.), *El fenómeno de la desinformación: reflexiones, casos y propuestas*.

Capítulo 6.

Propaganda de guerra rusa en el conflicto de Ucrania (2022-2026): la Inteligencia Artificial en las campañas de desinformación y en el campo de batalla

PABLO REY-GARCÍA
Profesor de Relaciones Internacionales y Política Internacional
Universidad Pontificia de Salamanca

PEDRO RIVAS NIETO
Vicedecano de la Facultad de Ciencias Jurídicas y Políticas
Universidad Loyola Andalucía

Las guerras siempre empiezan mucho antes de que se oiga el primer disparo, comienzan con un cambio del vocabulario en los medios.

—Ryszard Kapuściński, (2002).

I. INTRODUCCIÓN

En cualquier guerra, ya sea en la de Ucrania comenzada en febrero de 2022 -que ocupa a este trabajo- o en las Guerras Médicas, la de los Cien Años o las que pusieron fin a Yugoslavia a finales del siglo pasado, hay propaganda. Y en ella siempre hay dos componentes fundamentales, a saber:

la información y la persuasión (Jowett, 2018). El primero acaso sea imparcial, pero el segundo exige cambios en las percepciones del público y suele derivar en un cambio de comportamiento. En otras palabras, genera influencia.

La propaganda es una forma degradada de información (Morán, 2009: 258), puesto que distorsiona la realidad para manipular las percepciones y cambiar la acción de las gentes. Se hace de manera capciosa, engañando y seduciendo, utilizando técnicas básicas como la simplificación, la desfiguración, la orquestación o el contagio. La propaganda de guerra es, en realidad, un método para allanar el camino de las armas, hasta el punto de que la historia de los conflictos armados del siglo XX es la historia de la propaganda (Pizarroso, 2004:18; Geissler, 2023:16). Eso no ha cambiado en el siglo XXI con la tipificación de nuevas modalidades bélicas, ya sean híbridas, de cuarta generación, asimétricas, sin restricciones, compuestas o cualesquiera otras tipologías más o menos definidas (Uyabán y Quintero, 2012). El mismo Von Clausewitz asumía el engaño como parte del arsenal.

En la de Ucrania, que lleva casi cuatro años activa en el momento en que se escriben estas líneas, y en la que se aplican al mismo tiempo tanto procedimientos de la guerra de Segunda Generación como elementos de la Doctrina Gerasimov rusa (Rey, Rivas, Delage, 2024), la propaganda se ejerce de forma clara y eficaz, con métodos convencionales y con otros que provienen de la Inteligencia Artificial (IA a partir de ahora) para lograr sus objetivos. En este caso, no es solo quebrar el esfuerzo de guerra ucraniano para conquistar el territorio, sino dañar la democracia como concepto, a los regímenes demoliberales (especialmente a los que forman parte de la UE y que a ella misma le dan forma) y al sistema y el espíritu de los derechos humanos recogidos en nuestros ordenamientos. No en vano desde antiguo se ha reconocido la importancia de la propaganda para romper la resistencia enemiga sin llegar a la lucha (Mandić, 2023: 99), y en tiempos modernos se ha expresado como la conquista de los corazones y las mentes (Miller, 2012), frase que se ha usado tanto en boca del mariscal Lyautei en Indochina como por parte del presidente Lyndon Johnson en el mismo territorio, ya con el nombre de Vietnam, setenta años después (Johnson, 1965).

Lo que sí resulta novedoso es que un elemento inmaterial e ignoto, la IA, aumenta el riesgo. Quizá por eso Henry Kissinger escribió en 2023, referido a ese asunto y a cómo evitar la Tercera Guerra Mundial, que habitamos una situación similar a la previa a la Gran Guerra. Ninguna de las partes tiene mucho margen de concesión y cualquier alteración del equilibrio puede tener consecuencias terribles. Si los Estados Unidos y China no aprenden a convivir, antes de diez años habrá un enfrentamiento entre potencias dado que ambas creen que la otra representa un grave peligro estratégico (Kissinger, 2023). Es decir, la desconfianza entre ambas superpotencias intensifica la carrera armamentística digital y dificulta el entendimiento entre las partes para reducir los peligros derivados de este comportamiento.

En este capítulo se tocarán todos estos temas de la siguiente manera: en primer lugar, esta introducción. En segundo lugar, un breve recorrido por la propaganda de guerra. En tercer lugar, se revisarán los principios generales de la propaganda eficaz según los consejos y experiencias de Goebbels. En cuarto, los procedimientos rusos en la propaganda llevada a cabo en la guerra de Ucrania junto con el argumentario general empleado. En quinto lugar, el uso de la IA en la desinformación y en las operaciones militares rusas -híbridas o convencionales-. Y en sexto y último, a modo de corolario, la amenaza que para las democracias y los derechos humanos está causando esta forma de emplear la IA y, especialmente, la ley del más fuerte.

II. LA PROPAGANDA DE GUERRA

2.1. Precedentes remotos

La propaganda es imprescindible en la construcción de las naciones (McGowan, 2018), especialmente en el momento de su génesis y cuando el proyecto político se debe completar: se mitifica la guerra y a sus héroes (Correia, 2013:12), se recuerda a los caídos, a los soldados desconocidos (Walker, 2012) y los éxitos militares (Mosse, 1990). Del mismo modo, acciones como la consagración de ciertos lugares a un culto profano –lo que Sala-Rose denomina "templos seculares" (2003: 278)-, el culto de la memoria o la planificación arquitectónica, urbanística y memorialística se han subordinado a las directrices de la propaganda (Rey y Rivas, 2023; Rey, Rivas y McGowan, 2020). Los monumentos, memoriales, lápidas, estatuaria y cualesquiera otros elementos que juegan con las dimensiones y el impacto para causar efectos sensoriales, y modelan la percepción del ciudadano (Plaza, 2016: 368), no son inocentes ejercicios artísticos. El contenido, la significación o intitulación de estos mismos elementos es planificada, como parte de este ejercicio propagandístico. Esto ha ocurrido en muchos y diferentes momentos de la historia, pero se ha dado con una significativa mayor frecuencia en el caso de sistemas autoritarios y totalitarios.

La propaganda hunde sus raíces en la misma articulación política de los Estados, aunque hay dos civilizaciones antiguas que destacan por sus esfuerzos propagandísticos, y que tuvieron un inmenso éxito en este sentido: la china y la romana. La unificación de China por Shi Huangdi en el 210 a. C. se hizo por la fuerza de las armas y, para comunicar su permanencia e invocar la continuidad, fabricó una serie de estelas –que se conservan en el Monte Yi– que informaban de los beneficios del nuevo Estado, la magnificencia del Emperador y lamentaban las guerras pasadas, necesarias para llegar a la paz y prosperidad (Dan Qing, 2018). Cabe destacar que la fuente única, así como el dominio militar, impedían verificar la veracidad de estas afirmaciones, pues que el Emperador fuera hijo de los dioses, y que la vida era mucho mejor, era incuestionable.

El nacimiento de la Roma imperial, de la mano de Julio César, tuvo mucho que ver con la distribución de *La Guerra de las Galias*, una narración apologética de sus propios triunfos, que construía una imagen de líder preclaro, justo y bondadoso, a la vez que lo confirmaba como buen estratega y diplomático. De nada habría servido la imagen si no hubiera ostentado el mando de las legiones, ni dispuesto del suficiente poder. Pero la propaganda ayudó a asentar estos otros recursos. Roma, además, es uno de los más claros ejemplos de propaganda urbanística, arquitectónica y memorial: columnas, arcos de triunfo, coliseos y edificios especiales fueron la culminación de una trayectoria que se había observado en otros imperios y organizaciones estatales de la Antigüedad, en Babilonia o Persia, en Egipto o Grecia. El dominio del imperio romano fue de la mano de un enorme esfuerzo propagandístico.

2.2. La guerra moderna

Hay un hito en la combinación moderna entre propaganda, guerra y construcción nacional con la guerra hispano-estadounidense de 1898 (Morán, 2009). William Randolph Hearst, por interés mercantil, inventó noticias y exclusivas que le llevaron a la popularidad, a ser dueño de 28 periódicos y congresista. En la Nueva York del momento coexistían el *New York Times* y el *Sun*, serios y moderados; el *New York Journal* y el *New York World*, populistas, sensacionalistas y, en suma, propagandísticos. Si el papel de la prensa amarilla, al azuzar la guerra, fue decisivo en la decisión del gobierno estadounidense, es discutible; pero no lo es su influencia y su capacidad polémica, que ayudaron al desarrollo de los acontecimientos.

Los regímenes totalitarios asentaron la propaganda para perpetuarse en el poder. En el siglo XX, la Alemania nazi y la URSS generaron un sistema propagandístico que sólo hoy, con el auge de internet y las redes sociales, y la IA -en cuyos inicios estamos y poca seguridad y claridad hay con respecto a ella- se ha igualado. En primer lugar, se establecieron canales de comunicación accesibles para que la voz del poder llegara a todos los rincones. Aparatos de radio económicos (el *Volksempfänger,* de alcance local y que llegó a vender un millón de unidades; la *Utility Radio,* su equivalente británica), cabeceras de prensa del partido o de las milicias (el *Völkischer Beobacher, Der Sturm, Der Angriff; Pravda, Komsomolskaya Pravda, Trud, Argumenty y Fakty),* y cartelería mural, que se complementaron con otros canales más elaborados, como el cine, la música, las artes escénicas, que sumadas al adoctrinamiento escolar y la sindicación obligada, permitieron una sensación de total control ideológico. Todas estas acciones se unificaban mediante directrices emitidas por órganos estatales (el *Upravleniye Agitatsiyi y Propagandy/ Agitprop* y el *Reichsministerium für Volksaufklärung und Propaganda,* respectivamente).

Desde este momento hasta la actualidad el papel de los medios de comunicación, desde los más grandes conglomerados informativos hasta el más sencillo tuitero, no ha dejado de crecer. En 1964, año de la publicación del ya canónico *La opinión pública,* Walter Lippman (2003) consideraba que la influencia de los medios en los ciudadanos era la mayor de la historia, en un *ecosistema informativo.* Desde entonces, internet no ha hecho más que multiplicar los altavoces. Y, tal como recuerda Pizarroso (2004), la propaganda es un arma más en la guerra: por eso mismo, es lícito combatirla.

El 27 de febrero de 2022, tres días después de que se produjera la invasión rusa de Ucrania, la UE prohibió las emisiones de RT y Sputnik en suelo de la Unión Europea (Sánchez Alonso, 2022: 257). Desde la presidencia de la UE y desde su alto representante se explicó esta acción: "No se toman medidas contra medios de comunicación, sino contra canales de propaganda" (RTVE, 2022). Si eso es tal, cabe estudiar sus principios básicos.

III. PRINCIPIOS GENERALES DE LA PROPAGANDA EFICAZ (SEGÚN GOEBBELS)

Se considera a Goebbels el creador de la propaganda contemporánea y su actuación antes de la Segunda Guerra Mundial, y durante ella, engloba los principios de la propaganda efectiva. Doob teorizó los principios de la propaganda goebbelsiana en un artículo -hoy ya clásico- publicado en 1950 en *The Public Opinion Quarterly*, que merece la pena despiezar para comprender los mecanismos de ese modo de hacer en la guerra y, al mismo tiempo, elaborar con ellos el *manual* para llevar a cabo esas operaciones.

1. La propaganda debe basarse en inteligencia previa sobre hechos y opinión pública.

2. La propaganda debe ser planificada y ejecutada por una autoridad única. Eso requiere que deban proporcionarse directrices, idearios y argumentarios; que se reúna a los líderes de opinión para mantener su moral, así como coordinar esfuerzos con otras administraciones competentes en asuntos que puedan relacionarse con la propaganda.

3. Las consecuencias propagandísticas de una acción deben preverse a la hora de planificar dicha acción.

4. La propaganda debe destinarse al enemigo y a su comportamiento y se debe suprimir información que, siendo

valiosa para la propaganda propia, pueda proporcionar inteligencia al enemigo, a la vez que se debe difundir información que lleve al enemigo a conclusiones erróneas.

5. Debe disponerse de información operacional desclasificada para campañas de propaganda.
6. La propaganda debe suscitar genuino interés del público y transmitirse por medios de comunicación que favorezcan la atención. Por ello la propaganda no puede basarse solo en directrices, sino que se hace efectiva mediante el entretenimiento. La propaganda escrita más efectiva no son los editoriales ni los artículos de opinión, sino la aparente información.
7. La credibilidad debe medirse en términos del uso de la verdad (lo cual es siempre preferible) o de la mentira (sólo en caso de no poder ser demostrada su falsedad). Por ello la propaganda debe basarse en información relevante y verdadera, o ya asentada en la mente del receptor, como los estereotipos y prejuicios, así como las normas morales y valores éticos o religiosos, para llegar a conclusiones predeterminadas, no necesariamente verdaderas.
8. La propaganda enemiga puede ser desmentida o soslayada, dependiendo de su naturaleza, fuerza y efectos.
9. La censura es una herramienta más de la propaganda.
10. Se debe aprovechar la propaganda enemiga cuando sirve al interés propio.
11. Se puede utilizar la propaganda negra (aquella cuyo origen es pretendidamente el bando enemigo), junto a la blanca (de fuente conocida y contrastable) o la gris (de fuente ambigua, a caballo entre la blanca y la negra).
12. La propaganda crea líderes con prestigio de héroes, que a su vez sirven de altavoces a la propaganda, como fuentes privilegiadas.

13. La propaganda debe ser cuidadosamente temporalizada. Se debe controlar el flujo de información en función de los efectos psicológicos. Se debe repetir evitando el punto de aburrimiento y ha de comenzarse la campaña en el momento preciso.

14. Las frases, eslóganes y etiquetas son distintivas y fundamentales, relacionados con preconceptos del público, que se puedan recordar y ser sensorialmente efectivos.

15. La propaganda interna debe cuidarse de vender ideas que puedan ser refutables por la realidad, que dañaría la credibilidad futura de la propaganda.

16. La propaganda interna debe crear un nivel óptimo de ansiedad: demasiada puede llevar al pánico, muy poca lleva a la inacción derrotista o a una confianza extrema –que sería igual de peligrosa–. Se pretende movilizar generando una necesidad de defensa y protección.

17. La propaganda debe prevenir la frustración. Debe preparar para asumir las bajas propias y los reveses militares. Se debe usar la prevención, el realismo y la perspectiva.

18. La propaganda debe generar el enemigo, no sólo de manera difusa ("los aliados") sino fijando y connotando el perfil de un grupo: los aviadores enemigos, los bolcheviques, los judíos, los capitalistas...

19. Es ilusorio creer que la propaganda puede cambiar comportamientos firmemente asentados.

Este último punto es muy importante porque Goebbels reconoce que, a pesar de la potencia que esta forma de persuasión pueda ejercer, no es necesariamente efectiva. Él aporta seis ejemplos de ámbitos en los que la propaganda no ofrece soluciones: el sexo, el hambre, la producción industrial, los efectos de los *raids* aéreos (de la destrucción a la muerte), la religión en los alemanes y la resistencia política y guerrillera en los países ocupados -curiosamente, en estos dos últimos ámbitos donde sí parecería efectiva. La propaganda, según reconoce el ministro del Reich, es impotente frente a la realidad (Doob, 1950:441).

Goebbels distingue en sus diarios (Doob, 1950: 440) entre *haltung* o comportamiento comprobable, y *stimmung*, creencia, que es mucho más sensible a la propaganda y, a la larga, puede cambiar el comportamiento. Cabe señalar que Goebbels reconoce que lo útil en la propaganda es el comportamiento -aquí está el quid de la cuestión-, que debe mantenerse leal al Estado, aunque la creencia no lo sea.

Junto con estos puntos clásicos, otros autores (Pizarroso Quintero, 2004; Calduch, 2004; Rey, 2017; Rey, Rivas y Sánchez, 2017; Sahagún, 2023) añaden otros matices. A través de los medios actuales, sean tradicionales o web, cabeceras o *instagramers*, se difunden dos tipos de propaganda: la persuasiva (para públicos internos) y la subversiva (para el enemigo), que a su vez puede tener diferente fuente (propaganda blanca o negra). Los objetivos pueden ser diversos, como la justificación moral de las acciones y objetivos propios, encarnando la idea de un bien que lucha contra el mal; se puede silenciar un conflicto o partes de él, mediante un apagón informativo (basado en la negación de acceso a los periodistas o el corte físico de internet); se puede actuar mediante contrapropaganda, desacreditando acciones y objetivos militares del enemigo, subrayando posibles crímenes de guerra, escondiendo el alcance real de las acciones... o por último, se puede apuntar a públicos neutrales, buscando influir en la percepción de la opinión pública internacional, intentando obtener legitimidad (como combatiente) y autoridad (como actor). Todo esto se ha hecho en la guerra de Ucrania.

Cabe, por último, relacionar la propaganda con la desinformación. La Comisión Europea define a ésta como "información verificablemente falsa o engañosa que se crea, presenta y divulga con fines lucrativos o para engañar deliberadamente a la población, y que puede causar un perjuicio público. El perjuicio público comprende amenazas contra los procesos democráticos políticos y de elaboración de políticas, así como contra los bienes públicos, como la protección de la salud, el medio ambiente o la seguridad de los ciudadanos de la UE" (Comisión Europea, 2018: 5). Este fenómeno abunda en la guerra de Ucrania.

IV. PROPAGANDA RUSA EN LA GUERRA DE UCRANIA (2022-2026)

4.1. El modo ruso de proceder

La propaganda tiene un uso militar puro, en sus vertientes estratégica, operacional y táctica, y en estos ámbitos se engloba en las tareas de desinformación, como una operación de inteligencia más. El modelo 4D (*dismiss, distort, distract, dismay*; descrédito, distorsión, distracción y amenaza) es el nombre específico de estas operaciones (Mandić, 2023: 103). La doctrina soviética de la desinformación, heredada por la Federación Rusa, es parte de las denominadas "medidas activas" (Muñiz y Rivas, 2022; Colom, 2020). La propaganda, concretamente, según la Oficina de Guerra Electrónica del Estado Mayor, se alinea junto con la manipulación, el lobismo, la desinformación, el control de crisis y el chantaje (Pomerantsev, 2014: 12).

En 2016 se acuñó el concepto de *firehose of falsehood* (Christopher, 2016: 1), o manguera de la mentira, con dos ideas clave: un elevado número de canales y mensajes, y un desapego por la realidad o la veracidad que implica una cierta falta de coherencia. La redactora jefe de RT, Margarita Symonian, argüía que "no hay objetividad posible, sino aproximaciones a la verdad"

(Mandić, 2023: 101). La lucha al modo ruso en el campo de la desinformación es una lucha real, no sólo mediante la distribución de información falsa, sino también mediante la amenaza o el chantaje. Esto la convierte en una verdadera herramienta política y de guerra, de tipo híbrida y de influencia.

La propaganda rusa ha tratado, desde la invasión de febrero de 2022[1] de disminuir el apoyo a las sanciones contra Rusia y debilitar el apoyo a Ucrania, especialmente entre aquellos miembros de las Naciones Unidas que se abstuvieron de aprobar la resolución ES-11/1 que condenaba la invasión (Geissler, 2023: 2). Junto con ello, los objetivos principales de la propaganda rusa a largo plazo han sido desestabilizar las democracias y polarizar a la ciudadanía (Geissler, 2023:2). Por eso Rusia trató de influir en las elecciones presidenciales de los Estados Unidos (en 2016 y en 2020, por ejemplo), en el conflicto de 2014 por Crimea, en España vinculándose con movimientos independentistas con representación parlamentaria en Cataluña y en las Cortes Generales (Alandete, 2024; Rivas, Delage, Rey, 2023) y en muchos otros lugares y circunstancias. Para ello el eje ha basculado de los *trolls* a los *bots*, incrementando su alcance en redes sociales. La campaña de *bots* que se mantuvo antes y después del ataque a Ucrania fue coordinada y planificada (Geissler, 2023:16), a sabiendas de que los *bots* no obtienen retuiteos, pero sí generan *trending topics, hashtags* y consiguen un estado de opinión y que el debate público gire en torno a una determinada idea. Los *bots*, con baja credibilidad, no sirven para generar contenido original, pero sí para rebotarlo. A pesar de que el apoyo ruso en Twitter es minoritario (compara-

---

1 Una hora antes de que comenzara la invasión terrestre el 24 de febrero Rusia lanzó un ataque cibernético contra Viasat, empresa de satélites estadounidense que presta servicios de telecomunicaciones civiles y militares y que mantenía coordinado el mando ucraniano con sus unidades de combate, rompiendo su estructura de mando y control (Waldman, 2022).

do con el apoyo a Ucrania) el saldo coste-beneficio es ingente para Rusia (Geissler, 2023:17).

Según Kowalski (2022), la desinformación rusa se basa en la diseminación de medias verdades y del "*whataboutism*", comparaciones que desvían la atención de la idea original. Se transmiten mediante cuentas falsas en redes, a las que se les fabrica cierta reputación (falsos periodistas o académicos), y se repiten en dos niveles: mediante los citados *trolls* y *bots*, de manera general, y mediante informaciones aparentemente serias, o concienzudas, en medios tradicionales. La desinformación se expande en círculos concéntricos: la propaganda se crea desde un origen institucional (Gobierno, Ministerio de Defensa, portavoces...) para repetirse después en los medios afines (Sputnik, RT, TASS) y luego repetirse ampliamente por *trolls* y *bots* en redes sociales (fundamentalmente las rusas VK V Kontakte y RuTube). El alcance así obtenido es más que considerable. Por ejemplo, 75 cuentas de Twitter (actualmente X) pertenecientes al Gobierno ruso twitearon 1.157 mensajes que llegaron a 7,3 millones de seguidores, que a su vez le dieron 29,8 millones de *likes*, retwitearon 35,9 millones de veces, y lograron 4 millones de respuestas (Kowalski, 2022: 3)

Los objetivos tienen varios niveles: desde el más superficial, a) hacer llegar información corrompida, pasando por b) cambio de actitudes, c) cambio de creencias, hasta el más profundo, que es d) la ruptura interna de las sociedades oponentes. (Mandić, 2023: 106). Es decir, responde a un plan bien diseñado con fines claros.

Del mismo modo, el Gobierno ruso ha favorecido la industria cinematográfica propagandística, subvencionando documentales que convierten en héroes a los combatientes. Esto ha supuesto un cambio de conducta, pues al inicio del conflicto Putin aseguraba que la guerra era una cuestión de profesionales, y que la sociedad civil debía mantenerse al margen (Hall, 2023); igualmente, el reconocimiento de las bajas del ataque sobre los cuarteles de Makiivka (1 de enero de 2023), algo que no se hizo, por ejemplo, con el sonado caso del hundimiento del Moskva, marcó nuevas directrices. Prigozhin, en aquel momento jefe supremo de Wagner, en la misma línea, apareció condolido en un cementerio de guerra, en el funeral de uno de sus hombres. La guerra se hace presente, la estrategia propagandística cambia. "Rusia ha ganado todas las guerras si han sido las guerras del pueblo", decía Sergei Kiriyenko, subdirector del gabinete presidencial, en octubre (Hall, 2023), como si estuviera ahondando en la vieja doctrina de la construcción popular de la nación y del Estado soviético, en la Segunda Guerra Mundial.

Toda la lógica y las formas de la propaganda de las que hablamos, en esta guerra de Ucrania se han llevado de tal modo a las redes sociales que ha sido denominada la primera guerra viralizada (Colomina, 2022), en la que el análisis de la información de fuentes abiertas ha alcanzado cierta madurez (von Richtofen, 2022). En realidad, la guerra de Ucrania ha consolidado tendencias de largo recorrido en este ámbito que se aplicaban desde hacía años, por ejemplo, en campañas políticas -como recurrir al humor, por parte ucraniana, mediante memes, para elevar la moral propia y debilitar la propaganda rusa (Pérez Triana, 2023: 144). Incluso el Ministerio de Defensa ucraniano, en su cuenta de Twitter, con la ayuda de un grupo de jóvenes creativos, se burlaba de Rusia con bromas y chistes visuales atacando a Rusia con memes (Srivastava, Miller y Olearchyk, 2022). Una *guerra memética* -concepto que ya en 2010 esbozaba Hancock (2010: 43 y ss.)-, con sus correspondientes *operaciones meméticas*, se planteaba en Ucrania.

No es baladí todo esto porque el caso de Ucrania muestra el poder de las redes distribuidas y surgidas de forma espontánea -o muy escasamente organizadas- frente a la maquinaria de guerra de la información de los Estados autoritarios. Este factor novedoso es relevante pues, para plantear batalla en este frente, es necesario un plan de contingencia.

4.2. Argumentario ruso básico

Hay una serie de temas en el argumentario ruso que son constantes en el apoyo ideológico de la guerra. Algunos son meras opiniones, otros son desinformaciones fehacientemente constatadas (Cadier et al., 2022; Kowalski, 2022) cuyo efecto es poderoso en la opinión pública. En algunos casos influye en gentes con ideología afín, pero en quienes no tienen opinión formada puede también incidir. Los temas fundamentales que presentamos aquí son los siguientes:

1. La Ucrania moderna es un invento soviético.
2. Ucrania es una herramienta de la política occidental.
3. El nazismo está en ascenso en Ucrania, apoyado desde el Gobierno.
4. Polonia odia a Rusia.
5. El enemigo es terrorista.
6. Rusia no comete crímenes de guerra.
7. Hay documentación que demuestra ofensivas ucranianas previas en el Donbás.
8. Hay pruebas de que actos criminales atribuidos a Rusia son construidos por el enemigo.
9. Hay pruebas de que Estados Unidos desarrolla actividades para atacar a los rusos étnicos en diferentes países.

Si desarrollamos brevemente estas ideas vemos que se construye un argumentario que, pese a ser falaz, puede ser eficaz:

1. Si la Ucrania moderna es un invento soviético hay que tener en cuenta que sus verdaderas raíces históricas y territoriales son diferentes. Esto permite interpretar la anexión de Crimea como una “corrección natural” y, en suma, justa y legal.

2. En esa situación, Ucrania es una herramienta de la política occidental, tanto de la UE como de la OTAN. Por eso debe insistirse, por parte rusa, en la amenaza de una invasión ucraniana; o en la posibilidad de asaltos paracaidistas estadounidenses en Rusia; o en que los ucranianos entrenan a niños soldado; o en que la OTAN tenía una base en Odessa; o en que las universidades europeas estaban expulsando a alumnos rusos. Es más, se cuestiona la propia existencia de la guerra en Ucrania.

3. El nazismo está en ascenso en Ucrania, apoyado desde el Gobierno, y de hecho fueron movimientos nazis los que derribaron el gobierno ucraniano del prorruso Yanukóvich en 2014. Por eso se puede asociar la Ucrania actual a los aliados ucranianos de los nazis durante la ocupación.

4. Si Polonia odia a Rusia desde siempre, es lógico que sea fiel aliada de Ucrania en Europa, y debe desacreditarse cualquier cosa que hagan o digan sus gobernantes o sus ciudadanos. De esta manera se intenta dividir a los aliados y se facilita una potencial intervención en un territorio que Moscú considera la defensa natural ante eventuales intervenciones militares desde Occidente.

5. Si el enemigo es un terrorista, categoría de difícil encaje en el derecho internacional humanitario o en el derecho de guerra, que requiere una diferencia clara entre civiles y combatientes, se pueden justificar algunas extralimitaciones, habida cuenta de la naturaleza y del comportamiento del enemigo.

6. Si Rusia no comete crímenes de guerra, quedará exculpada de cualquier acción que, a ojos de Occidente, sea tenida por tal. El uso de fósforo blanco o de municiones de racimo, por ejemplo, o tener como objetivo militar la infraestructura civil, no será delito; en cambio, los ucranianos serán siempre responsables de actos de barbarie -como el bombardeo de una guardería en Lugansk (17 de

febrero de 2022), por ejemplo-, llegando al extremo de cometer genocidio contra la población rusa del Donbás. Ucrania es agresor y no víctima de agresión pues, entre otras cosas, Ucrania usa mercenarios extranjeros, aunque Rusia tenga en sus filas a la compañía privada Wagner y a combatientes de difícil catalogación procedentes de Corea del Norte.

7. Por si fuera poco, Rusia tiene documentación que demuestra ofensivas ucranianas previas a la guerra en el Donbás, que incluso se muestran a la prensa, como que paracaidistas de asalto entrenados desde 2016 por instructores estadounidenses y británicos, iban a unir fuerzas con una división de paracaidistas de asalto de las Fuerzas Armadas ucranianas, para iniciar una misión conjunta en Donbás.
8. También hay pruebas de que actos criminales atribuidos a Rusia son construidos falsariamente por el enemigo, como la matanza de civiles en Bucha (31 de marzo de 2022), que había sido un teatro orquestado por los Estados Unidos; o que Ucrania había hecho lo mismo con el ataque al hospital de Mariupol (9 de marzo de 2022).
9. Y también hay pruebas de que Estados Unidos desarrolla actividades para atacar a los rusos étnicos en diferentes países, como demostraría el desarrollo de armas biológicas en laboratorios del este de Europa.

V. EL EMPLEO DE LA IA POR PARTE RUSA EN LA GUERRA DE UCRANIA (2022-2026)

5.1. La IA en las campañas de desinformación

Todo lo anterior nos lleva a plantear que la IA aparece como fórmula útil -aunque esté en fase de inicio- que quebranta las capacidades del enemigo, refuerza las propias e implica, con sus usos torticeros, un deterioro claro de las democracias liberales y de los derechos humanos en un mundo en crisis. Así que conviene pensar en qué puede aportar la IA en la proyección de poder rusa y cómo se aplica en el falseamiento de la realidad.

Mas del 75% de los ciberataques con apoyo estatal los llevan a cabo Rusia, Irán, Corea del Norte y China (Council on Foreign Relation, n.d.). En Rusia, los servicios de inteligencia exterior, interior y militar (SVR, FSB y GRU, respectivamente) se encargan de estas tareas, con predominio del GRU, y todo indica que su actividad no va a disminuir, sobre todo si se tiene en cuenta el desorden político actual y lo propicios que parecen los tiempos para el Kremlin, en que el orden y las alianzas surgidas después de la Segunda Guerra Mundial, desde la ONU a la OTAN, parecen resquebrajarse (Rodríguez Garat, 2026). Habida cuenta de que el Kremlin solicita servicios por encargo a apoderados que le hacen parte del trabajo sucio, lo previsible es que estas actividades aumenten.

Los ciberataques son recurrentes pues causan daños graves, a poco coste, y con escaso riesgo para el autor. Con un crecimiento anual sostenido del 10%, cuerpos y servicios vinculados con el Estado ruso, como la unidad 26165 del GRU, atacan a sus objetivos (Del Amo, 2025) y así dificultan el respaldo de la OTAN a Ucrania, la llegada de ayuda humanitaria y el acceso a logística y otros servicios (CISA, 2025).

Rusia combina los procedimientos -la denominada *Kombinaciya*[2] (Muñiz y Rivas, 2022: 29)- y lleva a cabo, entre otras cosas, tareas de injerencia en partidos políticos de derecha y de izquierda en los países europeos (España, Francia, Gran Breta-

---

2 La *Kombinaciya* no se limita a una mezcla de procedimientos desinformativos, sino a un tipo de intervención que integra instrumentos mixtos de la guerra de la información -desinformación, propaganda, colaboración con actores hostiles al adversario, ciberinteligencia, ciberguerra- en un objetivo concreto (Milosevic, 2017).

ña...) y en las instituciones de la UE, con actos que van desde el chantaje al engaño, en donde la guerra de Ucrania no es el objetivo único, sino que ella misma es un laboratorio para desarrollar todas estas tareas.

El uso creciente de IA generativa -desde la suplantación de identidades a su falsificación, la manipulación de imagen y sonido, o la automatización de textos- interfiere de manera constante en los países objeto del ataque. Para socavar las defensas del enemigo se emplean incluso los canales diplomáticos oficiales cuyas cuentas de redes sociales -las de las embajadas rusas y las del Ministerio de Exteriores- forman parte de la desinformación. Si bien las campañas de propaganda estratégica, incluidas las de desinformación, no son nuevas, el cambio hacia las redes sociales como canal de distribución principal ha transformado la manera en que se libra la guerra de la información, y quién participa en ella.

Los algoritmos subyacentes que las plataformas emplean para decidir qué contenidos se permiten y cuáles son las más vistas, generan grandes diferencias en la percepción que tienen los usuarios de los hechos. Por eso el viejo *Pravda* soviético palidece ante la eficacia de su red contemporánea. La red Pravda la componen "más de 40 páginas webs en idiomas diferentes, con noticias idénticas, con publicaciones probablemente automatizadas (en la mayoría de los casos sin autoría), y por tanto también con traducción automática. El sello de la IA es más que probable" (Aler, 2025: 20-21).

Es más, Rusia emplea *Large Language Models* (LLM) en tareas de desinformación y propaganda automatizada que manipulan corpus públicos -como Wikipedia-, emplean *bots*, divulgan datos sensibles y ejerce manipulación semántica con uso militar (Aler, 2025: 31). Rusia, que no tiene las capacidades tecnológicas de Estados Unidos o de China en el desarrollo de la IA, y que depende de China en este aspecto, puede llevar a cabo eficaces operaciones híbridas con este sistema.

Desde 2023 ha habido un aumento notable de noticias falsas generadas con IA y se han alterado códigos LLM públicos para desinformar difundiendo datos manipulados. De esta forma mejoran las operaciones de influencia habitualmente ejercidas por medios convencionales pagados por el Gobierno -como RT- y estas se transfieren a otras plataformas que tienen más público y en donde la internacionalización es mayor (Ellmer, 2024).

La desinformación mediante IA es un frente sencillo en el que se logran grandes éxitos. No en vano la desinformación y el fraude digital se automatizan con más facilidad. Cuando las operaciones se centran en un sector ideológico, un grupo vulnerable o una región en la que ciertos relatos calan con más fuerza (Kreps, 2021) es fácil y barato emplear redes sociales o canales de mensajería instantánea, ya sean TikTok o Telegram. Desde el comienzo de la guerra de Ucrania la desinformación es parte activa de la política exterior rusa y funciona como evolución natural de la vieja propaganda de la URSS, con fines muy parecidos. El Proyecto Lakhta, por ejemplo, ha amparado las campañas desinformativas ejercidas por ciberapoderados en una versión digital del *kompromat* (Rodríguez Cornejo, 2025: 16). Tras la muerte de Prigozhin y posterior disolución de la Internet Research Agency (IRA), a cuyo cargo estaba, sus labores las gestiona la Unidad 29155 del GRU, con un aumento del personal y del empleo de LLM interferidos para sus objetivos (Knight, 2025).

Las operaciones tienen un coste que suele financiarse de forma ilícita, mediante fórmulas de fraude automatizado, con ataques *ransomware*, *phishing*, espionaje cibernético, entre otros que, a la vez que consiguen dinero, perjudican la imagen pública y la reputación de las instituciones atacadas. Los ataques al sistema financiero se remontan veinte años atrás y en Rusia hay grupos de delincuencia organizada que, con la condición de no actuar en el país ni contra intereses rusos, gozan de la protección estatal (National Crime Agency, 2024). Se corre un riesgo añadido que no se debe soslayar: si parte de la información acabara en manos de grupos terroristas o de organizaciones criminales, se podría afectar a la seguridad tanto de los individuos como de los Estados (Rodríguez Cornejo, 2025: 20-21).

En esta llegada de la IA hay una particularidad que conviene señalar. Rusia emplea la IA dentro de sus acciones híbridas en la guerra de Ucrania y contra Europa mediante operaciones de influencia, desinformación y ciberataques con la singularidad del espacio *phygital* (Patiño, 2025). Esta noción surgida en el marketing para describir la mezcla del entorno físico y el digital puede trasladarse a la seguridad pública para hablar del nuevo dominio de las amenazas híbridas. Interdependencia y simultaneidad sacan rédito de la quiebra del orden. Y el entorno *phygital* facilita la eficacia de las amenazas híbridas pues, a la descentralización de las redes, se une la dificultad de atribuir la responsabilidad del ataque. Por ello lo *phygital* entraña un nuevo campo estratégico donde la cooperación público-privada, la alfabetización digital y las capacidades de adaptación de la sociedad civil son más relevantes (Patiño, 2025). Los límites de guerra y paz, digital y físico, militar y civil, y cualesquiera conceptos útiles se desdibujan, además de desestabilizar al adversario, o al enemigo, condición que en el caso de Rusia adquiere cualquiera que se interponga entre ella y sus intereses, y cuya resistencia y unidad se intentará socavar. En el fondo, el más mínimo cambio en el statu quo de Eurasia y de Europa Oriental, o el fortalecimiento de la UE, suponen un peligro para Rusia, o así lo interpretan sus gobernantes.

Merece la pena señalar que, si bien el modo de proceder ruso responde a una táctica ofensiva, la respuesta habitual de los Estados agredidos ante las campañas desinformativas de guerra híbrida suele ser, sin embargo, reactiva. Se responde cuando la información falsa ya ha surtido efecto: tras haber aumentado la desconfianza en las instituciones, o cuando se han dañado procesos democráticos, o tras el agravamiento de la crispación política. Como ha señalado Navarro (2026) hay una carencia: la falta de mecanismos de alerta temprana que detecten este tipo de operaciones híbridas en sus comienzos. De ahí que sea clave mostrar las limitaciones de las respuestas actuales y los peligros de una actuación tardía.

Las principales debilidades del modelo actual son cinco: "La reacción tardía y fragmentada, la falta de coordinación entre los distintos actores, la insuficiencia de alfabetización mediática en las poblaciones modernas, la dependencia en medios privados y plataformas opacas y la debilidad ante tácticas híbridas sofisticadas" (Navarro, 2026: 7).

Es indiscutible que no hay anticipación, sino respuesta una vez la desinformación ya está esparcida. Al mismo tiempo, la falta de coordinación entre gobiernos, medios, sociedad civil y redes sociales reduce la eficacia de las respuestas. Junto a esto, la falta de alfabetización mediática dificulta que la población distinga información fiable de información falsa, y eso limita la eficacia de las campañas institucionales y facilita que los ciudadanos estén expuestos a campañas de desinformación que pueden formar parte de operaciones híbridas. A esto se añade que los Estados dependen en buena medida de plataformas como X, Telegram, Instagram o Facebook para enfrentarse a la desinformación y estas redes no suelen ser transparentes ni ofrecen respuestas tan veloces como haría falta pues sus algoritmos favorecen contenidos de carácter emocional y, a veces, radical. Por último, la combinación de herramientas como *bots* o *deepfakes*, en campañas bien coordinadas, superan las capacidades de los gobiernos y de los mecanismos de verificación. No es suficiente todo esto para hacer frente "a una campaña híbrida estructurada, ya que están diseñados únicamente para combatir casos de desinformación aislados y cuando ésta ya ha surtido sus efectos nocivos" (Navarro, 2026: 7).

5.2. La IA en el campo de batalla

La guerra de Ucrania, a punto de cumplir su cuarto aniversario, está cerca de alcanzar los dos millones de bajas, según el estudio de Jones y McCabe publicado por el Centro de Estudios Estratégicos e Internacionales (CSIS por sus siglas en inglés). Como ninguna de las partes contendientes divulga cifras oficiales, este centro de investigación estadounidense se ha basado en cálculos de los gobiernos estadounidense y británico, y concluye que las Fuerzas Armadas rusas han perdido casi 1,2 millones de combatientes y las de Ucrania unos 600.000 entre muertos, heridos y desaparecidos. Estos datos elevan el número total de bajas durante la invasión a 1,8 millones. De continuar a este ritmo, el CSIS asegura que para la primavera de 2026 se alcanzarán los dos millones de bajas (Jones y McCabe, 2026: 1-16). No es baladí recordarlo porque se insiste tanto en la dimensión cognitiva de los conflictos que se olvida que, con IA o sin ella, en la guerra se muere y se mata a sangre y fuego. Como siempre ha sido.

El desarrollo de la IA para fines bélicos empezó antes de la guerra de Ucrania como competición entre China y Estados Unidos para transformar el modo de hacer la guerra. La guerra de Ucrania está acelerando el desarrollo de la IA para esos fines pues se ha convertido en un laboratorio en el que las grandes potencias, y las empresas del sector, entrenan y prueban sistemas de IA para una amplia gama de funciones, capacidades y aplicaciones (Pardo de Santayana, 2024: 87). Las empresas del sector obtienen un acceso sin precedentes a la aplicación de la IA en combate entre adversarios similares en un conflicto convencional, algo que antes solo era posible en simulaciones (Pardo de Santayana, 2024: 102) y Ucrania se convierte, en cierto modo, en campo de pruebas de la guerra futura que allana el camino para la investigación en IA (Fontes y Kamminga, 2023).

La implicación tanto de la administración pública de Estados Unidos como de un puñado de empresas privadas de ese país, del lado de Ucrania, le da ventaja sobre China -al menos de momento, pocos días después de haberse cumplido un año de la llegada de Trump a la presidencia de su país-. El Estado que domine de forma eficaz el uso militar de la IA podrá imponerse en las guerras venideras y se calcula que antes de diez años la IA será el vector militar dominante (De Vynck, 2023). Quizá por eso Kissinger y Graham (2023) afirmaron que el avance ilimitado de la IA podía tener catastróficas consecuencias para el mundo, y para ello solo había que escuchar a expertos en IA que pedían contenerla y cuyas voces resonaban con ecos del pasado nuclear. Lo cierto es que las potencias nunca han renunciado a desarrollar tecnologías para sí mismas temiendo que un competidor pudiera hacer lo mismo y, al hacerlo, amenazase su supervivencia (Kissinger y Graham (2023). En esta delicada situación mundial solo hay dos grandes potencias en IA, los Estados Unidos y China.

La IA se utilizaba hasta hace poco en usos militares y de inteligencia para analizar más rápidamente grandes volúmenes de información (Flournoy, 2023) pero eso está cambiando. China investiga y desarrolla IA en los mismos ámbitos que Estados Unidos: vigilancia, identificación de objetivos, enjambres de drones, etcétera, pero como tiene una fusión de lo civil con lo militar y es un Estado autoritario no tiene las restricciones éticas ni legales de una democracia como la estadounidense. No obstante, Estados Unidos tiene la ventaja del liderazgo tecnológico de las empresas del sector. La guerra de Ucrania, campo de pruebas, ha acelerado este proceso.

Hasta ahora, todos los conceptos de IA tienen en común un campo de batalla conectado en red, con datos que se emplean rapidísimamente para conectar a los sensores con los tiradores y a la totalidad de las fuerzas con las plataformas desplegadas (Pardo de Santayana, 2024: 94). La IA es un elemento que facilita la guerra, pero no es el elemento determinante, pues aquélla se libra en el terreno con artillería, infantería y hombres que se matan unos a otros con métodos, como en el caso de la guerra de Ucrania, que recuerdan a la Gran Guerra. Por tanto, lo que ocurre en ese conflicto no es necesariamente el ejemplo de cómo serán los combates futuros.

La IA en Ucrania se centra en la actividad humana, es decir, son los operadores los que toman la decisión final sobre unidades, armas y sistemas (Santayana, 2024: 95). La IA se emplea para tener una imagen operativa general del campo de batalla, para conocer las condiciones de combate y reaccionar rápido ante sus cambios. En la guerra electrónica y el cifrado los sistemas de IA se adaptan constantemente, así que la IA está ayudando a hacer evolucionar rápido las tecnologías de combate y a adaptar las tácticas y conceptos clave. Por tanto, si la guerra se alarga mucho, quizá acabe naciendo un modelo operativo distinto del actual. Es clave tener en cuenta este hecho.

En la guerra de Ucrania muchos drones de reconocimiento y de combate vuelan en grupos con operadores que los pilotan. La evolución con IA prevé que vuelen de forma autónoma y, en drones y municiones de merodeo -drones suicidas-, la IA intenta conseguir una mejoría de capacidades autónomas en vuelo, puntería y disparo. El avance vendrá tanto de las instituciones militares oficiales como del mundo civil -los drones comerciales de la serie Mavic de DJI, de fabricación china, baratos y fáciles de producir, lo ejemplifican-, así que el efecto inmediato será que en la defensa antiaérea habrá cambios importantes procedentes de la IA. La necesidad de combatir con eficacia al número creciente de vehículos tripulados y no tripulados en un tiempo cada vez menor dado el avance de las armas hipersónicas, supondrá un gran cambio que transformará la batalla aeroterrestre. El riesgo es que se perderá el control humano en la toma de decisiones. Pero los sistemas de armas mejorados son la punta del iceberg, pues como dice Pardo de Santayana

(2024: 96) "la mayor parte de la IA se despliega y se desplegará en sistemas alejados del campo de batalla, en sistemas de computación en nube y de análisis de datos relacionados con áreas como la planificación, la logística y el mantenimiento preventivo".

Ucrania -cuya inteligencia militar ha detectado también ciberataques iraníes y norcoreanos (Caruso, 2024) en apoyo a Rusia, que a su vez transfiere conocimiento a estos países- emplea IA en el campo de batalla, desde drones aéreos guiados por IA para evitar la inhibición de la señal GPS o drones acuáticos para atacar a la flota rusa en el Báltico. Su éxito ha sido posible gracias a la ayuda de Estados Unidos y de Occidente porque es el avanzado desarrollo de tecnologías de IA militares y civiles en la aún primera potencia mundial lo que marca el ritmo de su empleo en combate.

Rusia, por su parte, quiere estar a la vanguardia del desarrollo de la IA como muestra su programa de Estrategia Nacional de Desarrollo de la IA hasta 2030. Empleó IA incluso para la preparación de la invasión a Ucrania en febrero de 2022 y, actualmente, el alto mando ruso la utiliza para mejorar la labor del operador en el campo de batalla, aunque se sospecha que la toma de decisiones la acabarán haciendo sistemas robóticos. Es un esfuerzo visible de la tecnología de ese país el uso de IA en sistemas autónomos y tiene un vehículo terrestre no tripulado de combate Marker que se ha probado en Ucrania en combate real (Benedett, 2023).

Cabe insistir en que hay una sólida colaboración chino-rusa en IA y China está aprovechando el conocimiento derivado de la guerra de Ucrania. Moscú da a Pekín información operativa de lo que ocurre en el campo de batalla, China coopera con Rusia para el desarrollo militar de alta tecnología y ambas intentan seguir de cerca los logros de la IA de Estados Unidos. No en vano ambas potencias acordaron desarrollar cooperación en industrias como 5G, internet de las cosas, IA y economía digital al poco de iniciarse la guerra en Ucrania (Thurbon, 2023).

La paradoja de todo esto es que, cada día que el conflicto de Ucrania continúa, los sistemas de IA se entrenan con información cierta del campo de batalla y no se busca poner fin a la guerra, sino aumentar la eficacia para la próxima guerra.

VI. A MODO DE COROLARIO

En un artículo reciente del *Harvard Business Review* se advierte de que los sistemas tradicionales de ciberseguridad ya no son suficientes para protegernos (Huang, 2026) pues buena parte de la seguridad está diseñada para amenazas que ya no existen (Levy, 2026). Los marcos de ciberseguridad estaban diseñados para defenderse contra humanos. Sin embargo, el enemigo es ahora también la máquina directamente. La irrupción de la IA ha cambiado las reglas.

Los sistemas de IA, como los grandes modelos de lenguaje (LLM), procesan información a velocidades que superan las capacidades humanas, y lo hacen a través de capas complejas que pueden manipularse sin que nadie lo note. Las formas actuales de protegernos no están preparadas para un mundo donde las máquinas aprenden solas y deciden. Papernot (2018), investigador de aprendizaje automático en la Universidad de Toronto, dice que la IA no solo aprende de datos; también puede ser manipulada por ellos.

La capacidad de la IA para generar ataques sin intervención humana, ejecutados por máquinas que aprenden de cada error, plantea un futuro de enfrentamiento agravado dada la fragilidad de los filtros de seguridad actuales. Muchas plataformas dependen de sistemas de contención basados en reglas fijas o modelos de detección entrenados en patrones previos. En este nuevo escenario, incluso las arquitecturas más protegidas pueden fallar frente a ataques dirigidos por IA. Lo curioso es que muchos de los ataques que se están llevando a cabo no requieren de debilidad técnica. El nuevo paradigma conocido como "inyección entre *prompts*" utiliza los propios sistemas de IA como herramientas de ataque, manipulándolos a través de lenguaje natural cuidadosamente diseñado. La adaptabilidad de la IA se convierte en su mayor amenaza.

Con todo esto, la democracia liberal como sistema político en el que tienen cabida incluso los disidentes del sistema, y los derechos humanos que la abrigan, corren graves riesgos. China, una de las dos potencias en IA, combate a aquellos discretamente, pero con constancia. Estados Unidos, en donde lleva implantada dos siglos y medio, parece deteriorarse a pasos agigantados. El diagnóstico de Tocqueville en *La democracia en América* que invoca que "el origen, las luces, y sobre todo las costumbres, les han permitido mantener la soberanía del pueblo" está en aprietos, como ha recordado Elorza (2026) recientemente.

No obstante, ni todo es IA, ni son la IA y las máquinas las que ponen a las democracias y a los derechos humanos en aprietos. Ni siquiera *lo nuevo* es lo que las agrieta. Parece haber resurgido el fantasma de la Guerra Fría, en la cual se temía que, a través de la vieja Brecha de Fulda, las tropas soviéticas se desplegaran por el resto de Europa en cuestión de semanas. Félix de Azúa (2026) ha escrito, con cierto tono poético, que se está produciendo un curioso regreso a décadas antiguas y que los calificativos empleados para describir ese movimiento de la historia como *reaccionario,* o similares, están condenados a la nada pues son "banalidades del tiempo progresista", son "como las quejas de los paganos cuando comenzó la muerte de los dioses". La historia siempre avanza a trompicones y no de forma lineal y progresiva, como soñaban algunos doctrinarios. Si hay un fenómeno que lo deja claro es la guerra.

La invasión rusa de 2022 colisionó con la línea marcada por la Carta de Naciones Unidas de 1945 –la prohibición del uso de la fuerza, salvo las excepciones recogidas en la Carta. En 2022 se invadió de manera decimonónica, al viejo modo de coacción e imposición, con la compañía de la disuasión ofensiva, una nueva manera de emplear la disuasión nuclear, cuyo objeto es que el contrario permita, al país que la utiliza, un actuar libre de cortapisas, por miedo a la represalia en caso de limitación (Rey, Rivas, Delage, 2024). Es, de nuevo, la ley del más fuerte. La invasión de 2022 se produjo en pleno enfrentamiento con el sistema y lo hizo uno de sus pilares, miembro permanente del Consejo de Seguridad. Se produjo un *zeitenwende*, un cambio de era (Rey, Rivas, Delage, 2024) como proféticamente expresó el canciller Olaf Scholz en su discurso del 27 de febrero de ese mismo año en el Bundestag.

Si se mantiene la renuncia a contener la violencia, la fuerza bruta será la ley. Acaso sea posible realinear a Rusia con los objetivos de las Naciones Unidas, igual que se hizo con Alemania o Japón tras la Guerra Mundial (Mangas, 2022). Pero no parecen propicios los tiempos para esto pues nuevas amenazas se ciernen sobre nuestras democracias: al cambio climático, a las grandes migraciones, y a las inestabilidades políticas se une, por si fuera poco, que el oficial al mando de los viejos camaradas de armas de las democracias liberales, los Estados Unidos, se ha enemistado con ellos dinamitando los acuerdos. Si la situación deriva a una nueva anarquía internacional, donde los actores fíen las soluciones a su fuerza, es de esperar que esas soluciones sean, como poco, más sangrientas y desestabilizadoras.

Puede acabarse este trabajo de una manera sencilla: recordando que caminar en soledad es gratificante para el peregrino, pero devastador para los Estados que aspiran a vivir en paz. Lo que se vislumbra más allá de la niebla es que avanzamos hacia un mundo sin reglas. Putin podrá continuar su guerra de conquista en un orden dividido en esferas de influencia. Y un mundo en el que se derrumba la norma de la soberanía -dice Ignatieff (2026), con meridiana claridad- es uno que conviene a los depredadores.

VII. BIBLIOGRAFÍA

Alandete, D. (2024). *La trama rusa. La alianza secreta entre el independentismo catalán y el Kremlin.* La esfera de los libros: Madrid.

Aler, M. (2025). *El papel de la Inteligencia Artificial en el marco de la guerra híbrida de Rusia en Europa.* TFG para graduarse en Relaciones Internacionales, Universidad Loyola Andalucía, Sevilla.

Benedett, S. (2023). Roles and Implications of AI in the Russian-Ukrainian Conflict. *Russia Matters.* https://www.russiamatters.org/analysis/roles-and-implications-ai-russian-ukrainian-conflict

Cadier et al. (2022). "Russia-Ukraine Disinformation Tracking Center", *News Guard,* https://www.newsguardtech.com/special-reports/russian-disinformation-tracking-center/

Calduch, R. (2004). *Conflictos en el siglo XXI y nuevos retos informativos.* Universidad Complutense de Madrid: Madrid.

Caruso, J. (2024). *Inside Cyber Warfare: Mapping the Cyber Underworld.* O´Reilly Media: Massachussets

Christopher, P.; Matthews, M. (2016). *The Russian 'firehose of falsehood' propaganda model: Why it might work and options to counter it.* RAND Corporation: Santa Monica (CA). https://www.rand.org/content/dam/rand/pubs/perspectives/PE100/PE198/RAND_PE198.pdf

CISA (2025). Russian GRU Targeting Western Logistics Entities and Technology Companies. CISA, 21 de mayo. https://www.cisa.gov/news-events/cybersecurity-advisories/aa25-141a

Colomina, Carme (2022). Guerra digital en Ucrania, *Cidob opinión 720,* CIDOB, mayo. https://www.cidob.org/sites/default/files/2024-07/720_OPINION_CARME%20COLOMINA_CAST.pdf

Colom-Piella G. (2020). Anatomía de la desinformación rusa. *Historia y Comunicación Social, 25*(2), 473-480. https://doi.org/10.5209/hics.63373

Comisión Europea (2018). La lucha contra la desinformación en línea: un enfoque europeo. Comunicación de la Comisión al Parlamento

Europeo, al Consejo, al Comité Económico y Social Europeo y al Comité de las Regiones. https://eur-lex.europa.eu/legal-content/ES/TXT/?uri=celex%3A52018DC0236

Correia, S. (2013). Death and Politics: The unknown warrior at the center of the political memory of the first world War in Portugal. *e-Journal of Portuguese History*, 11(2), 7–29.https://www.brown.edu/Departments/Portuguese_Brazilian_Studies/ejph/html/issue22/pdf/v11n2a02.pdf

Council on Foreign Relations (n.d.). Cyber Operations Tracker, CFR. https://www.cfr.org/cyber-operations/

De Azúa, F. (2026). Nace viejo, *The Objective*, 3-I-2026. https://theobjective.com/elsubjetivo/opinion/2026-01-03/nace-viejo-articulo-azua/

De Vynck, G. (2023). Some tech leaders fear AI. ScaleAI is selling it to the military. *The Washington Post*. 22 de octubre. https://www.washingtonpost.com/technology/2023/10/22/scale-ai-us-military/

Del Amo, P. (2025). ¿Puede la ayuda militar europea a Ucrania llenar el vacío estadounidense? *ARI 69/2025*, 14 de mayo, Real Instituto Elcano. https://media.realinstitutoelcano.org/wp-content/uploads/2025/05/ari69-2025-amo-puede-la-ayuda-militar-europea-a-ucrania-llenar-el-vacio-estadounidense.pdf

Doob, L. W. (1950) Goebble's principles of propaganda. *The Public Opinion Quarterly*, Vol. 14, No. 3 (Autumn, 1950): 419-442

Ellmer, M. (2025). A Guide to Covert Action. *Grey Dinamics*, 21 de septiembre. https://greydynamics.com/a-guide-to-covert-action/

Elorza, A. (2026). El gran depredador, *The Objective*, 20-I-2026. https://theobjective.com/elsubjetivo/opinion/2026-01-20/gran-depredador-articulo-antonio-elorza/

Flournoy, M. A. (2023). AI Is Already at War. How Artificial Intelligence Will Transform the Military. *Foreign Affairs*, 24 de octubre. https://www.foreignaffairs.com/united-states/ai-already-war-flournoy

Fontes, R.; Kamminga, J. (2023). Ukraine A Living Lab for AI Warfare. *National Defense Magazine*. En https://www.nationaldefensemagazine.org/articles/2023/3/24/ukraine-a-living-lab-for-ai-warfare

Geissler, D., Bär, D., Pröllochs, N. et al. (2023). Russian propaganda on social media during the 2022 invasion of Ukraine. *EPJ Data Sci.* 12 (1), 35. https://doi.org/10.1140/epjds/s13688-023-00414-5

Hall, B.; Ivanova, P. (2023). Putin shifts war messaging to gird Russians for long fight in Ukraine, *Financial Times*, 7 enero 2023. https://www.ft.com/content/fb611530-d9b9-4338-addb-7ca6b914f959

Hancock, B. (2010): Memetic Warfare: The Future of War, *Military Intelligence Professional Bulletin,* 36 (2): 41-46

Huang, H. (2026). Research: Conventional Cybersecurity Won't Protect Your AI, *Harvard Business Review,* 9 de enero. https://hbr.org/2026/01/ts-research-conventional-cybersecurity-wont-protect-your-ai

Ignatieff, M. (2026). El destino de Venezuela y el futuro de la soberanía, *Letras Libres,* 4 de enero. https://letraslibres.com/politica/el-destino-de-venezuela-y-el-futuro-de-la-soberania/04/01/2026

Jelavich, P. (2006). *Berlín Alexanderplatz: Radio, Film and the Death of Weimar Culture.* University of California Press: CA.

Jones, S.; McCabe, R. (2026). Russia's Grinding War in Ukraine Massive Losses and Tiny Gains for a Declining Power, CSIS, January. https://csis-website-prod.s3.amazonaws.com/s3fs-public/2026-01/260127_Jones_War_Ukraine.pdf?VersionId=Ktl9nIJ7y6vMMVwx_41fvJ3uqR-JMWxMn

Jowett, G.; O'Donnell, V. (2018). *Propaganda and Persuasion.* Sage: Washington.

Johnson, Lyndon, (1965). *Remarks at a Dinner Meeting of the Texas Electric Cooperatives, Inc.* The American Presidency Project. https://www.presidency.ucsb.edu/documents/remarks-dinner-meeting-the-texas-electric-cooperatives-inc

Kapu⊠ci⊠ski, R. (2002) Lección Magistral, *El País,* 17 diciembre 2002.

Kissinger, H. (2023). Henry Kissinger explains how to avoid world war three. *The Economist,* 17 de mayo. En https://www.economist.com/briefing/2023/05/17/henry-kissinger-explains-how-to-avoid-world-war-three

Kissinger, H.; Graham, A. (2023). The Path to AI Arms Control. America and China Must Work Together to Avoid Catastrophe. *Foreign Affairs,* 13 de octubre. https://www.foreignaffairs.com/united-states/henry-kissinger-path-artificial-intelligence-arms-control

Knight, A. (2025). AI-Driven Cyber Espionage: Navigating the Rising Threat. Grey Dynamics, 19 de abril. https://greydynamics.com/ai-driven-cyber-espionage-navigating-the-rising-threat/

Kowalski, A. (2022), "Disinformation and Russia's war of aggression against Ukraine: Threats and governance responses", OECD Policy Responses on the Impacts of the War in Ukraine, OECD Publishing, Paris, https://doi.org/10.1787/37186bde-en

Kreps, S. (2012). *Democratizing harm: Artificil Intelligence in the hands of nonstate actors.* Foreign Policy at Brookings Institution. https://www.brookings.edu/wp-content/uploads/2021/11/FP_20211122_ai_nonstate_actors_kreps.pdf

Levy, G. (2026). Ciberseguridad obsoleta ante amenazas emergentes, *Andinalink.* https://andinalink.com/ciberseguridad-obsoleta-ante-amenazas-emergentes/

Lippman, W. (2003). *La opinión pública.* Langre: Madrid.

Mandić, J.; y Klarić, D. (2023). Case study of the russian disinformation campaign during the war in Ukraine – propaganda narratives, goals, and impacts. *National Security and the Future,* Vol. 24, No. 2. https://doi.org/10.37458/nstf.24.2.5

Mangas, A. (2022) Desafío de Rusia. La seguridad europea amenazada. 22 de enero. https://aracelimangasmartin.com/desafio-de-rusia

McGowan, N.; Rey-García, P. (2018). Imágenes de la Crisis Mediterránea: la creación de la imagen pública de Nasrallah. *Área Abierta. Revista de comunicación audiovisual y publicitaria,* 18(2), 325–340. https://doi.org/10.5209/ARAB.58330

Miller, S. (2012): "Malaya: the myth of Hearts and Minds". *Small Wars Journal,* April 16. https://archive.smallwarsjournal.com/jrnl/art/malaya-the-myth-of-hearts-and-minds

Milosevic, M. (2017). El poder de la influencia rusa: la desinformación, *ARI 7/2017,* Real Instituto Elcano, 20 de enero. https://media.realinstitutoelcano.org/wp-content/uploads/2017/01/ari7-2017-milosevichjuaristi-poder-influencia-rusa-desinformacion.pdf

Morán, S.; González, A. (2009). *Asimetría, guerras e información.* Dilex: Madrid.

Mosse, G. L. (1990). *Fallen Soldiers. Reshaping the Memory of the World Wars.* Oxford University Press: UK.

Muñiz, J.A., Rivas, P. (2022). "El papel de la desinformación en la Rusia de Putin". En: Muñiz, J.A.; Rivas, P.; Delage, F. (2022). *La guerra desinformativa de Putin. Desmintiendo las falacias sobre la invasión de Ucrania.* Tirant Humanidades, Valencia: 19-40.

National Crime Agency (2024). Evil Corp: Behind the Screens, NCA, octubre. https://www.nationalcrimeagency.gov.uk/who-we-are/publications/732-evil-corp-behind-the-screens/file

Navarro, A. (2026). La información en la guerra híbrida. Propuesta de un modelo predictivo temprano. *Documento de Opinión 02/2026,* IEEE:

1-13. https://www.defensa.gob.es/documents/2073105/3095923/informacion_y_guerra_hibrida_2026_dieeeo02.pdf

Papernot, N. (2018). Security and Privacy of Machine Learning. Proceedings of the IEEE. *IEEE European Symposium on Security and Privacy*. https://ieeexplore.ieee.org/stamp/stamp.jsp?tp=&arnumber=8406613

Pardo de Santayana, J. (2024). "La inteligencia artificial y la guerra de Ucrania" (pp. 87-104). En VV.AA., *La inteligencia artificial en la geopolítica y los conflictos* (Cuaderno de Estrategia 226), Ministerio de Defensa, Madrid.

Patiño, M. (2025). El entorno phygital y su implicación en la seguridad. https://www.linkedin.com/feed/update/urn:li:activity:7313844024996507649/

Pérez Triana, J. (2023). "La otra guerra: la guerra de Ucrania en las redes sociales" (pp. 143-163). En Cózar, B. y Colom, G. (eds.), *La guerra de Ucrania II: De la conquista de Lugansk a la contraofensiva ucraniana.* Los libros de la catarata: Madrid.

Pizarroso Quintero, A. (2004). "Guerra y comunicación. Propaganda, desinformación y guerra psicológica en los conflictos armados" (pp. 17-56). En Sierra, F. y Contreras, F. (2004). *Culturas de guerra. medios de información y violencia simbólica.* Cátedra: Madrid.

Plaza, L. (2016). *Diccionario Visual de Términos Arquitectónicos.* Cátedra: Madrid.

Pomerantsev, P.; Weiss, M. (2014). *The Menace of Unreality: How the Kremlin Weaponizes Information, Culture and Money.* The Institute of Modern Russia Inc: NY.

Rey, P.; Rivas, P. (2023). "Cuentos de guerra islámicos: las hazañas bélicas de Hizbolá en el Museo de la Resistencia". En Guerrero, A. (ed.), *Los relatos de la guerra,* Ediciones Sílex, Madrid, pp. 429-443. ISBN: 978-84-19661-40-1

Rey, P., Rivas, P.; McGowan, N. (2020). War Memorials, between Propaganda and History: Mleeta Landmark and Hezbollah. *Cultural Trends,* 1-19. DOI: 10.1080/09548963.2020.1815175

Rey, P., Rivas, P., Delage, F. (2024). "La nueva anarquía o el *Zeitenwende.* El conflicto de Ucrania como marcador de un nuevo período histórico". En Academia General Militar (coord.). *Los motores de cambio en la seguridad y la defensa.* Madrid: Ministerio de Defensa, pp. 357-369. ISBN: 978-84-9091-899-9

Rey, P; Rivas, P.; Sánchez, Ó. (2017). Propaganda, radicalismo y terrorismo: la imagen del Daesh. *Estudios del Mensaje Periodístico,* 23 (1): 209-221.

Rivas, P., Delage, F., Rey, P. (2023). "La desinformación en procesos independentistas: golpe de Estado posmoderno y falacias del secesionismo catalán el 1-O de 2017". En Dafonte-Gómez, A. y Míguez-González, M. A. (coords.). *El fenómeno de la desinformación: reflexiones, casos y propuestas.* Madrid: Dykinson, pp. 579-602. ISBN: 9788411705387

Rodríguez Cornejo, J. (2025). Ciber proxies: Estados patrocinadores, tecnología disruptiva y prospectiva de la amenaza ante un nuevo orden geopolítico. TFG para graduarse en Relaciones Internacionales, Universidad Loyola Andalucía, Sevilla.

Rodríguez Garat, J. (2026). Requiem por la legalidad internacional, *El Debate,* 28-I-2026. https://www.eldebate.com/internacional/20260128/requiem-legalidad-internacional_378604.html

RTVE (2022). La UE aumenta sus sanciones contra Rusia y prohibe la emisión de RT y Sputnik en Europa, RTVE. https://www.rtve.es/play/videos/informativo-24h/ue-prohibe-emision-rt-sputnik/6396339/

Sahagún, F. (2023). "Introducción" (pp. 9-52). En VV.AA., *Panorama Estratégico 2023,* Ministerio de Defensa: Madrid. ISSN 2792-2499

Sánchez Alonso, Óscar (2022). "La verdad como víctima". En Muñiz, J.A.; Rivas, P.; Delage, F. (2022). *La guerra desinformativa de Putin. Desmintiendo las falacias sobre la invasión de Ucrania.* Tirant Humanidades, Valencia: 257-278.

Srivastava, M.; Miller, Ch.; Olearcyk, R. (2022). "Trolling helps show the king has no clothes: how Ukarine´s army conquered twitter", *Financial Times,* 14 de octubre. https://www.ft.com/content/b07224e1-414c-4fbd-8e2f-cfda052f7bb2

Thurbon, R. (2023). Russia and China want to become world leaders in tech, security, and AI. *TECHSPOT,* 22 de marzo. https://www.techspot.com/news/98032-russia-china-want-become-world-leaders-tech-security.html.

Uyabán, M.; Quintero, O. (2012). *Naturaleza de la guerra contemporánea.* ESDEGUE: Bogotá.

Von Richtofen, L. (2022). In Ukraine War, Twitter Sherlocks Come of Age", *Deustche Welle,* 5 de enero. https://www.dw.com/en/in-ukraine-war-twitter-sherlocks-are-coming-of-age/a-61647943

Waldmann, A. (2022). "Viasat confirms cyber attack on Ukraine customer", *TechTarget,* 30 de marzo. https://www.techtarget.com/searchsecurity/news/252515351/Viasat-confirms-cyber-attack-on-Ukraine-customers

Walker, R. (2012). Memoriales de guerra. Recuerdo y olvido más allá de Las Huelgas, *Quintana*, 11, 13–35. https://doi.org/10.15304/qui.11.1600

PARTE III

LA IA Y LA PROTECCIÓN DE DERECHOS HUMANOS DESDE LAS ORGANIZACIONES INTERNACIONALES

Capítulo 7.

"Inteligencia del comportamiento": La incorporación de la Inteligencia Artificial a los sistemas de alerta temprana de prevención de conflictos de Naciones Unidas

CARMEN ROCÍO GARCÍA RUIZ
Profesora titular de Derecho Internacional Público
Universidad Loyola Andalucía

I. INTRODUCCIÓN

Nuestras vidas están definidas por una constante interacción con datos. Cada aspecto de nuestra existencia, desde nuestros movimientos diarios hasta nuestras emociones y conversaciones, se recoge y procesa a través de tecnologías avanzadas de Inteligencia Artificial (IA) y captura de datos. Somos la suma de datos biométricos, biodatos y patrones de comportamiento que, al ser analizados, revelan no solo nuestras acciones, sino también nuestras reacciones emocionales, elecciones y forma de interactuar con el mundo. Cada paso que damos deja una huella digital, un rastro de información que, cuando se integra e interpreta, permite a las máquinas construir nuestra identidad a partir de lo que hacemos, los datos que generamos y los patrones que estos revelan.

La inteligencia artificial ha demostrado ser capaz de realizar tareas asombrosas cuando se trata de vigilar el comportamiento humano, con aplicaciones que van desde el reconocimiento de datos biométricos hasta la predicción de acciones humanas. Estos algoritmos son capaces de identificar patrones en nuestras interacciones, predecir nuestras respuestas y fiscalizar nuestras emociones con una precisión cada vez mayor. Dichas capacidades se erigen en una herramienta extraordinariamente poderosa para la vigilancia de individuos y poblaciones, sistematizando y automatizando el monitoreo de nuestra vida diaria (Pauwels, 2020).

Si bien se trata de una realidad inquietante, que abre la puerta a importantes violaciones de derechos fundamentales, ofrece un sinfín de posibilidades en aras del bien común. Realizar en tiempo real análisis del comportamiento e integrarlo con el uso de tecnologías predictivas constituye un avance especialmente valioso para la consecución de un fin soñado desde hace siglos: prevenir y, por ende, evitar el estallido de un conflicto.

La búsqueda de la paz ha inspirado al denostado conjunto de normas que conforman el Derecho Internacional, hoy despreciado abiertamente por algunos dirigentes estatales. Se considera la Paz de Westfalia la norma que sentó unas premisas, articuladas sobre el reconocimiento de la igualdad soberana de los Estados y su consiguiente principio de no intervención en asuntos internos y, puesto que el objetivo final era evitar nuevos conflictos o, al menos, reducirlos, se hizo necesario actuar en un triple sentido: regular el derecho a hacer la guerra (*ius ad bellum*), así como las normas a respetar en el transcurso de la misma (*ius in bello*) y, a su vez, promover la solución pacífica de las controversias (Sánchez, 2010).

Es importante comprender cómo ha evolucionado históricamente este conjunto de normas, puesto que sus modificaciones no han sido fruto de una reflexión calmada y consensuada en el tiempo, sino del compromiso adquirido por los dirigentes tras el sufrimiento provocado por grandes conflictos, evidencias del fracaso en la consecución del fin anhelado. Como señala el profesor Víctor Sánchez: "cada cierto tiempo, las fuerzas temporalmente contenidas por este derecho estallan con violencia haciendo emerger, con su poder constituyente, nuevos sistemas jurídicos internacionales que contienen principios y mecanismos esenciales de funcionamiento en los que se aúnan elementos de continuidad y alteración del sistema predecesor" (Sánchez, 2010). El sistema actual, surgido tras la Segunda Guerra Mundial, se articula en base a la Carta de Naciones Unidas, cuyos propósitos y principios han marcado durante décadas objetivos y límites en las relaciones internacionales. En la línea de lo establecido siglos atrás, la búsqueda de la paz ha determinado la actuación de esta organización, que ha abordado los conflictos a través de un enfoque integral que incluye prevención de conflictos, establecimiento, mantenimiento y construcción de la paz (Naciones Unidas, 2008).

Décadas de esfuerzo y trabajo se han orientado en este sentido. Sin embargo, como señaló en 1992 el Secretario General de Naciones Unidas, Boutros Boutros-Ghali, en su Informe "*Una agenda para la paz*": "*The United Nations is a gathering of sovereign States and what it can do depends on the common ground that they create between them*" (Naciones Unidas, 1992). Y en los últimos años, no parece existir voluntad política entre los grandes líderes para encontrar espacios de acuerdo y consenso basados en el respeto a las normas. Este desprecio al sistema vigente sienta las bases de su fracaso.

El informe *Global Peace Index 2024* destaca cómo, en 2024, el número de países involucrados en conflictos armados alcanzó su nivel más alto desde el final de la Segunda Guerra Mundial, con cincuenta y seis conflictos activos. Este aumento no solo se debe a la proliferación de nuevas formas de violencia, como el terrorismo y los conflictos asimétricos, sino también a la intensificación de las tensiones geopolíticas y a factores exógenos, como el cambio climático, que incrementan la inestabilidad en varias regiones del mundo. Estos conflictos, además, no siguen las dinámicas tradicionales de guerra, sino que se caracterizan por una internacionalización cada vez mayor, con noventa y dos países involucrados en conflictos fuera de sus fronteras. La guerra en Ucrania ha sido un ejemplo claro de cómo las tensiones geopolíticas pueden desencadenar una crisis de magnitudes globales, afectando a la seguridad colectiva y paralizando muchas iniciativas multilaterales (Institute for Economics and Peace, 2024).

Se hace necesario, por tanto, fortalecer y mejorar los mecanismos diseñados en la búsqueda de una convivencia pacífica, basada en el respeto a las normas que, con este fin, han venido diseñándose. En el contexto de la prevención de conflictos, los sistemas de inteligencia artificial y tecnología de captura de datos presentan un potencial tan interesante como esperanzador, si existiera voluntad política para su aplicación.

II. PREVENCIÓN DE CONFLICTOS: SISTEMAS DE ALERTA TEMPRANA

2.1. Concepto de alerta temprana y evolución en el seno de Naciones Unidas

La alerta temprana ha evolucionado de ser una herramienta exclusiva de defensa a convertirse en un mecanismo esencial para la gestión de crisis y la prevención de conflictos violentos en el ámbito civil. Su origen se sitúa en el ámbito militar durante la Guerra Fría, donde se centraba en la detección anticipada de amenazas bélicas para evitar ataques sorpresivos. A partir de los ochenta, comenzó a extenderse a otros campos, al incorporar la recolección y análisis de datos socioeconómicos para prever crisis humanitarias. Fue en la década de los noventa cuando el concepto comenzó a vincularse explícitamente con la prevención de conflictos armados, especialmente internos, surgiendo la idea de que la intervención temprana podría prevenir la escalada de violencia. Con el fin de la Guerra Fría, la comunidad internacional se centró en los conflictos intraestatales, lo que impulsó la integración de la alerta temprana en las políticas de prevención de conflictos. En este contexto, la alerta temprana se conceptualiza como un sistema integral que combina la recolección, el análisis y la transmisión de información relevante para prevenir la violencia antes de que se desate. Sin embargo, su efectividad depende no solo de la calidad de los sistemas de monitoreo, sino también de la voluntad política y de la existencia de mecanismos adecuados para implementar respuestas preventivas (Mendia & Areizaga, s. f.).

En las últimas décadas, la prevención de conflictos y la alerta temprana se han integrado en las prioridades de organizaciones internacionales como Naciones Unidas (ONU), Unión Europea (UE), Unión Africana (UA) y la Organización para la Seguridad y la Cooperación en Europa (OSCE), las cuales han adoptado, a nivel global o regional, políticas y mecanismos activos de prevención de conflictos y alerta temprana (Isakova, 2024).

La labor de Naciones Unidas en la gestión de la paz se articula en torno a diferentes momentos: la prevención del conflicto se lleva a cabo mediante la diplomacia preventiva y la alerta temprana, determinados por la importancia de identificar y actuar sobre señales tempranas de conflicto antes de que escalen a violencia (Naciones Unidas, 2001). Si la diplomacia preventiva no tiene éxito, la ONU recurre a la mediación y la resolución pacífica de disputas, de acuerdo con el Capítulo VI de la Carta, que establece mecanismos de negociación y mediación. En caso de conflicto abierto, el Consejo de Seguridad puede autorizar operaciones de mantenimiento de la paz bajo el Capítulo VII, desplegando fuerzas de paz para proteger a los civiles y apoyar la implementación de acuerdos de paz (Naciones Unidas, 1945).

La evolución del concepto de alerta temprana en el seno de esta organización es el resultado de una evolución progresiva hacia una cultura de prevención frente a la tradicional lógica reactiva ante las crisis. El fundamento jurídico de esta función se encuentra ya implícito en la Carta de las Naciones Unidas, cuyo Preámbulo evoca el espíritu y sufrimiento de quienes lo redactaron: "Nosotros los pueblos de las naciones unidas resueltos a preservar a las generaciones venideras del flagelo de la guerra que dos veces durante nuestra vida ha infligido a la Humanidad sufrimientos indecibles ..." Así, en su capítulo sexto articula un sistema de arreglo pacífico de controversias basado en la mediación, negociación o arbitraje y el artículo 99 otorga, al Secretario General la facultad de advertir al Consejo de Seguridad sobre amenazas a la paz, anticipando así una función institucional de detección temprana de riesgos (Naciones Unidas, 1945).

El desarrollo moderno de la alerta temprana comienza con la formulación explícita de un término acuñado en los sesenta bajo la Secretaría de Dag Hammarskjöld: la diplomacia preventiva. Dicho concepto se consolida en el informe del Secretario General de Naciones Unidas *Una agenda para la paz,* en el que se establece que la prevención de conflictos requiere información oportuna, análisis sistemático y misiones de determinación de hechos. Este enfoque subraya la importancia de actuar antes de que estallen los conflictos, sentando así las bases conceptuales de la alerta temprana como un instrumento de política internacional. En este sentido, la alerta temprana se concibe como una herramienta crucial dentro de la diplomacia preventiva para identificar riesgos de violencia política y activar medidas preventivas con la finalidad de evitar la escalada de los conflictos (Naciones Unidas, 1992).

Durante la década de los noventa, la alerta temprana se integra progresivamente en una visión más amplia de la prevención estructural, que vincula paz, desarrollo y derechos humanos. En el Informe del Secretario General *Suplemento de un Programa de paz* reafirma que la prevención exige identificar tensiones latentes antes de que se transformen en violencia abierta, reforzando el papel de la información y el análisis como elementos centrales de la acción preventiva (Naciones Unidas, 1995). Este proceso culmina en la elaboración por el Secretario General Kofi Annan, en 2001, del primer informe integral sobre *Prevención de conflictos armados*, que sitúa la detección temprana de riesgos como condición necesaria para una diplomacia preventiva eficaz y para la movilización coherente del sistema de Naciones Unidas (Naciones Unidas, 2001).

Un punto de inflexión normativo se produce con el *Documento Final* de la Cumbre Mundial de 2005, que introduce explícitamente la necesidad de que la comunidad internacional apoye a la ONU en el establecimiento de una "capacidad de alerta temprana" para prevenir atrocidades masivas, vinculando así la alerta temprana no solo a la prevención de conflictos, sino también a la responsabilidad colectiva de proteger (R2P) a las poblaciones frente a crímenes internacionales (Naciones Unidas, 2005). A partir de este momento, la alerta temprana deja de ser únicamente una herramienta diplomática para convertirse en un componente estructural de la arquitectura de prevención del sistema multilateral. En la década siguiente, este enfoque se traduce en instrumentos más operativos. Los informes de seguimiento del Secretario General refuerzan la necesidad de integrar la alerta temprana en todos los pilares de la acción de la ONU, político, humanitario y de derechos humanos, y de mejorar la coherencia interna entre análisis y respuesta (Naciones Unidas, 2006). Paralelamente, se desarrollan plataformas interagenciales de vigilancia y análisis de riesgos, como los sistemas de alerta temprana humanitaria, que amplían el campo de observación hacia factores sociales, económicos y ambientales con potencial desestabilizador (Naciones Unidas, 2005)[1].

La consolidación metodológica de la alerta temprana se alcanza con la publicación del documento *Framework of Analysis for Atrocity Crimes*, que establece indicadores y factores de riesgo para identificar situaciones susceptibles de derivar en genocidio y otras atrocidades masivas, transformando la alerta temprana en una herramienta analítica estructurada basada en evidencia (Naciones Unidas, 2014)[2]. Finalmente, el paradigma

---

1 Durante estas dos décadas se establecieron múltiples mecanismos de alerta temprana continentales y regionales en África, incluidos: la Red de Alerta y Respuesta de la Comunidad Económica de Estados de África Occidental, ECOWARN, establecida a partir del Protocolo de 1999 relativo al Mecanismo de Prevención, Gestión y Resolución de Conflictos, Mantenimiento de la Paz y Seguridad; el Sistema Continental de Alerta Temprana de la Unión Africana, CEWS; el Mecanismo de Alerta Temprana y Respuesta a Conflictos de la Autoridad Intergubernamental para el Desarrollo, CEWARN; y el Sistema de Alerta Temprana del Mercado Común de África Oriental y Austral, COMWARN (Muggah *et al.*, 2022).

2 Según el Informe, se entiende como factores de riesgo generales aquellos que incluyen situaciones de conflicto armado o inestabilidad, violaciones graves de derechos humanos y derecho internacional humanitario, debilidad de las estructuras estatales, motivos o incentivos que impulsan la violencia, la capacidad de cometer crímenes atroces, la ausencia de factores atenuantes, circunstancias habilitadoras o acciones preparatorias, y factores desencadenantes como la incitación a la violencia. Por otro lado, los factores de riesgo específicos incluyen tensiones intergrupales o discriminación contra grupos protegidos, señales de intención de destruir parcial o completamente a un grupo protegido, ataques generalizados o sistemáticos contra poblaciones civiles, planes para atacar a civiles y amenazas graves a las personas protegidas bajo el dere-

de *Sustaining Peace* refuerza esta evolución al situar la prevención como un proceso continuo y transversal, en el que la alerta temprana se convierte en un elemento clave para anticipar crisis y reducir la probabilidad de recurrencia de la violencia (Naciones Unidas, 2016).

En 2018, el informe *Responsabilidad de proteger: De la alerta temprana a la acción temprana* del Secretario General reitera que la capacidad internacional de alerta temprana es insustituible para la prevención de atrocidades, y plantea la necesidad de que Naciones Unidas traduzca las señales de riesgo en respuestas colectivas, integrando la evaluación de riesgos dentro de estrategias más amplias de prevención y diplomacia multilateral. Asimismo, considera el análisis de información fiable, oportuna y sistemática como componente central de R2P, subrayando que sin esta capacidad no es posible anticipar ni contrarrestar emergencias atroces de forma eficaz (Naciones Unidas, 2018).

Como ha señalado el Secretario General en su Informe de 2025 *Responsabilidad de proteger: 20 años de compromiso con la acción colectiva y basada en principios* actualmente, la Oficina de Prevención del Genocidio y la Responsabilidad de Proteger ofrece alertas tempranas y recomendaciones sobre situaciones que podrían resultar en crímenes atroces. Coopera con todo el sistema de Naciones Unidas Estados miembros, organismos regionales y organizaciones de la sociedad civil. Con este fin, ha desarrollado herramientas clave para la alerta temprana y la identificación de riesgos de atrocidades, como el *Marco de Análisis para Crímenes Atroces*, y ha informado al

---

cho internacional humanitario y a las operaciones de paz y ayuda humanitaria.

Consejo de Seguridad de manera *ad hoc*[3] (Naciones Unidas, 2025).

En conjunto, la trayectoria normativa e institucional de Naciones Unidas muestra que la alerta temprana ha pasado de ser una función implícita del liderazgo político del Secretario General a constituir un sistema distribuido de análisis, monitoreo y evaluación de riesgos, integrado en la estrategia global de prevención de conflictos. Esta evolución refleja un cambio profundo en la concepción de la seguridad internacional: de la reacción ante la violencia consumada a la anticipación de sus causas y dinámicas, lo que convierte a la alerta temprana en uno de los pilares fundamentales de la prevención contemporánea de conflictos.

2.2. Los sistemas tradicionales de alerta temprana: carencias y fracasos

Los sistemas tradicionales enfrentaron importantes limitaciones que comprometieron su capacidad de prevenir conflictos violentos de manera efectiva. En primer lugar, eran excesivamente dependientes de los informes humanos, lo que resultaba en una recopilación de datos lenta y en retrasos significativos en la detección de señales de violencia. Aunque estaban diseñados para monitorizar eventos políticos y sociales, su capacidad para identificar rápidamente situaciones cambiantes, como la incitación en las redes sociales o los movimientos de refugiados, era limitada. Esto contribuyó a la incapacidad de prevenir tragedias como el

---

3 El Asesor Especial del Secretario General para la Prevención del Genocidio actúa como referencia para la implementación de la Estrategia y el Plan de Acción de la ONU sobre el Discurso de Odio, que es fundamental para la prevención del genocidio y otros crímenes atroces

genocidio de Ruanda (1994) y la guerra en Bosnia (1995), donde, a pesar de las señales de alerta, los actores institucionales no respondieron a tiempo debido a la falta de herramientas adecuadas. En el caso del genocidio de Ruanda, la comunidad internacional y los organismos de la ONU, que estaban monitoreando la situación a través de sus sistemas de alerta temprana, no reaccionaron a tiempo para prevenir la matanza masiva de los tutsis por parte de los hutus. Aunque existían señales claras, como el discurso de odio en los medios, los sistemas tradicionales de alerta temprana, que se basaban en informes de inteligencia y análisis de tendencias políticas, no fueron capaces de anticipar el nivel de violencia que ocurriría en un periodo tan corto de tiempo. El sistema de alerta temprana estaba en funcionamiento, pero la falta de una respuesta ágil e inmediata, exacerbada por la burocracia y los límites en la recopilación de datos, permitió que el genocidio se desarrollara de manera incontrolada (Latham, 2005). Lo mismo ocurrió en Bosnia, donde los sistemas de alerta temprana fueron ineficaces para predecir y detener las atrocidades de la guerra, a pesar de la identificación de signos de conflicto, como las tensiones interétnicas y los desplazamientos forzados, claros indicadores de violencia (Hussain, 2025).

Los sistemas regionales de alerta temprana enfrentaron dificultades similares. El *Continental Early Warning System* (CEWS) de la Unión Africana y el IGAD CEWARN, aunque considerados modelos avanzados para monitorizar conflictos, estaban limitados en su capacidad para reaccionar a tiempo frente a los nuevos desencadenantes de violencia, como los incidentes en línea o la incitación a la violencia. Estos sistemas dependían en gran medida de la recopilación de información de campo, lo que a menudo no permitía una visión global ni una respuesta rápida ante situaciones cambiantes, como la propagación del discurso de odio en plataformas digitales o el rápido aumento de refugiados debido a la violencia. En África Subsahariana, las tensiones étnicas en países como Sudán y Somalia no fueron detectadas a tiempo por estos sistemas convencionales, lo que dio lugar a conflictos prolongados (Latham, 2005). En países como Myanmar y Etiopía, también fracasaron debido a la incapacidad de procesar el discurso de odio en idiomas locales. El caso de Myanmar es particularmente crítico. Durante la crisis de los rohingyas en 2017, el gobierno utilizó plataformas como Facebook para incitar al odio hacia la minoría musulmana. Sin embargo, los sistemas convencionales de monitoreo no pudieron detectar adecuadamente este contenido incitante debido a la falta de capacidades en idiomas locales como el birmano. Esto permitió que la violencia se desbordara sin una intervención efectiva, provocando miles de muertes y desplazamientos forzados (O'Brien, 2010). En Etiopía, el discurso de odio también jugó un papel crucial en el conflicto entre los tigrayos y el gobierno, y los sistemas convencionales no fueron capaces de abordarlo. A pesar de que se observaban señales de tensión, la incapacidad para detectar rápidamente el contenido violento en idiomas locales hizo que la violencia se propagara sin respuesta inmediata de los sistemas de alerta temprana.

Uno de los problemas más críticos de los sistemas tradicionales de alerta temprana fue su falta de adaptabilidad ante las nuevas dinámicas del conflicto, al estar estructurados de manera rígida y ser incapaces de ajustarse con rapidez a los nuevos tipos de amenazas, aquellas relacionadas con la tecnología digital o los desplazamientos masivos de personas. En muchos casos, solo pudieron proporcionar información sobre los "síntomas" de los conflictos (por ejemplo, desplazamientos o enfrentamientos pequeños), pero no fueron capaces de predecir la rápida escalada de estos, como se observó en el caso de los flujos de refugiados durante los conflictos en Sudán del Sur o Mali, que no fueron seguidos adecuadamente por los sistemas tradicionales debido a la falta de herramientas para procesar información en tiempo real (Latham, 2005).

III. EL PAPEL DE LA INTELIGENCIA ARTIFICIAL EN EL SISTEMA DE ALERTA TEMPRANA DE NACIONES UNIDAS

3.1. Herramientas y plataformas de Inteligencia Artificial para la Prevención de conflictos en Naciones Unidas

Los fracasos anteriores evidenciaron que el sistema era lento e incapaz de adaptarse a las dinámicas de los nuevos conflictos, que presentan características novedosas. Según el Informe *Global Peace Index 2024* los conflictos actuales se distinguen por varios factores clave. En primer lugar, se observa un aumento de los conflictos asimétricos, donde los grupos no estatales desempeñan un papel central, utilizando tecnologías avanzadas como drones y armas ligeras para desafiar a estados más grandes. Este fenómeno está vinculado a la proliferación de guerrillas y grupos terroristas que operan más allá de las fronteras nacionales, extendiendo la violencia a una escala global. Además, la internacionalización de los conflictos ha aumentado, con la intervención directa o indirecta de actores externos, como potencias extranjeras y organizaciones internacionales, transformándolos en crisis transnacionales. Otro aspecto relevante es la estrecha conexión con crisis humanitarias, evidenciada por el récord de desplazados internos y refugiados, lo que agrava la vulnerabilidad de millones de personas. En este escenario, la guerra ya no se libra únicamente en el campo de batalla, sino también en el control de recursos naturales, infraestructuras estratégicas y ciberseguridad, con los civiles como objetivos directos de violencia. Finalmente, la prolongación de muchos de estos conflictos se debe a la falta de resoluciones claras, negociaciones fallidas y una escasa voluntad política para implementar soluciones sostenibles, lo que da lugar a "guerras interminables" que afectan a las sociedades durante generaciones (Institute for Economics and Peace, 2024).

Ante esta nueva realidad, se hacía indispensable adaptar el sistema de alerta a las dinámicas contemporáneas y la introducción de la Inteligencia Artificial responde a esta necesidad de respuesta ágil y fundamentada. Naciones Unidas concibe la inteligencia artificial como un conjunto de tecnologías diversas que incluyen sistemas de autoaprendizaje automático, el reconocimiento de voz y la robótica. Estas tecnologías tienen como objetivo ampliar las capacidades humanas tradicionales, permitiendo que las máquinas realicen tareas cognitivas que hasta ahora solo podían hacer los seres humanos, tales como el análisis de datos, la toma de decisiones basadas en patrones y la asistencia en diagnósticos médicos. La IA no solo se limita a realizar estas tareas, sino que también está destinada a mejorar las capacidades humanas, haciendo más eficientes procesos complejos en sectores como la salud, la educación, y la agricultura (Naciones Unidas, 2026).

En el contexto de la prevención de conflictos, resultan de especial valor las tecnologías de captura de datos y la recopilación de inteligencia, para mapear y comprender los patrones recurrentes de conflicto y prever crisis potenciales. Como señaló en 2014 el Panel de Expertos sobre Tecnología e Innovación en las Operaciones de Paz de la ONU "la información es un recurso político", "voz, video y datos de satélites comerciales, redes de sensores y otros flujos técnicos están disponibles y deben ser utilizados por los tomadores de decisiones de la ONU" (Albrecht, 2023).

La vigilancia del comportamiento se basa en el uso de tecnología de captura de datos. Como señala Pauwels, los algoritmos pueden efectuar:

a) Reconocimiento de datos biométricos humanos: Identificación de características como rostros, huellas dactilares, geometría de manos, ADN y muestras de voz, procesando patrones específicos. Sin embargo, pueden carecer de conjuntos de datos óptimos y ser susceptibles a errores y sesgos en las mediciones.

b) Reconocimiento de acción humana: Análisis y predicción de acciones humanas, desde caminar y correr hasta actividades más complejas con varias personas y objetos, utilizando procesamiento de lenguaje natural para interpretar diferentes idiomas.

c) Análisis de multitudes: Detección de comportamientos y agrupaciones en multitudes, mapeando interacciones sociales y detectando comportamientos atípicos. Aunque útil para la vigilancia epidemiológica, puede ser utilizada para vigilancia política y social, como en protestas.

d) Reconocimiento de afecto y comportamiento: En la computación afectiva, los algoritmos analizan expresiones faciales, voz, movimientos y respuestas corporales para interpretar estados emocionales. Aunque carece de validez científica, se utiliza en áreas como gestión del dolor, publicidad, reclutamiento, evaluación educativa y en la justicia penal y policía predictiva (Pauwels, 2020).

En base a estas posibilidades, los actores de la prevención de conflictos han desarrollado una experiencia integral en el análisis de los impulsores sistémicos del conflicto (discurso de odio *online* e incitadores de la violencia), identificando las amenazas probables para la paz y anticipando cómo estos podrían extenderse si no se abordan: Análisis de datos, anticipación y toma de decisiones. Así, Naciones Unidas ha desarrollado herramientas y plataformas internas, como el *Crisis Risk Dashboard* (CRD) del Programa de las Naciones Unidas para el Desarrollo (PNUD), que utiliza análisis de datos e IA para proporcionar información anticipada sobre situaciones de riesgo y para ayudar en la formulación de medidas preventivas. Sin embargo, la organización depende de la contratación de empresas privadas o la colaboración con actores privados para recurrir a herramientas de análisis de datos y tecnologías emergentes. A través de la recopilación y el análisis de datos, como las interacciones en redes sociales, noticias en línea y registros geoespaciales, la IA identifica patrones de comportamiento que podrían señalar el inicio de un conflicto. Por ejemplo, la *Global Pulse* de la ONU ha implementado herramientas como *Qatalog* y *Sparrow*, que utilizan el procesamiento de lenguaje natural y algoritmos de aprendizaje automático para analizar las conversaciones en las redes sociales y separar el "ruido" generado por *bots* y actores externos de las señales auténticas de conflicto. Estas herramientas permiten monitorizar las dinámicas de la opinión pública y detectar posibles focos de violencia, proporcionando una ventaja crucial en la intervención temprana (Albrecht, 2023).

La capacidad predictiva de la inteligencia artificial en la prevención de conflictos recurre fundamentalmente a la inteligencia de fuentes abiertas (*Open Source Intelligence*, OSINT) y las redes sociales (Social Media Intelligence, SOMINT), así como a plataformas de mensajería instantánea. Estas se han convertido en herramientas clave para obtener información sobre las intenciones y comportamientos de las poblaciones. A través del análisis de datos en tiempo real generados por las interacciones de los individuos en redes sociales, aplicaciones de mensajería instantánea como WhatsApp, Signal, Telegram, Viber y otras plataformas de comunicación, la IA puede rastrear patrones de comportamiento que indican posibles focos de conflicto. Además de examinar incidentes de conflicto previos, estos sistemas permiten un análisis más dinámico al observar el comportamiento de actores no estatales que utilizan estas plataformas digitales para organizarse y movilizarse. Al detectar signos tempranos de violencia en el discurso, las interacciones o las estrategias de estos actores, la ONU puede anticipar la evolución de estos movimientos y prevenir su agravamiento antes de que se conviertan en crisis violentas. Los algoritmos avanzados de procesamiento de lenguaje natural (PLN) y aprendizaje automático son fundamentales en este proceso, ya que permiten filtrar grandes volúmenes de información proveniente de diversas plataformas, como mensajería instantánea y redes sociales, para identificar patrones y extraer señales relevantes de conflicto. Estos algoritmos permiten distinguir las señales auténticas de conflicto del "ruido" generado por *bots* o actores externos, lo que mejora la precisión de las alertas tempranas. Además, la capacidad de analizar tanto los mensajes directos como las interacciones públicas en plataformas de mensajería proporciona una visión más completa de las dinámicas sociales y políticas que podrían generar violencia. De esta manera, la IA no solo facilita la detección de tendencias peligrosas, sino que también mejora la capacidad de intervención temprana de la ONU, permitiéndole actuar antes de que los conflictos escalen. Esto no solo reduce el impacto humanitario, sino que también facilita una respuesta más efectiva al permitir una acción anticipatoria y coordinada, optimizando la utilización de recursos y mejorando las oportunidades para una resolución pacífica antes de que la violencia se intensifique (Pauwels, 2020).

Asimismo, la implementación de redes neuronales profundas, como la arquitectura HydraNet, contribuye a predecir la violencia futura a partir de patrones espaciales y temporales. Estas herramientas avanzadas permiten no solo predecir la probabilidad de conflictos, sino también estimar la magnitud de los mismos y las áreas geográficas más afectadas. Según Maase (2025), HydraNet es capaz de analizar grandes volúmenes de datos sobre conflictos previos y generar pronósticos detallados sin la necesidad de intervención manual, lo que optimiza la capacidad predictiva de la ONU y proporciona a los tomadores de decisiones información crítica sobre las áreas de riesgo.

En esta era, donde la IA se combina con potentes tecnologías de captura de datos, como la biometría y el reconocimiento facial y emocional, la vigilancia algorítmica amplifica la "biopolítica", una serie de intervenciones destinadas a regular el cuerpo colectivo de la sociedad (Pauwels, 2020). Al combinar tecnologías avanzadas como el procesamiento de lenguaje natural, el análisis de datos masivos y el aprendizaje automático, Naciones Unidas dispone de herramientas para mejorar significativamente su sistema de alerta temprana, que le permitirían intervenir en momentos clave antes de que los conflictos se intensifiquen. Dichas herramientas se complementan con la recopilación de datos de diversas fuentes, incluyendo redes sociales, medios de comunicación, y datos satelitales, lo que permite a la ONU obtener una visión más completa de las dinámicas sociales y políticas de las regiones en riesgo (Albrecht, 2023). De esta forma se refuerzan los tres momentos del proceso: análisis de datos, anticipación y toma de decisiones.

3.2. Crisis Risk Dashboard (ONU-PNUD): herramienta de análisis de riesgo, alerta temprana y anticipación de crisis

Como señala Pauwels, los actores de la prevención de conflictos tienen la oportunidad de transformar un campo en el que la experiencia contextual, la inteligencia humana, la confianza y las habilidades interpersonales son elementos clave, en una disciplina poderosa de análisis predictivo y automatizado del comportamiento (Pauwels, 2020). El *Crisis Risk Dashboard* (CRD) de la Oficina de Crisis del Programa de las Naciones Unidas para el Desarrollo (PNUD) ha sido implementado en múltiples estados como una herramienta de análisis de riesgos contextualizados, alerta temprana y apoyo a la toma de decisiones anticipatorias. Esta plataforma no solo agrega y visualiza datos globales, regionales y locales para la identificación de amenazas potenciales, sino que también ha permitido orientar políticas y acciones concretas en situaciones reales de riesgo. El CRD se basa en datos abiertos sobre dinámicas de conflicto, indicadores socioeconómicos, tendencias de noticias y otros conjuntos de datos que son correlacionados para ofrecer patrones emergentes, lo que facilita el análisis prospectivo y el diseño de estrategias de prevención (PNUD, 2025).

Uno de los casos de uso documentados es el CRD en Sri Lanka, donde la plataforma ha sido adaptada para monitorizar de forma continua factores como el discurso de odio, violencia religiosa y tensiones macroeconómicas. Estas variables se correlacionan para identificar patrones que puedan anticipar crisis de cohesión social. La integración de datos en tiempo casi real permitió a las oficinas nacionales de PNUD observar señales tempranas de deterioro socioeconómico y diseñar respuestas más oportunas que podrían reducir la probabilidad de escalada de violencia o disturbios públicos (Foro Económico Mundial, 2024).

En Ecuador, el CRD ha sido aplicado para rastrear dinámicas de desplazamiento y migración en contextos de presión social y vulnerabilidad. El análisis de patrones de migración, combinado con otras variables sociales y económicas, posibilitó la identificación de periodos en los cuales los flujos de desplazados tendían a generar tensiones adicionales, como presión sobre servicios públicos o conflictos por acceso a recursos. Al anticipar estas tendencias, las agencias de la ONU pudieron informar mejor la planificación de recursos, orientar la asistencia humanitaria y coordinar respuestas con autoridades locales antes de que se intensificaran crisis humanitarias (Foro Económico Mundial, 2024).

El CRD también ha sido empleado en la formulación de análisis especializados a través de tableros por país y regionales desarrollados a medida, lo que facilita el intercambio de información interinstitucional entre oficinas del PNUD y equipos de país (PNUD, s.f.). Por ejemplo, en Venezuela, el CRD apoya los esfuerzos de los equipos de país (*UN Country Team*) al generar alertas tempranas sobre riesgos emergentes y respaldar la formulación de respuestas adaptativas, especialmente en contextos donde las condiciones socioeconómicas y la seguridad ciudadana se deterioran rápidamente. En Malawi, el uso del CRD ha tenido aplicaciones específicas en el monitoreo de elecciones. Al correlacionar datos de discurso público, incidentes de violencia y comportamientos de las fuerzas de orden, el CRD ayudó a detectar un aumento de actos que amenazaban los derechos humanos durante un ciclo electoral. Esta información fue utilizada para apoyar iniciativas de *capacity building* (fortalecimiento de capacidades) con las autoridades locales, lo cual contribuyó a reducir el número de violaciones de derechos humanos durante las siguientes elecciones (UNICC, 2022). En Túnez, el CRD ha servido para identificar "*hotspots*" geográficos de necesidades no atendidas y monitorizar el desarrollo de movimientos de protesta con alta resolución espacial. Esta capacidad de segmentación geográfica refinada ha permitido priorizar la asignación de recursos en zonas con mayores riesgos sociales, así como facilitar la coordinación entre diferentes agencias del sistema de la ONU para evitar la escalada de tensiones (PNUD, 2021).

Estos casos revelan que el CRD no es un sistema teórico, sino una herramienta operativa que ha aportado valor agregado en múltiples contextos: ayuda a comprender la interacción de factores complejos, identificar tendencias emergentes, informar la planificación de recursos y orientar respuestas preventivas antes de que las crisis se intensifiquen o degeneren en violencia generalizada. Su versatilidad radica en que puede ser personalizado para asuntos específicos de cada contexto, desde violencia política hasta dinámicas económicas y movimientos sociales, permitiendo a las oficinas de la ONU y a los equipos de país tener una visión más completa y anticipatoria del riesgo (PNUD, 2021 y 2025).

El sistema, a su vez, está evolucionando para integrar capacidades analíticas avanzadas, como modelos predictivos apoyados por inteligencia artificial, lo que mejorará la precisión de las alertas, la identificación de riesgos y la generación automática de recomendaciones operativas, haciendo de la plataforma una herramienta aún más estratégica en la gestión de crisis. Sin embargo, enfrenta desafíos significativos, como la calidad de los datos, que puede afectar la precisión de las predicciones si son incompletos o sesgados. Además, el uso de grandes volúmenes de datos plantea riesgos éticos relacionados con la privacidad y los derechos humanos, lo que exige un enfoque integral y marcos normativos sólidos para garantizar un uso responsable y ético. A pesar de estos retos, el CRD ha demostrado ser crucial para la ONU, mejorando su capacidad para anticipar y prevenir crisis, pero es fundamental abordar las cuestiones de gobernanza ética y la calidad de los datos para maximizar su efectividad y proteger a las poblaciones vulnerables (PNUD, 2025).

IV. LOS RETOS DEL USO DE LA IA

Resulta cuanto menos tentador para gobiernos y actores privados realizar y tener acceso a los resultados de los conocimientos digitales sobre comportamiento recopilados, en tanto que factor decisivo a la hora de diseñar estrategias de influencia a todos los niveles. Como señala Pauwels, un desafío importante para Naciones Unidas será definir las oportunidades, pero también los límites y los riesgos de recolectar "inteligencia del comportamiento" sobre poblaciones vulnerables a través del uso de tecnologías diseñadas por actores del sector privado en complejas cadenas de suministro (Pauwels, 2020).

4.1. Obstáculos, dificultades y riesgos en la implementación de tecnologías de inteligencia artificial para la prevención de conflictos

La implementación de tecnologías de inteligencia artificial para la prevención de conflictos enfrenta importantes desafíos, que podrían agruparse atendiendo a las siguientes categorías:

A. Limitaciones técnicas

a) Sobrecarga sensorial y capacidades analíticas insuficientes: El aumento del uso de tecnologías para recolectar datos sobre poblaciones plantea la necesidad de contar con capacidades analíticas robustas para convertir esta "inteligencia" en estrategias eficaces. La ONU ya está experimentando una "sobrecarga sensorial" en la que la enorme cantidad de datos, especialmente aquellos generados por el análisis de redes sociales y la captura de datos masivos, excede su capacidad para procesarlos de manera eficiente. Esto complica la tarea de convertir la alerta temprana en respuesta efectiva, lo que genera una brecha entre la advertencia y la acción (Pauwels, 2020).

b) Falta de datos precisos y representativos: La IA necesita datos de alta calidad para entrenar sus modelos predictivos y si los datos, paradójicamente cuantiosos, son inexactos o sesgados, los resultados pueden ser imprecisos y fallar en la predicción de eventos de conflicto (Albrecht, 2023).

c) Dificultad para separar las señales del "ruido" (información irrelevante o incorrecta), e incapacidad de simular adecuadamente la toma de decisiones humanas. Esto incrementa la incertidumbre y los riesgos de interpretar incorrectamente los datos (Pauwels, 2020).

d) Limitaciones lingüísticas que condicionan su efectividad en contextos lingüísticos locales, multiculturales y multilingüísticos. La incapacidad de los sistemas de moderación automatizados de IA para detectar contenido violento en idiomas locales ha sido un problema crítico. Como hemos señalado, en Myanmar y Etiopía, los sistemas de moderación de IA no detectaron contenido de incitación a la violencia en idiomas como el birmano y el amhárico, lo que contribuyó a las violaciones contra las minorías rohingyas y tigrayas (O'Brien, 2010).

e) Replicación de sesgos cognitivos, de género, raciales, históricos o económicos presentes en los datos con los que son entrenados y discriminación. Este fenómeno puede dar lugar a la perpetuación de desigualdades, especialmente cuando los datos están sesgados hacia las élites o son incompletos. Un ejemplo claro de esto son los algoritmos de policía predictiva en Estados Unidos, que han sido criticados por ser sesgados contra comunidades negras y latinas, exacerbando las desigualdades raciales en el sistema de justicia (Crawford y Benjamin, 2020; Albrecht, 2023)

f) Opacidad de la llamada "caja negra": El uso de IA en contextos sensibles, como el que nos ocupa, también enfrenta el problema de la "caja negra". Muchos desarrolladores de IA no entienden completamente cómo o por qué sus modelos hacen predicciones, lo que reduce la confianza en estos sistemas. Este fenómeno es especialmente preocupante cuando las decisiones basadas en IA, como movimientos de tropas o la imposición de sanciones internacionales, se toman sin claridad sobre el funcionamiento del sistema (Crawford y Benjamin, 2020).

g) Se observa un "sesgo de automatización", que implica que los humanos tienden a ser menos críticos con las sugerencias de los sistemas de toma de decisiones automatizados.

Este sesgo puede llevar a una dependencia excesiva de las tecnologías predictivas, generando sobreconfianza en los resultados y complicando la capacidad de respuesta en situaciones de conflicto que evolucionan rápidamente (Albrecht, 2023).

h) Dificultad para predecir conflictos sorpresa: Una IA podría advertir de manera confiable que un país que ya está en disturbios seguirá siendo inestable, pero la prueba más difícil es predecir conflictos sorpresa. Knack y Balakrishnan (2024) observan que "existen evidencias limitadas de que estas herramientas puedan predecir con precisión brotes de violencia nuevos, particularmente en áreas que históricamente han sido pacíficas". Por ejemplo, ningún sistema de IA previó claramente los levantamientos de la Primavera Árabe con antelación, lo que recuerda que los desencadenantes inesperados (como el acto de auto inmolación de un vendedor ambulante en Túnez) son difíciles de anticipar para los modelos basados en datos.

B. Respeto a los derechos fundamentales

a) Derecho a la privacidad: Las tecnologías convergentes, especialmente aquellas que automatizan la detección de "anomalías" o "comportamientos anómalos", plantean graves desafíos para la privacidad. Algoritmos de reconocimiento de imágenes y voz, diseñados para facilitar el análisis de grandes volúmenes de datos, pueden ser fácilmente utilizados para fines de vigilancia en violación de los principios de derechos humanos. El potencial de doble uso de estas tecnologías, originalmente diseñadas para fines lícitos, es una preocupación constante en términos de su posible mal uso para controlar y monitorizar a poblaciones vulnerables (Pauwels, 2020).

b) Derecho a la autodeterminación: La implementación de tecnologías de vigilancia masiva basadas en IA representa una amenaza significativa para la autodeterminación de las personas. Por un lado, si los individuos no pueden comprender ni controlar el proceso por el cual se toman decisiones sobre ellos (Teo, 2024) y, por otro, al permitir a los estados autoritarios o actores no estatales violentos ejercer un control absoluto sobre las poblaciones (Pauwels, 2020).

c) Derecho a la libertad de expresión y participación política: El uso de IA para la moderación del contenido en plataformas digitales genera un dilema relacionado con la libertad de expresión. Si bien las tecnologías de IA pueden ser útiles para identificar discursos de odio e incitación a la violencia, también pueden ser utilizadas para restringir la participación política y la libertad de expresión. En contextos de elecciones, este desafío se ve amplificado cuando actores de la ONU deben equilibrar la eliminación de contenido dañino sin infringir en los derechos fundamentales de los individuos (Pauwels, 2020).

d) No discriminación y derechos de las minorías: El reconocimiento facial, una tecnología cada vez más utilizada en el ámbito de la vigilancia, ha demostrado ser ineficaz para identificar rostros de personas con piel más oscura con la misma precisión que los de piel más clara. Esto crea un riesgo de discriminación racial y étnica, ya que las minorías podrían ser injustamente estigmatizadas y excluidas de procesos importantes. Además, el perfilado étnico automatizado, como el utilizado en China para monitorizar a las minorías uigures, representa un ejemplo claro de "tecno-racismo", donde se explotan datos biométricos para discriminar a grupos específicos (Pauwels, 2020).

C. Consecuencias de un mal funcionamiento del sistema

a) Dependencia de las capacidades de las plataformas digitales y de los líderes del sector privado en el campo de la IA, las analíticas predictivas de datos y los sistemas de gestión de identidad biométrica, lo cual podría ser problemático si las tecnologías se emplean para otros fines o no se alinean completamente con el respeto a los derechos humanos (Albrecht, 2023)

b) Dificultades para determinar la responsabilidad en caso de daño, dado que los sistemas de IA pueden operar de modo impredecible. La falta de claridad sobre quién debe asumir la responsabilidad, si diseñadores del sistema, proveedores, actores internacionales... podría obstaculizar el acceso a reparación de las partes afectadas (Pauwels, 2020).

c) Manipulación de la inteligencia para fines malintencionados: El análisis predictivo del comportamiento también puede ser utilizado para fines políticos o militares, para manipular a la opinión pública, difundir desinformación o exacerbar los conflictos. El ejemplo del uso de propaganda por parte del Estado Islámico de Irak y el Levante, ISIL, en redes sociales, que creó un ciclo de violencia emocional a través de videos manipulados, ilustra cómo la manipulación digital puede intensificar los conflictos y dificultar los esfuerzos de paz. Con el auge de tecnologías como los *deepfakes*, el riesgo de manipulación de la información se amplifica, lo que representa una amenaza adicional para la estabilidad y la seguridad global (Pauwels, 2020).

d) Dificultades de integración con enfoques tradicionales de prevención de conflictos: Los esfuerzos actuales para integrar la IA y las tecnologías predictivas en los sistemas de la ONU enfrentan la dificultad de alinear estas tecnologías con los enfoques tradicionales de prevención de conflictos basados en el análisis contextual humano, la experiencia y la confianza construida con las comunidades. Los métodos tradicionales de resolución de conflictos, que requieren un entendimiento profundo de las dinámicas sociales, se ven desafiados por el carácter abstracto y automatizado de los análisis tecnológicos (Albrecht, 2023)

e) Pervivencia de la brecha alerta respuesta ya apreciada en los modelos convencionales: Incluso cuando los sistemas generan información oportuna sobre riesgos, existe una incapacidad sistemática para traducir esa advertencia en acción preventiva por parte de los responsables de la toma de decisiones. Esto ha llevado a que, aunque las herramientas de alerta identifiquen tensiones tempranas, "las medidas para anticipar y prevenir conflictos han fallado repetidamente" y "rara vez catalizan una acción política oportuna" debido a mandatos ambiguos, instituciones fragmentadas y falta de mecanismos claros para la respuesta preventiva (Monnier *et al.*, 2025).

4.2. Propuestas y recomendaciones

Naciones Unidas parece ser consciente de los riesgos que enfrenta. En su Informe de 2021 *Estrategia para la Transformación Digital del Mantenimiento de la Paz de la ONU* aboga por adoptar, ante los riesgos organizacionales y éticos derivados del uso de herramientas predictivas y tecnologías, un enfoque de "no causar daño", que busca equilibrar el potencial positivo de las tecnologías digitales con los riesgos inherentes, asegurando que su aplicación no comprometa la seguridad, los derechos humanos ni los principios fundamentales de la ONU, sino que, por el contrario, contribuya a la prevención efectiva de conflictos y a la construcción de la paz (DPO, DOS, & DMSPC, 2021).

Partiendo de esta premisa, es posible formular las siguientes recomendaciones llamadas a superar los principales obstáculos en la implementación de tecnologías predictivas para la prevención de conflictos, promoviendo una gestión responsable y efectiva de la IA para garantizar la protección de los derechos humanos y la estabilidad global.

a) Desarrollar marcos de gobernanza y ética: El uso de tecnologías predictivas plantea riesgos asociados con la privacidad y los derechos humanos. Es fundamental establecer marcos de gobernanza y políticas éticas claras para garantizar que el uso de la IA en la prevención de conflictos no infrinja los derechos de los individuos. La protección de datos y la transparencia en el uso de la información deben ser prioridades en todas las etapas de la implementación de estas tecnologías (Albrecht, 2023). Esto permitirá asegurar que los datos utilizados sean de alta calidad y representativos, especialmente en contextos vulnerables, para evitar que los resultados sean imprecisos o sesgados (Giovanardi, 2024).

b) Implementar "*guardrails*" técnicos y salvaguardas: El problema de la sobrecarga sensorial y la incapacidad de los sistemas para procesar eficientemente grandes volúmenes de datos plantea un riesgo significativo. Para mitigar este desafío, es necesario implementar un conjunto de "*guardrails*" técnicos, es decir, salvaguardas que aseguren que los sistemas de IA sean auditables, transparentes y sujetos a revisión externa. Estos mecanismos minimizarán el riesgo de mal uso y errores en los sistemas predictivos, garantizando que la tecnología sea utilizada de forma responsable y eficiente (Tiggeloven et al., 2025).

c) Realizar pruebas piloto de las tecnologías predictivas en entornos controlados antes de su implementación a gran escala, ya que permiten identificar posibles fallos y ajustar los modelos según sea necesario, asegurando que los sistemas sean capaces de adaptarse a diferentes contextos y condiciones (Lamsal & Kumar, 2020).

d) Fomentar la capacitación continua y la adaptación de los modelos: La dificultad para gestionar la incertidumbre en los resultados de los sistemas predictivos es otro desafío crítico. Para responder a este obstáculo, es fundamental promover la capacitación continua de los operadores de paz y otros actores clave, para que comprendan cómo utilizar las tecnologías predictivas de manera efectiva. Además, los modelos predictivos deben ser adaptables, permitiendo que se ajusten a los cambios en las condiciones sociales, políticas y económicas. Albrecht (2023) señala que la flexibilidad en los modelos es clave para gestionar la incertidumbre de manera efectiva y garantizar que las respuestas puedan adaptarse a diferentes escenarios.

e) Fortalecer la cooperación internacional: La implementación exitosa de tecnologías predictivas depende de una estrecha colaboración entre los Estados miembros, las organizaciones internacionales, la academia y el sector privado. Los avances tecnológicos deben estar alineados con los intereses y capacidades de los actores clave, y deben respetar los principios de transparencia y rendimiento de cuentas. La cooperación también es crucial para el desarrollo de marcos éticos y normativos que garanticen el uso responsable de estas tecnologías (Albrecht, 2023).

f) Garantizar la inclusión y la participación local: Es necesario involucrar a las comunidades locales en el proceso de desarrollo y despliegue de tecnologías predictivas para asegurar que las soluciones sean culturalmente relevantes y adaptadas a las realidades y necesidades específicas de cada contexto. Además, la participación de las partes interesadas locales es fundamental para la aceptación social y el éxito de las intervenciones (De Agostini & Giovanardi, 2025) así como para garantizar la coherencia y efectividad de las prácticas de alerta temprana, promoviendo la cooperación y el intercambio de conocimientos entre las diferentes comunidades de práctica dentro de la ONU (Gifkins, McLoughlin & Bode, 2025).

g) Crear protocolos de acción rápida y decisiones informadas. Un desafío persistente en la implementación de IA para la prevención de conflictos es la brecha entre la alerta temprana y las respuestas reales. Para abordar esta laguna, es necesario crear protocolos de acción rápida que aseguren que las alertas generadas por la IA sean procesadas de manera eficiente y efectiva. Estos protocolos garantizarán que la información se traduzca en respuestas concretas y oportunas, reduciendo las demoras que puedan comprometer la efectividad de la intervención, como se propone en el trabajo de Tiggeloven et al. (2025).

V. CONCLUSIÓN

La integración de la inteligencia artificial en la prevención de conflictos ha transformado la capacidad de las Naciones Unidas para predecir y mitigar crisis globales. Esta adopción de tecnologías emergentes ha mejorado notablemente su habilidad para identificar patrones de conflicto recurrentes y anticipar situaciones de violencia antes de que escalen, utilizando grandes volúmenes de datos provenientes de fuentes abiertas, redes sociales, y tecnologías de captura de datos. No se trata de un avance gratuito. El precio para la protección de derechos es alto y conlleva innumerables riesgos de que esta herramienta se revuelva, cual bumerán, contra la organización que ha recurrido a ella en un intento de cumplir el propósito que se le encomendó después de la Segunda Guerra Mundial: el mantenimiento de la paz y seguridad internacionales.

El mayor desafío al que se enfrenta, sin embargo, no descansa en los obstáculos y dificultades descritos, de gran envergadura, sino en la superación de la brecha alerta respuesta que prácticamente inutilizó a los sistemas tradicionales en un orden internacional en el que aún existía una mínima conciencia de los límites establecidos por el Derecho. ¿Qué esperar de la implementación de este sistema en el actual orden internacional, basado en reglas ignoradas? ¿Cómo seguir apostando por el respeto a la norma internacional y los buenos propósitos de los Estados ante dirigentes estatales que impregnan sus actuaciones de un evidente desprecio al derecho?

El 20 de enero, en el Foro Económico Mundial de Davos, el primer ministro canadiense Mark Carney pronunció un discurso en el que destacó la "ruptura" y el fin de un orden liberal que describió como una "ficción", haciendo un llamamiento a salir de la "mentira" y tomar la dirección de un cambio radical frente a la *vasallización* y el espíritu de derrota. No se lamentó por el regreso de los imperios depredadores, sino que propuso "construir algo mejor, más fuerte y justo", señalando que las potencias medias son las que más tienen que perder en un mundo de fortalezas y las que más tienen que ganar en un mundo de verdadera cooperación. Subrayó que, aunque los poderosos mantienen su poder, "nosotros también tenemos algo: la capacidad de dejar de fingir, de llamar a las cosas por su nombre, de reforzar nuestra posición en casa y de actuar juntos" (Carney, 2026).

La convicción de que el multilateralismo y el respeto al derecho son las lecciones aprendidas tras siglos de conflictos y sufrimiento humano debe ser la vía para hacer frente a la tiranía de aquellos estados cuyos dirigentes, en la actualidad, ignoran las normas más básicas que permiten la convivencia en paz. Como ha señalado el Secretario General en su *Informe de 2025*, los conflictos armados actuales se caracterizan por un desprecio generalizado por los principios fundamentales del derecho internacional humanitario, incluyendo la distinción, la proporcionalidad y el principio de precaución (Naciones Unidas, 2025).

En *Si esto es un hombre*, Primo Levi (1947) relata cómo un compañero prisionero intenta convencerlo de la existencia de los crematorios en Auschwitz utilizando las evidencias a la vista. Schmulek le pide a Levi que haga las cuentas: "¿Dónde están los demás?" Cuando este sugiere una explicación alternativa, que los han trasladado, Schmulek comenta que Levi simplemente "no quiere entender". La barbarie que impregna los crímenes y atrocidades masivas hace que escapen al raciocinio incluso cuando las evidencias son incontestables. De la misma forma, la conciencia de lo conquistado dificulta atisbar la envergadura de los retrocesos.

El sistema de alerta temprana para la prevención de conflictos se ideó como la respuesta de un sistema conformado por Estados civilizados que decidieron, conflicto tras conflicto, dotarse de unas mínimas reglas de protección al más débil a costa del sacrificio de su propia soberanía. La incorporación de la inteligencia artificial en su entramado está llamada a perfeccionar su capacidad de análisis, anticipación y toma de decisiones.

En el orden internacional actual, se hace necesario más que nunca apostar por el diálogo, el multilateralismo y la cooperación entre aquellos estados que continúan concibiendo el derecho como un límite al abuso de poder y un instrumento de protección al más débil. La alternativa resulta inquietante, y corremos el riesgo de, como le sucedió a Levi, no querer entender la magnitud de la crisis que enfrentamos.

VI. BIBLIOGRAFÍA

Adelman, H. (1996). Refuge, *Vol. 15, No. 4.* Centre for Refugee Studies, York University

Albrecht, E. (2023). *Predictive Technologies in Conflict Prevention: Practical and Policy Considerations for the Multilateral System.* United Nations University Centre for Policy Research. Recuperado de https://unu.edu/sites/default/files/2023-09/predictive_technologies_conflict_prevention_.pdf

Crawford, K., & Benjamin, R. (2020). *Artificial Intelligence and the Perpetuation of Inequality.* Harvard University Press

Cuadrado Bolaños, J. (2018). *Los sistemas de alerta temprana en la prevención de conflictos armados: Un estudio comparado en África occidental.* Tesis doctoral, Universidad Nacional de Educación a Distancia.

Day, A., & Bapt, E. (2024). *Operationalizing Prevention–How the UN Human Rights System Can Connect Early Warning to Action.* Geneva Academy.

De Agostini, L., & Giovanardi, M. (2025). *AI and global security: From early warning to AI-assisted diplomacy* (Task Force 4: Global Peace and Security)

Departamento de Operaciones de Mantenimiento de la Paz (DPO), Departamento de Apoyo Operativo (DOS) & Departamento de Estrategia, Política y Cumplimiento de Gestión (DMSPC). (2021). *Estrategia para la Transformación Digital del Mantenimiento de la Paz de la ONU.* https://peacekeeping.un.org/sites/default/files/20210917_strategy-for-the-digital-transformation-of-un-peacekeeping_en_final-02_17-09-2021.pdf

Gifkins, J., McLoughlin, S., & Bode, I. (2025). Never again? Mass atrocity early warning practices in the UN Secretariat. *Journal of Global Security Studies, 10*(4). https://doi.org/10.1093/jogss/ogaf027

Giovanardi, M. (2024). *AI for peace: mitigating the risks and enhancing opportunities. Data & Policy, 6,* e41.

Halliwell, M. (2025). *Transformed States: Medicine, Biotechnology, and American Culture, 1990–2020.* Rutgers University Press

Hussain, F. (2025). The role of artificial intelligence in early warning systems for violent conflicts: Explores how technology can predict and prevent violence, a cutting-edge, and interdisciplinary angle. *Advance Social Science Archive Journal,* 3(2), Apr–June.

Isakova, A. (2024). Early Warning Models in the OSCE: Adoption and Re-invention. En A. Mihr & C. Pierobon (Eds.), *Polarization, Shifting Borders and Liquid Governance* (pp. 21-42). Springer. https://doi.org/10.1007/978-3-031-44584-2_2

Knack, A., & Balakrishnan, N. (2024). State of AI in strategic warning. *Turing Centre for Ethical AI in Security (CETAS), The Turing Institute.* https://cetas.turing.ac.uk/publications/state-ai-strategic-warning

Latham, R. (2005). *Digital Formations: IT and New Architectures in the Global Realm.* Princeton University Press

Lund, M. S. (1996). *Preventing violent conflicts: A strategy for preventive diplomacy.* United States Institute of Peace Press

Maase, S. P. (2025). *Next-Generation Conflict Forecasting: Unleashing Predictive Patterns through Spatiotemporal Learning.* PRIO – Oslo.

Mendia, I., & Areizaga, M. (s. f.). "Sistema de alerta temprana de conflictos". *Diccionario de Acción Humanitaria y Cooperación al Desarrollo.* Recuperado de https://www.dicc.hegoa.ehu.eus/listar/mostrar/209.html

Monnier, C., Bennett, W., Salmon, J., & Muggah, R. (2025, 13 agosto). *Warning without response: Why early warning fails, and how to turn foresight into prevention.* NYU Center on International Cooperation (CIC). https://cic.nyu.edu/resources/warning-without-response-why-early-warning-fails-and-how-to-turn-foresight-into-prevention/

Muggah, R and Whitlock, M. 2022. Reflections on the Evolution of Conflict Early Warning. Stability: International Journal of Security &Development, 10(1): 2, pp. 1–16. DOI: https://doi.org/10.5334/sta.857

Naciones Unidas. (1945). *Carta de las Naciones Unidas* https://www.un.org/es/about-us/un-charter/full-text

Naciones Unidas. (1992). *Una agenda para la paz: Diplomacia preventiva, pacificación y mantenimiento de la paz.* Informe del Secretario General, 17 de junio de 1992, A/47/277–S/24111 https://www.un.org/ruleoflaw/files/PeacekeepingAgenda.pdf

Naciones Unidas. (1993). *Implementation of the recommendations obtained in An Agenda for peace.* Informe del Secretario General, 15 de junio de 1993, A/47/965

Naciones Unidas. (1995). Suplemento de un "Programa de paz". Documento de posición del Secretario General presentado con ocasión del cincuentenario de las Naciones Unidas, de 25 de enero de 1995. A/50/60-S/1995/1

Naciones Unidas. (2001). *Prevención de conflictos armados.* Informe del Secretario General, 7 de junio de 1992, A/55/985–S/2001/574 https://www.un.org/ruleoflaw/files/Prevention_of_Armed_Conflict.pdf

Naciones Unidas. (2005). *Documento Final de la Cumbre Mundial.* Asamblea General de las Naciones Unidas, A/RES/60/1 https://www.un.org/en/ga/62/plenary/workorganization/bkg.shtml

Naciones Unidas. (2006). *Informe de avance sobre la prevención de conflictos armados.* Informe del Secretario General, de 18 de julio de 2006, A/60/891

Naciones Unidas. (2008). *United Nations peacekeeping operations: Principles and guidelines (Capstone Doctrine).* Departamento de Operaciones de Mantenimiento de la Paz y Departamento de Apoyo sobre el Terreno,

Secretaría de las Naciones Unidas. https://peacekeeping.un.org/sites/default/files/capstone_eng_0.pdf

Naciones Unidas. (2016). *Resolución 2282.* Consejo de Seguridad de las Naciones Unidas, de 27 de abril de 2016. S/RES/2282

Naciones Unidas. (2018). *Responsabilidad de proteger: De la alerta temprana a la acción temprana.* Informe del Secretario General de 1 de junio de 2018, A/72/884–S/2018/525 https://www.un.org/en/genocideprevention/documents/1808811E.pdf

Naciones Unidas. (2021). *Promover la prevención de atrocidades: labor de la Oficina de las Naciones Unidas para la Prevención del Genocidio y la Responsabilidad de Proteger.* Informe del Secretario General de 3 de mayo de 2021, A/75/863–S/2021/424 https://docs.un.org/A/75/863

Naciones Unidas. (2025). *Responsabilidad de proteger: 20 años de compromiso con la acción colectiva y basada en principios.* Informe del Secretario General, de 22 de abril de 2025. A/79/875-S/2025/248

Naciones Unidas. (2026). *Artificial intelligence (AI)* https://www.un.org/en/global-issues/artificial-intelligence

O'Brien, S. P. (2010). Crisis Early Warning and Decision Support: Contemporary Approaches and Thoughts on Future Research. *JSTOR*, 87-104

Oficina de la ONU para la Prevención del Genocidio y la Responsabilidad de Proteger. (2014). *Framework of Analysis for Atrocity Crimes: A tool for prevention.* Naciones Unidas.

Pauwels, E. (2020). Artificial Intelligence and Data Capture Technologies in Violence and Conflict Prevention: Opportunities and Challenges for the International Community. *JSTOR*, 20

Sweijs, T., & Teer, J. (2022). *Practices, Principles and Promises of Conflict Early Warning Systems.* The Hague Centre for Strategic Studies.

Teo, S. A. (2024). Artificial intelligence and its 'slow violence' to human rights. *AI and Ethics, 4*(1), 47–62.

Tiggeloven, T., Pfeiffer, S., Matanó, A., van den Homberg, M., Thalheimer, L., Reichstein, M., & Torresan, S. (2025). *The role of artificial intelligence for early warning systems: Status, applicability, guardrails, and ways forward. iScience, 28*(11), 113689.

Capítulo 8.

El derecho a la educación en la era de la Inteligencia Artificial

AMELIE NELLY FROHNMAYER
(B.Sc.) Market and Management Anthropology
Becaria en el Departamento de Estudios Internacionales
Universidad Loyola Andalucia

I. INTRODUCCIÓN

La inteligencia artificial generativa (IA) está transformando rápidamente las prácticas educativas, especialmente en la educación superior. Las herramientas capaces de generar textos e imágenes desafían las prácticas existentes sobre la evaluación, la autoría y el aprendizaje, a la vez que transforman la organización de la enseñanza y la gobernanza educativa. Como resultado, gobiernos e instituciones educativas de toda Europa han comenzado a desarrollar marcos para regular el uso de la IA en la educación. Gran parte de esta actividad regulatoria se ha centrado en los riesgos técnicos y éticos, como la protección de datos, el sesgo, la transparencia y la integridad académica. Si bien estas preocupaciones son legítimas, no reflejan en su totalidad los desafíos que se enfrentan cuando la IA se introduce en los entornos educativos. La educación no es solo un espacio para la adquisición de habilidades o la medición del rendimiento; también es un proceso fundamental para la formación democrática, la participación social y el desarrollo de la autonomía y la responsabilidad. Las decisiones sobre cómo se gobierna la IA en la educación plantean preguntas que van más allá de la eficiencia y el cumplimiento.

Este capítulo examina cómo los marcos e iniciativas de gobernanza de la IA están condicionando el papel de la IA en la enseñanza y el aprendizaje dentro de la educación española, y hasta qué punto se alinean con las iniciativas europeas e internacionales sobre el derecho a una educación centrada en el ser humano. Se enfoca principalmente en el análisis de las directrices nacionales desarrolladas bajo la Estrategia Nacional de Inteligencia Artificial de España, así como en las recomendaciones institucionales de las universidades españolas. Además, aborda un análisis conceptual de la educación como práctica democrática, utilizando los marcos internacionales y europeos de referencia.

Esta aproximación se inserta en un contexto más amplio caracterizado por la inestabilidad de las democracias y la fragilidad del sistema multilateral. Informes globales recientes destacan el debilitamiento constante de la gobernanza democrática en muchas regiones y países. Los datos comparativos muestran un declive en dimensiones democráticas clave, como la libertad de expresión, la integridad electoral y los controles institucionales sobre el poder (Nord & Angiolillo, 2025), mientras que cada vez menos países muestran signos claros de mejora democrática.

Este declive no solo afecta a los sistemas políticos internos. Las evaluaciones internacionales subrayan que el debilitamiento de las instituciones democráticas y la disminución de la confianza pública reducen la capacidad de los Estados para cooperar y mantener normas compartidas (International IDEA, 2025). Cuando la legitimidad democrática es frágil a nivel interno, el compromiso con las normas multilaterales y la resolución colectiva de problemas se vuelve más difícil de sostener (International IDEA, 2025). Los análisis globales de riesgos describen un contexto de creciente polarización política, desinformación y tensión geopolítica, en el que los marcos de gobernanza existentes intentan responder eficazmente a los desafíos transnacionales (Foro Económico Mundial, 2025). Estas dinámicas socavan aún más la confianza entre los Estados y debilitan el funcionamiento de las instituciones multilaterales (Foro Económico Mundial, 2025).

Este diagnóstico también se refleja en el discurso de los Estados. La Estrategia de Acción Exterior de España reconoce que existe una crisis de multilateralismo impulsada por la fragmentación geopolítica, el estrés democrático y la erosión del orden internacional basado en normas (Ministerio de Asuntos Exteriores, 2025). Se describe, asimismo, que la desestabilización democrática y la fragilidad del sistema multilateral son procesos estrechamente conectados que caracterizan el contexto global actual.

En este contexto, la educación ocupa una posición particular. La educación no es simplemente un servicio prestado a la ciudadanía dentro de sociedades democráticas, sino una institución central a través de la cual se forman y sostienen los valores democráticos. La vida democrática depende de habilidades como el razonamiento crítico, el pluralismo y la confianza cívica, que se aprenden y practican principalmente a través de la educación (Gutmann, 1993). Desde esta perspectiva, la educación es un bien público orientado no solo al avance individual, sino también a bienes colectivos como la participación política.

El derecho internacional sobre los derechos humanos define la educación como un derecho orientado a la participación democrática (ONU, 1999), estableciendo una relación simbiótica entre democracia y educación.

La inteligencia artificial, por su parte, está ampliamente integrada en los entornos educativos. Los estudiantes utilizan herramientas de IA para escribir, resolver problemas, traducir y programar, mientras que los profesores las emplean para el diseño de evaluaciones, retroalimentación, creación de contenidos y tareas administrativas (INTEF, 2024; Zawacki-Richter *et al.*, 2019). Los primeros debates sobre la IA en la educación han estado dominados por preocupaciones sobre la eficiencia, la reducción de la carga de trabajo y la integridad académica, especialmente en relación con las prácticas que pueden cuestionar la ética en el proceso. Sin embargo, este enfoque ha cambiado. El discurso internacional enfatiza cada vez más que la IA en la educación no puede evaluarse únicamente en términos de rendimiento o mitigación de riesgos, sino que debe evaluarse en relación con los propósitos de la educación en sí misma (UNESCO, 2021, 2023). La UNESCO promueve, en este sentido, un enfoque centrado en el ser humano, que prioriza la inclusión y la equidad, y que insiste en que la interacción humana debe permanecer en el núcleo de los procesos de aprendizaje (UNESCO, 2021, 2023).

Esta aproximación pone, por tanto, el foco en la dimensión social de la educación. La educación no es solo una cuestión de difusión de contenidos, sino una práctica social y ética constituida a través del diálogo, la autoridad y el cuidado (Biesta, 2009). Sin embargo, los sistemas de IA tienden a privilegiar la previsibilidad y la optimización, desplazando potencialmente la imprevisibilidad necesaria para desarrollar la subjetividad del ser humano, utilizando valores democráticos y éticos (Biesta, 2009). Por tanto, para analizar el papel de la IA en el derecho a la educación, es necesario abordar cuestiones más amplias como las ya citadas.

Sobre esta base, este capítulo examina cómo influye la inteligencia artificial en la educación española y cómo el sistema de gobernanza que actualmente existe se alinea con los estándares europeos e internacionales de promoción de una educación centrada en el ser humano (Comité de Ministros, 2020; ONU, 1999). La investigación está estructurada siguiendo una perspectiva de gobernanza multinivel, analizando cómo las normas articuladas a nivel multilateral se traducen en una gobernanza educativa nacional e institucional.

Asimismo, el capítulo se centra en el caso de España, puesto que es un país comprometido con los marcos de cooperación multilateral, con los derechos humanos y con el desarrollo de una gobernanza global común para la IA. Entre las medidas adoptadas, destaca la *Estrategia Nacional de Inteligencia Artificial* (ENIA), que sitúa a España como pionera dentro de la arquitectura política digital.

Por último, es relevante citar que el presente análisis se guía por tres aproximaciones complementarias:

1. la educación como institución democrática, clave para la promoción de valores y el respeto a los derechos fundamentales;
2. la educación como derecho fundamental derivado de los marcos normativos y políticos de las organizaciones internacionales y europeas;
3. y la educación como un proceso social, examinando si esta dimensión está presente en las propuestas de gobernanza de la IA.

II. LA EDUCACIÓN COMO UN DERECHO HUMANO CLAVE EN LA FORMACIÓN DEMOCRÁTICA

Como se ha mencionado anteriormente, la educación es fundamental para la vida democrática. Hannah Arendt (1961) señaló que la educación es el espacio en el que las sociedades deciden qué tipo de mundo están reproduciendo. Esto convierte la gobernanza educativa en un acto político: las decisiones sobre los planes de estudio, la pedagogía y el diseño institucional son, en realidad, elecciones sobre el tipo de ciudadanos que una sociedad desea formar y mantener.

La teoría democrática de la educación de Amy Gutmann (1993) aborda también las restricciones normativas que deben guiar estas decisiones. Según Gutmann, las decisiones educativas legítimas deben ser negociadas colectivamente dentro de un proceso democrático y regirse por los principios de no represión y no discriminación. La educación no puede ser el resultado exclusivo de las preferencias de los padres ni limitarse a imperativos económicos o técnicos (Gutmann, 1993). Esta perspectiva tiene implicaciones directas para la gobernanza de la IA en la educación: los sistemas algorítmicos no deben reproducir sesgos raciales, sociales o epistémicos, ni justificarse exclusivamente por su eficiencia o por las justificaciones del mercado. Además, plantea la necesidad de una educación que no se enfoque únicamente en la maximización de habilidades o en la empleabilidad, sino que también promueva la formación democrática, la inclusión y la participación social (Gutmann, 1993). Desde esta óptica, el uso de la IA en la educación representa un desafío democrático.

El derecho a la educación está firmemente establecido en el derecho internacional, como lo destaca la labor de la UNESCO (ONU, 1999). Esta concepción ampliada de la educación se ve reforzada por la aproximación de Biesta (2009), quien distingue entre las funciones de cualificación, socialización y subjetivación de la educación. La educación no solo transmite conocimientos y habilidades (cualificación), sino también normas sociales y órdenes culturales (socialización), y permite que los individuos se conviertan en sujetos autónomos, capaces de desarrollar su propio juicio y asumir responsabilidad individual (subjetivación) (Biesta, 2009). Esto ocurre en todos los niveles educativos: incluso en la educación superior, la formación de la autonomía, la autoridad epistémica y la preparación profesional también fomenta una participación activa del ciudadano en la vida democrática y promueve valores específicos. La educación también implica un aprendizaje implícito: el compromiso con diferentes opiniones, realidades y formas de razonamiento moldea a su vez los valores, la identidad y la sensibilidad social de los estudiantes. Esto está intrínsecamente vinculado con la dignidad humana y la formación de la personalidad. En este sentido, el artículo 13(1) del Pacto Internacional de Derechos Económicos, Sociales y Culturales establece que los objetivos de la educación son el pleno desarrollo de la personalidad humana, el fortalecimiento del respeto a los derechos humanos, la posibilidad de una participación efectiva en una sociedad libre y la promoción del entendimiento entre grupos. La educación está, por lo tanto, normativamente vinculada a la participación y la democracia, no solo al rendimiento cognitivo.

Por ello, la no discriminación es una obligación fundamental asociada al derecho a la educación. En el contexto de la irrupción de la IA, este principio genera preocupaciones urgentes sobre el sesgo algorítmico y el acceso desigual a la tecnología. Estos desafíos no deben ser tratados como meras cuestiones técnicas secundarias, sino como potenciales violaciones de los derechos humanos.

III. LA EDUCACIÓN COMO PRÁCTICA SOCIAL

La educación se construye a través del diálogo, el cuidado, la autoridad y el reconocimiento mutuo entre profesores y estudiantes. Biesta (2009) sostiene que una educación significativa implica momentos en los que los estudiantes se enfrentan a otros, en los que existen desacuerdos o dificultades, y donde la subjetividad se forma a través del compromiso, no solo de la optimización. Los sistemas de IA, en cambio, tienden a eliminar precisamente estos elementos en nombre de la personalización, la eficiencia y la experiencia del usuario. Las pedagogías dialógicas y la ética del cuidado subrayan, además, que la educación no consiste solo en la transferencia de información, sino también en el aprendizaje de las normas sociales, las responsabilidades y las formas de convivencia. Estas dimensiones están estrechamente vinculadas a la formación democrática, ya que moldean cómo los individuos se relacionan con la autoridad, la diferencia y la vida colectiva. El aprendizaje relacional no se centra únicamente en los resultados académicos, sino en la configuración continua de los entornos de aprendizaje (Katznelson, 1989). Con la implementación masiva de la IA, se corre el riesgo de perder estos elementos esenciales si no se abordan adecuadamente.

Crear un sistema de gobernanza para la IA aplicable a la educación requiere, por tanto, definir con claridad qué es y qué debe ser la educación: qué autoridad tienen los profesores y los estudiantes, qué valores se enseñan y qué tipo de ciudadanos se están formando. Los Estados tienen el deber de diseñar y proteger sus sistemas educativos de manera consistente con los compromisos internacionales en materia de derechos humanos, incluyendo la regulación de la IA en contextos educativos. La crítica de Biesta a la cultura de la medición en la educación es especialmente relevante aquí. Observa que la política educativa asume cada vez más que lo que se puede medir es lo que importa, lo que conduce a una lógica en la que los indicadores y objetivos se confunden con la calidad educativa (Biesta, 2009). En lugar de preguntar qué valoramos, comenzamos a valorar lo que podemos medir. Este fenómeno se ve exacerbado por la irrupción de la IA: se prioriza la optimización basada en datos por encima de los fines democráticos y sociales. La IA tiene, por tanto, el potencial de reconfigurar los valores educativos en pro de las capacidades técnicas. Reconocer esto es esencial para evaluar si la gobernanza de la IA en la educación se alinea con el derecho a una educación dentro del orden normativo europeo.

IV. PRINCIPALES APROXIMACIONES DOCTRINALES EN LA APLICACIÓN DE LA IA EN LA EDUCACIÓN

4.1. Corrientes de investigación sobre la aplicación de la IA en la educación

La literatura sobre inteligencia artificial en la educación está dominada por un enfoque instrumental. La mayoría de las contribuciones se centran en cómo la IA puede mejorar la eficiencia en la enseñanza, la evaluación, la administración y el apoyo al alumnado, además de analizar cómo las instituciones pueden gestionar los riesgos asociados a su uso. Una revisión sistemática de Zawacki-Richter *et al.* (2019) demuestra que las principales áreas de aplicación tratadas están relacionadas con el perfilado y la predicción, la evaluación automatizada, la personalización y los sistemas inteligentes de tutoría. Estos enfoques entienden la educación como un sistema cuya eficiencia debe ser optimizada.

Una segunda corriente presenta la IA como un desafío para la integridad académica. Se aborda el fraude, la detección de plagio y la cuestión de cómo el aprendizaje y la evaluación pueden seguir siendo exhaustivos cuando los estudiantes pueden generar soluciones a problemas utilizando herramientas como ChatGPT (Zawacki-Richter *et al.*, 2019). Estrechamente relacionado con ello está el enfoque centrado en cómo se debe enseñar a los estudiantes a usar la IA de forma responsable: cuándo el uso de la IA es aceptable, cuándo no lo es, y cómo integrar la alfabetización en IA en los planes de estudio. En este contexto, la IA se entiende principalmente como una herramienta disruptiva cuyos efectos deben ser gestionados, más que como un objeto de gobernanza que redefine los fines educativos (Zawacki-Richter *et al.*, 2019).

En estas aproximaciones, el "problema" de la IA en la educación se define en gran medida en términos funcionales:

cómo preservar la validez de la evaluación, cómo garantizar la eficiencia y cómo mitigar el mal uso. Sin embargo, se excluye el análisis de la educación como institución democrática y social. Las cuestiones relativas a la formación cívica, el diálogo o el significado social de la educación rara vez se abordan.

Los debates éticos sobre la IA en la educación han crecido rápidamente, pero su alcance sigue siendo limitado. Holmes *et al.* (2022) identifica preocupaciones éticas como la equidad, la rendición de cuentas, la transparencia, el sesgo, la autonomía y la inclusión. Las reflexiones éticas buscan, así, proteger a los estudiantes como usuarios con un derecho a la salvaguarda de sus datos, al tiempo que garantizan que los sistemas de IA no produzcan resultados discriminatorios. Aunque estas preocupaciones son importantes, siguen estando en gran medida desconectadas de enfoques más amplios (Holmes et al., 2022). La ética de la IA en la educación no puede reducirse a datos y algoritmos, sino que también debe abordar el propósito mismo de la educación, la elección de la pedagogía y el papel de la IA en relación con los docentes, dimensiones que siguen siendo marginales en la mayoría de los marcos éticos. La dimensión ética, por lo tanto, sigue desvinculada del análisis de la irrupción de la IA en la educación en términos de preservación de los derechos humanos y la formación democrática de los ciudadanos.

4.2. La IA y la autoridad de los educadores

La labor de los educadores apenas se aborda en los estudios de gobernanza e investigación sobre la IA. Zawacki-Richter *et al.* (2019) muestran que solo el 8,9% de los investigadores sobre el impacto de la IA en la educación superior están afiliados a departamentos relacionados con la educación, siendo la mayoría de ellos procedentes de los campos de informática y STEM (ciencias, tecnología, ingeniería y matemáticas). Además, la mayoría de los estudios se basan en métodos cuantitativos y presentan una débil conexión con la teoría pedagógica, mostrando poca reflexión crítica sobre los riesgos educativos (Zawacki-Richter *et al.*, 2019). Esta característica sugiere que la IA en la educación se conceptualiza y gobierna principalmente desde epistemologías técnicas. En este contexto, profesores y estudiantes son vistos principalmente como usuarios, implementadores o portadores de riesgos, más que como actores activos y protagonistas del proceso educativo. Un ejemplo de ello es la *Perspectiva de Educación Digital 2026* de la OCDE, que enfatiza la eficiencia digital, la innovación y el rendimiento del sistema, mientras que presta escasa atención a la autoridad pedagógica, la formación democrática o el aprendizaje social (OCDE, 2026).

No obstante, existe una línea minoritaria pero crucial en la literatura que destaca cómo la IA transforma el concepto de autoridad y la interacción dentro de los entornos educativos. Guilherme (2019) sostiene que la influencia de la tecnología en la educación contribuye a un cambio que reduce el énfasis en la formación del carácter y prioriza la adquisición de habilidades y la consecución de tareas, lo que tiene consecuencias significativas para el desarrollo ético y democrático. Este enfoque se vincula con el proceso de "aprendizaje" propuesto por Biesta (2009), quien entiende a los docentes como facilitadores en lugar de como educadores autoritarios, lo que debilita las estructuras sociales necesarias para una educación holística. Como se ha discutido por Hogan (2019) y Williamson (2017), los sistemas algorítmicos reducen significativamente la autoridad educativa del educador, desplazando la toma de decisiones de los profesores e instituciones públicas hacia la IA. Las vías de aprendizaje, las normas conductuales e incluso los estados afectivos terminan dependiendo de la IA, lo que normaliza la mediación constante de esta tecnología en los entornos educativos (Hogan, 2019).

La influencia de la IA en la educación va mucho más allá de ser una mera herramienta técnica, ya que tiene el potencial de reconfigurar la evaluación, la autoridad e incluso los valores vinculados a la práctica educativa.

V. INICIATIVAS DE GOBERNANZA DE LA IA APLICADA AL DERECHO A LA EDUCACIÓN DESDE LA UNESCO, LA UE Y EL CONSEJO DE EUROPA

La gobernanza de la inteligencia artificial aplicada a la educación está integrada en un marco multilateral que aborda tanto los fines de la educación como los límites legítimos de la intervención tecnológica. Esta sección describe la contribución de tres organizaciones internacionales clave para la configuración de un sistema de gobernanza de la IA en la educación y de especial interés para España: La UNESCO, la UE y el Consejo de Europa. Estos marcos abordan cada vez más la IA en la educación como una cuestión clave para la protección de los derechos humanos y la integridad democrática. Sin embargo, lo hacen con distintos grados de coherencia, exigencia y sensibilidad pedagógica.

La aportación de la UNESCO es especialmente relevante. En el contexto de la IA, la UNESCO promueve un enfoque centrado en el ser humano, que prioriza explícitamente la inclusión, la equidad y la diversidad cultural y lingüística. La IA no se concibe como un elemento independiente de la educación, sino como una herramienta cuya legitimidad depende de su alineamiento con fines educativos fundamentados en la dignidad humana y los valores democráticos (UN, 1999; UNESCO, 2021). Es importante resaltar que la UNESCO enfatiza que la interacción humana y la colaboración entre profesores y alumnos deben mantenerse en el núcleo de la educación, posicionando la dimensión social como un elemento esencial, y no como una preocupación pedagógica secundaria. Un informe más reciente de la UNESCO sobre la

IA generativa profundiza aún más en este debate al abordar la función social de la educación. En este sentido, la UNESCO sostiene que la gobernanza de la IA no debe centrarse únicamente en los aspectos relacionados con la innovación, sino también en su impacto en el concepto de lo que es y lo que debería ser la educación. Así, afirma que la educación debe entenderse como una institución democrática y social, y debe integrarse dentro de las propuestas de gobernanza de la IA (UNESCO, 2023).

Por su parte, la Unión Europea aborda la gobernanza de la IA a través de un modelo regulatorio basado en el riesgo. Como se ha analizado en capítulos anteriores de esta obra, el reglamento (UE) 2024/1689 de la UE (conocido como Ley de IA) adopta un enfoque regulatorio basado en riesgos. Dentro de este marco, los usos educativos de la IA están clasificados como "de alto riesgo", reflejando la preocupación por su posible impacto en los derechos individuales, las oportunidades de vida y la inclusión social (EP y Council, 2024). Por lo tanto, se reconoce que el impacto de la IA en la educación no es neutral ni de bajo riesgo, sino que afecta directamente a la igualdad de oportunidades, la no discriminación y al desarrollo personal.

Por otro lado, el Consejo de Europa integra su contribución a la gobernanza global de la IA como parte de sus funciones de salvaguarda de los derechos humanos, la democracia y el Estado de Derecho. Proporciona, así, un marco de evaluación interesante, también guiado por la protección de los valores democráticos. En este sentido, reconoce que la educación es una institución democrática fundamental, central para la formación de individuos autónomos e integrados socialmente. En consecuencia, la gobernanza digital y la de la IA se interpretan a través de sus implicaciones para la participación democrática, la igualdad ante la ley y la protección de los grupos vulnerables (Comité de Ministros, 2019, 2020).

A pesar de la creciente convergencia en torno a la gobernanza de la IA centrada en el ser humano y basada en los derechos, persisten carencias significativas en la contribución de las organizaciones multilaterales sobre la gobernanza de la IA para lograr una protección integral de la educación.

En primer lugar, existe una fragmentación entre las distintas aproximaciones. La UNESCO presenta una visión centrada en la práctica democrática y social, pero carece de fuerza vinculante (UNESCO, 2021). La UE, por su parte, cuenta con un reglamento al respecto que es vinculante, pero aborda la educación como un entorno de riesgo, en lugar de considerarla como una institución democrática. El Consejo de Europa, aunque ofrece una narrativa sobre la IA vinculada a la democracia y los derechos, limita su enfoque en lo que respecta a su aplicación en el ámbito educativo.

En segundo lugar, las dimensiones pedagógicas y sociales de la educación siguen siendo escasamente debatidas. Aunque se mencionan, rara vez se traducen en propuestas concretas.

En tercer lugar, existe una asimetría estructural entre los ámbitos relacionados con el derecho a la educación y aquellos que no lo están. Si bien se contemplan aspectos como la seguridad técnica, la protección de datos y la no discriminación, cuestiones esenciales como la autoridad educativa, el cuidado, el diálogo y la formación democrática no se abordan adecuadamente.

VI. LA GOBERNANZA DE LA IA APLICADA A LA EDUCACIÓN EN ESPAÑA

La guía elaborada por el Instituto Nacional de Tecnologías Educativas y de Formación del Profesorado (INTEF), con el apoyo del Ministerio de Educación, Formación Profesional y Deportes presenta la IA como una tecnología transformadora, asociada a la eficiencia, la innovación y la optimización de procesos (INTEF, 2024). En el ámbito educativo, la IA se utiliza principalmente en funciones relacionadas con el aprendizaje personalizado, la tutoría virtual, las tareas administrativas automatizadas, el análisis de datos y el desarrollo de recursos educativos. Además, se analiza cómo la IA puede contribuir a mejorar la eficacia.

La responsabilidad de gestionar esta transición está dirigida principalmente a los educadores. Se espera que desarrollen las competencias necesarias para guiar a los estudiantes en su uso (INTEF, 2024). También se incorpora un enfoque ético que incluye la supervisión humana, la transparencia, la equidad y la protección de datos. Sin embargo, con menos frecuencia se abordan cuestiones relacionadas con la autoridad educativa, el aprendizaje en un marco social o la función democrática de la educación.

En general, la IA se concibe como una herramienta para optimizar el rendimiento. De manera secundaria, se sugiere un alineamiento con los principios educativos centrados en el ser humano.

La distribución de la responsabilidad en la integración de la inteligencia artificial se describe de manera desigual entre los actores institucionales. Aunque las estrategias nacionales promueven el uso ético, la supervisión humana y el cumplimiento normativo, gran parte de la responsabilidad práctica en la gestión de la IA recae en los educadores y los estudiantes.

En este contexto, se anima a las universidades a acompañar a sus comunidades en el aprendizaje de la IA generativa de manera rigurosa y ética, integrando estas herramientas en los procesos de enseñanza y aprendizaje (UC3M, 2023). Se espera que los estudiantes, a su vez, utilicen la IA de manera crítica y creativa, respetando los estándares de integridad académica. Por lo tanto, se enfatiza la responsabilidad profesional y el cumplimiento de los usuarios. No obstante, aún se ofrece poca orientación sobre cómo las instituciones educativas pueden reorganizar estructuralmente los modelos pedagógicos y las prácticas de evaluación.

Se reconocen principios éticos como la transparencia, la equidad y el control humano, pero no siempre se traducen en un diseño adaptado a esos principios (INTEF, 2024). Esto da lugar a una rendición de cuentas asimétrica: la responsabilidad de gestionar los riesgos e implicaciones de la IA recae principalmente en los profesores y alumnos, mientras que el poder para tomar decisiones permanece a nivel sistémico. Desde la perspectiva de lograr una educación centrada en el ser humano, este desequilibrio es significativo. Si la educación se entiende como un proceso formativo social, la responsabilidad no puede depender únicamente de los educadores. Este enfoque puede reducir la IA a una herramienta que solo impacta en la competencia profesional, desatendiendo la cuestión colectiva institucional y democrática.

La mayoría de los estudios, estrategias y políticas presentan la IA como una herramienta destinada a apoyar la enseñanza, en lugar de reemplazarla. La guía del INTEF describe repetidamente la IA como un recurso que puede asistir a los educadores en sus diversas tareas (INTEF, 2024). Esta posición sugiere una relación complementaria en la que los sistemas tecnológicos mejoran, pero no sustituyen, la autoridad pedagógica humana. No obstante, al mismo tiempo, se delegan a la IA prácticas educativas fundamentales. Por ello, la guía del INTEF intenta preservar el juicio profesional, destacando que los datos generados por IA deben guiar a los profesores sin sustituir su toma de decisiones (INTEF, 2024). Para lograr esto, los docentes deben desarrollar las habilidades necesarias para integrar estas herramientas en su enseñanza (INTEF, 2024). La responsabilidad de mantener la calidad educativa sigue siendo humana, incluso cuando la IA se integre de manera más profunda en el proceso de enseñanza. La IA se presenta como una herramienta, pero con el potencial de transformar la dinámica formativa. La cuestión ya no es solo si la IA reemplazará a los profesores, sino cómo su papel pedagógico puede redefinir la autoridad y las condiciones bajo las cuales se forma un estudiante.

A pesar de reconocer los riesgos éticos y los desafíos pedagógicos, los marcos de gestión de la IA en los entornos educativos en España prestan una atención limitada a los fundamentos sociales de la educación. La guía del INTEF se centra principalmente en cómo la IA puede apoyar los procesos de aprendizaje (INTEF, 2024). Rara vez se discute cómo la IA podría transformar las relaciones que estructuran la práctica educativa. Las preocupaciones sociales se abordan principalmente como riesgos. Por ejemplo, se señala que una dependencia excesiva de las herramientas de IA podría reducir la interacción entre estudiantes y profesores, afectando negativamente el desarrollo de habilidades sociales y emocionales (INTEF, 2024). Esto indica que, aunque se reconoce que la educación no es solo un proceso técnico, sino también social, este aspecto se concibe como algo que la IA podría debilitar.

También se aborda la influencia de la IA sobre la autonomía docente. La creciente dependencia de los sistemas de IA para la personalización se considera como un posible riesgo o competencia para la labor de los profesores dentro de las instituciones educativas (INTEF, 2024). Actualmente, la respuesta a esta preocupación se centra en enfatizar la necesidad de preservar el juicio del profesor en la toma de decisiones, en lugar de reflexionar sobre cómo debería reorganizarse la autoridad y la responsabilidad en los entornos de aprendizaje cada vez más tecnológicos.

Desde la perspectiva de una educación centrada en el ser humano, esta omisión es significativa. Si la educación se entiende como una práctica social a través de la cual se desarrollan el conocimiento, la responsabilidad y la capacidad crítica, la estrategia de gestión y gobernanza no puede limitarse a la obtención de competencias. La escasa atención a la dinámica social sugiere que la integración tecnológica avanza más rápido que los marcos de actuación necesarios para gestionarla adecuadamente.

Los marcos de gobernanza de la IA en España hacen referencia a instrumentos internacionales clave, como la Ley de IA de la UE y la Recomendación de la UNESCO sobre la Ética de la Inteligencia Artificial (INTEF, 2024) o las propuestas del Consejo de Europa. Esto indica una intención de alinear la política nacional con estándares éticos y regulatorios más amplios. Este alineamiento es especialmente evidente en el énfasis en los derechos fundamentales, así como en la transparencia, la equidad y el uso responsable de la IA. Sin embargo, resulta difícil concretar este alineamiento cuando se aborda el ámbito educativo, ya que aún falta una estrategia concreta de implementación en relación con los aspectos mencionados.

Los compromisos multilaterales funcionan como marcos de referencia, siendo los Estados los responsables de estructurar la práctica educativa. Esto sugiere un alineamiento selectivo, en el que se reconocen los estándares éticos, pero su aplicación práctica en el ámbito educativo sigue siendo compleja.

VII. CONCLUSIONES

El estudio realizado en este capítulo permite concluir que, actualmente, existe una comprensión predominantemente tecnocrática de la irrupción de la IA en la educación en España. Se entiende la IA como una herramienta clave para promover la eficiencia, la gestión de riesgos y la optimización de sistemas, dejando de lado la responsabilidad democrática de la institución educativa. Esto tiene consecuencias relevantes: como se demuestra en el análisis, los marcos de gobernanza pueden influir en el concepto mismo de educación, que es un derecho esencial para la ciudadanía en las democracias.

La educación se aborda en gran medida como un sistema que necesita ser optimizado, más que como una institución clave en la conciencia democrática. Las escuelas y universidades son espacios en los que los estudiantes aprenden a relacionarse con la autoridad, la diferencia y las normas compartidas. Desde esta perspectiva, el riesgo no radica en la tecnología en sí misma, sino en la lógica mediante la cual se integra en el sistema. La formación democrática de los ciudadanos no es el resultado de aumentar la productividad individual, sino del aprendizaje y comprensión de las prácticas compartidas, del diálogo social y de la exposición a entornos plurales. La necesidad de preservar una educación que priorice la formación en valores democráticos no es una invitación a rechazar la integración de la IA, sino una advertencia sobre lo que está en juego si se convierte en el actor central de la toma de decisiones.

Los resultados de este estudio señalan varios riesgos: por un lado, el acceso desigual a las herramientas de IA puede exacerbar las inequidades educativas existentes, beneficiando a los estudiantes con mayores recursos y perjudicando a otros; y, por otro, la responsabilidad de gestionar la IA recae en gran medida en los profesores y estudiantes, lo que añade cargas profesionales y éticas ya significativas.

La integración de la IA en la educación también genera oportunidades. Si la IA reduce la carga administrativa, se podría invertir más tiempo en el desarrollo de la formación democrática, el pensamiento crítico y la alfabetización política. La alfabetización en IA puede convertirse además en un objetivo educativo, incluyendo la capacidad de reconocer los intentos de manipulación y la desinformación.

Este capítulo también pone de manifiesto las debilidades del sistema multilateral. Se ha analizado la contribución de tres organizaciones internacionales (UNESCO, UE y Consejo de Europa), que han articulado marcos centrados en el ser humano, si bien solo la UE ofrece un marco vinculante. Los asuntos más técnicos, como la importancia del sesgo y la protección de datos, reciben atención en estos marcos, mientras que las cuestiones relativas al impacto de la IA en la autoridad del educador, la dimensión social o la formación democrática siguen pendientes. Como resultado, la responsabilidad de implementar la IA en la educación se traslada a los profesores y estudiantes, en lugar de recaer sobre las instituciones y proveedores tecnológicos.

En conjunto, se evidencia la necesidad de un marco de gobernanza global que tenga en cuenta la dimensión democrática y social que debe estar presente en la educación. En lugar de constituir un modelo de gobernanza participativo o pedagógico, los marcos actuales se basan en un enfoque técnico. Esto produce un sistema en el que la responsabilidad se individualiza, mientras que el proceso de toma de decisiones permanece estructuralmente centralizado.

A lo largo del presente capítulo se han examinado diversas propuestas de gobernanza en torno al papel de la IA en la educación que tienen incidencia en España y cómo estos enfoques se alinean o no con una educación centrada en el ser humano. El análisis muestra que, aunque las preocupaciones éticas y los derechos fundamentales son cada vez más reconocidos, las iniciativas de gobernanza en torno a la IA aplicada a la educación siguen estando en gran medida centradas en medidas técnicas coyunturales. La IA se entiende como una herramienta para la eficiencia, la optimización y la gestión de riesgos, y se responsabiliza de su implementación a educadores y estudiantes. Las dimensiones democráticas y sociales de la educación, como el diálogo, la autoridad, el cuidado y la formación colectiva, solo se reconocen subsidiariamente. Para que la IA pueda apoyar la salud democrática de los países en lugar de socavarla, los marcos de gobernanza deben ir más allá de la eficiencia y el cumplimiento, e integrar los propósitos sociales y democráticos en la regulación educativa y el diseño institucional.

VIII. BIBLIOGRAFÍA

Arendt, H. (1961). The crisis in education. *Between past and future*, 173-196.

Biesta, G. (2009). Good education in an age of measurement: on the need to reconnect with the question of purpose in education. *Educ Asse Eval Acc, 21*(1), 33-46. https://doi.org/10.1007/s11092-008-9064-9

Declaration by the Committee of Ministers on the manipulative capabilities of algorithmic processes (Adopted by the Committee of Ministers on 13 February 2019 at the 1337th meeting of the Ministers' Deputies), (2019). https://search.coe.int/cm?i=090000168092dd4b

Recommendation of the Committee of Ministers to member States on the human rights impacts of algorithmic systems (Adopted by the Committee of Ministers on 8 April 2020 at the 1373rd meeting of the Ministers' Deputies).

, (2020). https://search.coe.int/cm?i=09000016809e1154

Regulation (EU) 2024/1689 of the European Parliament and of the Council of 13 June 2024 laying down harmonised rules on artificial intelligence and amending Regulations (EC) No 300/2008, (EU) No 167/2013, (EU) No 168/2013, (EU) 2018/858, (EU) 2018/1139 and (EU) 2019/2144 and Directives 2014/90/EU, (EU) 2016/797 and (EU) 2020/1828 (Artificial Intelligence Act), (2024).

Guilherme, A. (2019). AI and education: the importance of teacher and student relations. *AI & Society, 34*(1), 47-54. https://doi.org/https://doi.org/10.1007/s00146-017-0693-8

Gutmann, A. (1993). Democracy & democratic education. *Studies in Philosophy and Education, 12*(1), 1-9. https://doi.org/10.1007/BF01235468

Hogan, A. (2019). Review of Ben Williamson (2017). Big Data in Education: the Digital Future of Learning, Policy and Practice. *Postdigital science and education, 1*(2), 558-561. https://doi.org/10.1007/s42438-019-00059-6

Holmes, W., Porayska-Pomsta, K., Holstein, K., Sutherland, E., Baker, T., Shum, S. B., Santos, O. C., Rodrigo, M. T., Cukurova, M., Bittencourt, I. I., & Koedinger, K. R. (2022). Ethics of AI in Education: Towards a Community-Wide Framework. *Int J Artif Intell Educ, 32*(3), 504-526. https://doi.org/10.1007/s40593-021-00239-1

INTEF. (2024). *Guia sobre el uso de la Intelligencia Artificial en el Ambito Educativo.* Instituto Nacional de Tecnologías Educativas y de Formación del Profesorado.

International IDEA. (2025). *THE GLOBAL STATE OF DEMOCRACY 2025–Democracy on the Move.* https://doi.org/International IDEA

Katznelson, I. (1989). [Democratic Education, Amy Gutmann]. *History of Education Quarterly, 29*(1), 131-134. https://doi.org/10.2307/368611

Ministry Of Foreign Affairs. (2025). *SPAIN'S FOREIGN ACTION STRATEGY 2025-2028.* https://www.exteriores.gob.es/es/PoliticaExterior/Documents/EAE_2025-2028/Estrategia%20Acci%C3%B3n%20Exterior%20Ingl%C3%A9s.pdf

Nord, M., David Altman, Fabio, & Angiolillo, T. F., Ana Good God, and Staffan I. Lindberg. (2025). *DEMOCRACY REPORT 2025: 25 Years of Autocratization – Democracy Trumped?* https://www.v-dem.net/documents/60/V-dem-dr__2025_lowres.pdf

OECD. (2026). *OECD Digital Education Outlook 2026*

Exploring Effective Uses of Generative AI in Education. https://www.oecd.org/en/publications/oecd-digital-education-outlook-2026_062a7394-en.html

Ruiz-Lázaro, J., Redondo-Duarte, S., Jiménez-García, E., Martínez-Requejo, S., & Galán-Íñigo, A. (2025). Analysis of guidelines for the use of artificial intelligence in higher education: a comparison between Spanish universities. *Bordon. Revista de Pedagogia, 77*(1), 121-153. https://doi.org/10.13042/Bordon.2025.110638

UC3M. (2023). *Recomendaciones para la docencia con inteligencias artificiales generativas.* Retrieved 26.01. from https://hdl.handle.net/10016/37989

UN. (1999). *The Right to Education, Article 13.* Retrieved 26.01. from https://www.ohchr.org/en/resources/educators/human-rights-education-training/d-general-comment-no-13-right-education-article-13-1999#:~:text=1.,and%20rewards%20of%20human%20existence.

UNESCO. (2021). *AI and education–Guidance for policy-makers.* United Nations Educational, Scientific and Cultural Organization. https://doi.org/https://doi.org/10.54675/PCSP7350

UNESCO. (2023). *Guidance for generative AI in education and research.* United Nations Educational, Scientific and Cultural Organization. https://doi.org/https://doi.org/10.54675/EWZM9535

Universidad Autónoma de Madrid. (2023). Guía básica sobre el uso de la Inteligencia Artificial para docentes y estudiantes. https://www.uam.es/uam/media/doc/1606941290988/guia-visual-iagen.pdf

World Economic Forum. (2025). *Global Risks Report 2025.* https://reports.weforum.org/docs/WEF_Global_Risks_Report_2025.pdf

Zawacki-Richter, O., Marín, V. I., Bond, M., & Gouverneur, F. (2019). Systematic review of research on artificial intelligence applications in higher education – where are the educators? *Int J Educ Technol High Educ, 16*(1), 1-27. https://doi.org/10.1186/s41239-019-0171-0

Capítulo 9.

Multilateralismo 2.0: El papel de España y las organizaciones internacionales en la protección de los menores en entornos automatizados

PAULA HERRERO DIZ
Profesora Titular de Comunicación
Universidad Loyola Andalucía

I. INTRODUCCIÓN

La relación prematura de los menores con la tecnología es una cuestión de Estado; en primer lugar, porque abre un debate sobre la salud pública donde ya se registran los efectos nocivos que una exposición prolongada, mal entendida y sin cuestionamiento de la tecnología puede tener sobre el bienestar físico y mental de los más pequeños (Christakis & Hale, 2025; Mansfield *et al.*, 2025). Pero también es un asunto que afecta a la seguridad, pues están en juego la identidad, la intimidad y la privacidad de los menores, así como sus derechos (España, 2025). Igualmente, las políticas educativas se ven condicionadas porque han de responder a los retos que conlleva la adopción de la tecnología en el aula (UNESCO, 2023). A esto se suma la naturaleza transnacional del ecosistema digital en el que participan los jóvenes, caracterizada por la presencia de plataformas que operan en múltiples jurisdicciones.

Todo lo anterior ha motivado la creación de movimientos nacionales, alianzas privadas, formadas por familias y expertos en educación, como Adolescencia Libre de móviles (en España), *Wait Until 8th* (Estados Unidos) o *Smartphone Free Childhood* (Reino Unido), entre muchos otros. Juntos han llamado la atención sobre el impacto de las plataformas sociales en los menores; en los teléfonos inteligentes como dispositivo de entrada a esos espacios; y, más recientemente, en la inteligencia artificial (IA) como principal preocupación para la protección de sus hijos en Internet (West & Robinson, 2025; Unicef, s.f.). Por ello reclaman a las autoridades medidas concretas como: la regulación o prohibición de los dispositivos móviles en los centros educativos; la reducción de la edad de acceso de los menores a las redes sociales y de tenencia de un *smartphone*; la habilitación de controles parentales y mecanismos de verificación de la edad en los dispositivos y las plataformas; la eliminación de las gratificaciones y sistemas de recompensa en la red para estos usuarios; o la transparencia de los algoritmos.

Tales demandas han tenido como consecuencia la promulgación de normas restrictivas, como la Ley de Seguridad en Línea (Online Safety Act, 2025) en Australia, que prohíbe el acceso de menores de 16 años a determinadas redes sociales, medida que los gobiernos francés y español también han anunciado que secundarán, o la Ley HB3 en Florida (Estados Unidos), que rebaja esa edad a 14 años. Mientras que otros países, como los que integran la Unión Europea, están adoptando medidas propias, más o menos coercitivas, con la Ley de Servicios Digitales (DSA) del Parlamento Europeo como referencia (Comisión Europea, 2025), y, dentro de esta, las *Directrices sobre medidas para garantizar un elevado nivel de privacidad, seguridad y protección de los menores en línea*. En el caso español, en el contexto de este trabajo, contamos con el Proyecto de Ley Orgánica para la protección de las personas menores de edad en los entornos digitales (2025).

El objetivo de este capítulo es conocer el potencial de la colaboración entre las administraciones públicas y la sociedad civil para resolver problemas que se vuelven comunes, como los ciberdelitos, que traspasan las fronteras digitales en cuestión de segundos (Artigas, 2025). Así, de forma conjunta, a través de las redes de cooperación, como veremos más adelante, el poder gubernamental podría conseguir, por ejemplo, la retirada de contenidos ilícitos para evitar su propagación (The Social Media Victims Law Center, s.f.).

Para alcanzar este propósito, se realiza una búsqueda hemerográfica de documentos intergubernamentales (instrumentos jurídicos, acuerdos, tratados, convenios y protocolos que establecen obligaciones, normas y cooperación entre dos o más Estados) y de aquellos producidos por la sociedad civil (informes, estudios, decálogos y barómetros). El resultado es la exposición de las estrategias y medidas que han aflorado al albur de los desafíos que plantea la conexión a los entornos automatizados para los más pequeños. Dada la naturaleza global y conectada de esos desafíos, se aborda el tema desde la perspectiva del multilateralismo como solución para formular de manera coordinada todas esas acciones y "reforzar y modernizar el sistema mundial de normas e instituciones del que todos dependemos" (Borrell, 2021). En concreto, se recurre al concepto de multilateralismo 2.0 propuesto por la Organización de las Naciones Unidas (ONU, s.f.), que se refiere a la especialización de las alianzas en temas comunes, entre los que se encuentra el impacto de la tecnología en los ciudadanos.

II. LA CORRESPONSABILIDAD DE LAS MÚLTIPLES PARTES INTERESADAS

La proliferación de casos de jóvenes de diferentes países que han sufrido daños colaterales derivados del uso de la tecnología en los últimos años, especialmente en las plataformas digitales: suplantación de la identidad, sustracción de datos, conductas suicidas, ansiedad, depresión, baja autoestima, adicciones, trastornos del sueño, desinformación, etc. (Porcel, 2026; Chatterjee, 2025; Titheradge y Malchevska, 2025; Yang *et al.*, 2025), ha puesto de manifiesto que los riesgos a los que se exponen los menores en los entornos digitales no distinguen de geografías y que exigen medidas de prevención y protección de los usuarios. Para garantizar una participación segura de este público, es necesaria la aportación de actores de distintas jurisdicciones con capacidad para influir en las políticas de Internet.

El "modelo de múltiples partes interesadas" (del inglés *multi-stakeholders*) se presenta como una oportunidad para afrontar esos retos de conexión (Internet for Society, 2025). Y aunque no existen soluciones que valgan para todas estas familias, ni para aquellas que se enfrentan por primera vez a las preocupaciones que la tecnología les genera (Qustodio, 2024), la idea de la corresponsabilidad (del inglés *whole-of-society*) aliviaría la presión en el hogar al proponer un reparto equitativo de la prevención y la protección entre el Estado, la industria, las familias y la educación. Este enfoque reconoce que ninguna entidad puede abordar en solitario los riesgos transnacionales de Internet: todos los sectores tienen responsabilidades y funciones para una mejor gobernanza de la red, como veremos a partir del análisis del papel que desempeñan (Andreeva, 2025; OECD, 2025; Proyecto de Ley Orgánica para la protección de las personas menores de edad en los entornos digitales, 2025; Unicef, 2025).

2.1. El papel de la sociedad civil (tercer sector)

En los últimos años, la acción coordinada de familias, educadores, psicólogos, psiquiatras y científicos, en forma de asociaciones y fundaciones, ha dado como resultado la propuesta de una serie de soluciones para prevenir los efectos nocivos de la tecnología y reducir el daño ante amenazas potenciales para los menores en entornos automatizados. A estas iniciativas privadas hay que sumar el trabajo de las organizaciones sin ánimo de lucro (ONG) en materia de protección y seguridad. Es precisamente la unidad de estos actores la estrategia más efectiva para afrontar lo que Haidt (2024: 11) ha denominado "problemas de acción colectiva", pues la presión del grupo, especialmente en la adolescencia, y el peso de la industria tecnológica hacen ineficaz el trabajo individual de la familia. Para que alcancen el éxito, "es imprescindible que estén alineadas con la normativa europea y que se ejecuten mediante una solidaria cooperación administrativa" (Guadix, 2025: 141).

En el caso de España, el Proyecto de Ley Orgánica para la protección de las personas menores de edad en los entornos digitales (2025) contempla un plan nacional integral en el que participen el sector privado, la academia y la sociedad civil. Esta colaboración es indispensable si consideramos la misión de las distintas organizaciones, iniciativas, asociaciones, fundaciones, movimientos o colectivos civiles: la defensa de los intereses de la infancia (Tabla 1). Para ello, la mayoría se emplea en ofrecer pautas, recursos educativos e información a las familias, además de velar por el cumplimiento de las leyes que regulan la conexión a Internet de forma segura para los más pequeños.

Tabla 1. El papel de las organizaciones del tercer sector en España dedicadas a la protección de los menores en los entornos digitales

Entidad	**Naturaleza**	**Misión**
Pantallas Amigas Desempantallados	Iniciativas (auspiciadas por la ONG EDEX)	Promover el bienestar, los derechos y la ciudadanía digital.
Dale Una Vuelta	Iniciativa	Sensibilizar sobre los peligros de la pornografía y apoyar para evitar su consumo problemático.
Movimiento OFF	Colectivo	Defender el derecho a la desconexión y concienciar sobre los riesgos que conlleva el uso intensivo de dispositivos y la falta de restricciones.

Fundación SOL	Fundación	Promover el buen uso de la tecnología mediante herramientas para navegar por el mundo digital de manera segura y consciente.
Fundación Hermes	ONG	Promover la gobernanza digital, la libertad de expresión, la protección de la democracia y la defensa de los derechos humanos.
Save the Children (España)	ONG	Defender los derechos, poniendo el foco en el impacto de la desinformación y de los discursos de odio.
Fundación ANAR	Fundación	Gestionar las líneas de ayuda (teléfono/chat) para niños y adolescentes en riesgo.
FAPMI-ECPAT España	Federación	Luchar contra la explotación sexual *online* y el maltrato infantil mediante capacitación profesional y programas de prevención.
Educo	ONG	Investigar la vulnerabilidad en la infancia ("niños de la llave") y promover el derecho a la participación y a la escucha activa de los menores.
Fad Juventud	Fundación	Investigar el bienestar juvenil y prevenir las adicciones comportamentales (videojuegos, apuestas).
iCMedia	Federación	Fomentar la calidad de los medios y la alfabetización mediática, asesorando a familias y organismos.
Adolescencia Libre de Móviles (ALM)	Movimiento ciudadano	Retrasar la entrega del smartphone hasta los 16 años. Formar frente a los desafíos venideros de la tecnología en el hogar y la educación.
Derechos al Futuro (Enmarcado en el Observatorio de Derechos Digitales)	Movimiento ciudadano + universidades	Asegurar que los derechos constitucionales y europeos se ejerzan en el entorno digital.

Cyber Guardians	Iniciativa sin ánimo de lucro	Promover el uso saludable de las pantallas y la protección frente al diseño adictivo.
e-tic	Fundación Diario de Navarra	Enseñar a los menores, a través de un programa pedagógico centrado en la alfabetización mediática, a desenvolverse en el mundo online de forma equilibrada y ética, con valores y criterio.
Asociación Europea para la Transición Digital (AETD)	Asociación	Promover el Pacto de Estado para proteger a los menores y un desarrollo tecnológico ético.
ICMEDIA	Fundación	Colaborar con las administraciones públicas y entidades especializadas para promover la protección de la audiencia infantil frente al uso de las nuevas tecnologías. Promover la alfabetización mediática y ser un referente para las familias. Promover el Pacto de Estado para proteger a los menores en internet, una iniciativa que une a la sociedad civil con instituciones como la AEPD, la Fiscalía General del Estado y la CNMC.

Fuente: Elaboración propia

a) Elaboración de libros, guías e informes

Además de las tareas mencionadas, una de las principales aportaciones de las entidades del tercer sector es la publicación periódica de barómetros que reflejan las tendencias en el impacto de la tecnología en la niñez y la adolescencia. Los informes de Qustodio (2024), sobre los dilemas digitales de moda; los de Save The Children a cerca de los daños y las brechas digitales (Moral y Burriel, 2024); el de Cyber Guardians que registra los datos que afectan a la salud mental y física de los menores (Alto Intelligence-Cyber Guardians, 2024); los de Fad-Centro Reina Sofía que ponen el foco sobre la dependencia y las adicciones y la prevención de conductas de riesgo (Megías, 2024); el de Cáritas (García *et al.*, 2022) sobre cómo afecta todo lo anterior a las familias en situación vulnerable; o la información cualitativa que recoge la Fundación ANAR anualmente a través de sus teléfonos y canales de ayuda a las familias (Ballesteros y Campos, 2024), entre muchos otros estudios, son una fuente de información enriquecedora y complementaria a la labor de la comunidad científica y al análisis de los organismos públicos. Los datos que arrojan estas investigaciones deberían apoyar la toma de decisiones institucionales y servir como instrumento de presión para que la industria adopte y cumpla las medidas que salvaguarden los derechos del menor.

b) Formación en alfabetización mediática para familias y docentes

Allí donde no llegan las administraciones públicas ni da más de sí la dedicación del profesorado, las asociaciones pueden desempeñar un papel educativo relevante para fomentar políticas de prevención y de educación digital sistémica. Por ello, y en relación con el apartado anterior, otra de las labores fundamentales de las organizaciones civiles es transformar las conclusiones de sus estudios y el diagnóstico en propuestas e intervenciones formativas. La mayoría alberga en sus páginas web materiales accesibles y especializados para cada necesidad (*ciberbullying*, *sexting*, privacidad, ciberseguridad, etc.), en forma de cursos, talleres, unidades didácticas (Asociación Libre de Móviles, Pantallas Amigas, Fundación ANAR, Educo, e-tic, etc.). Estos recursos prácticos han sido elaborados por psicólogos, abogados, educadores y trabajadores sociales expertos, con las recomendaciones de la Asociación Española de Pediatría (AEP), y están destinados tanto a familias como a profesionales. Además, alojan vídeos pedagógicos que reúnen charlas, entrevistas y encuentros con expertos (Desempantallados). También hacen recomendaciones sobre libros y controles parentales, y comparten glosarios actualizados de términos que los menores utilizan para comprender su forma de comunicarse. Incluso diseñan contratos y pactos para regular el tiempo de conexión y el uso de dispositivos móviles en el hogar (Fundación Sol, ALM). Muchas de estas actividades las ofrecen de forma presencial en centros educativos y otros espacios y tienen como propósito una mediación parental habilitante que fomente el pensamiento crítico en los hijos.

c) Propuestas regulatorias-legislativas y exigencia de su cumplimiento

En 2023, unas profesoras registraron en el Congreso de los Diputados las firmas de miles de ciudadanos que reclamaban la regulación del acceso de los menores a los dispositivos móviles (EFE, 2023). El resultado fue la prohibición de dispositivos en las aulas por parte del Consejo Escolar del Estado, así como la adopción de medidas regulatorias o restrictivas en los centros educativos de distintas comunidades autónomas (Díez, 2025). En Estados Unidos, por poner otro caso, las familias cuyos hijos se han visto perjudicados por las redes sociales han llevado a juicio a las grandes plataformas (*Big Tech*) en una demanda presentada por *The Social Media Victims Law Center* (SMVLC) en la que se les atribuyen los daños que infligen a usuarios vulnerables (Porcel, 2026).

Ambas luchas reflejan dos preocupaciones comunes a todas las familias, sin importar el contexto cultural o geográfico: los peligros que representan los dispositivos y la conexión a la barra libre de Internet. Por ello, si repasamos la misión de los movimientos y asociaciones existentes, todos coinciden en sus objetivos: conseguir que los fabricantes de dispositivos inteligentes (móviles, ordenadores o tabletas) incluyan, por defecto, funcionalidades de control parental activadas en el sistema operativo inicial y que proporcionen información accesible sobre los riesgos derivados del uso indebido del terminal. Y que la industria rinda cuentas. Que sea transparente en el uso de los algoritmos que alimentan sesgos o favorecen un consumo adictivo de contenidos o servicios digitales, y de aquellos que inducen acciones en menores; que etiquete y califique los contenidos en función de los riesgos que puedan entrañar para la salud y de la edad para la que son más apropiados; y que no se recopilen datos de los pequeños usuarios con fines comerciales. En este sentido, los expertos en derecho creen que la acción ciudadana, a través del sistema de justicia civil, puede lograr que las empresas de redes sociales se obliguen a incorporar la seguridad del consumidor al coste de producción (T*he Social Media Victims Law Center, s.f.*).

2.2. El papel de las empresas (segundo sector)

Como decíamos previamente, la inexistencia de fronteras digitales entre países también invita a los agentes privados a colaborar con las administraciones públicas. En el caso de las compañías tecnológicas, que hasta ahora operaban bajo la autorregulación —voluntaria—, ahora se rigen por la Ley de Servicios Digitales (DSA) europea y deben, por tanto, actuar como garantes de la seguridad infantil. En España, la Agencia Española de Protección de Datos (AEPD) es el organismo encargado de supervisar el cumplimiento de esta norma y de la legislación propia (el Proyecto de Ley Orgánica para la protección de las personas menores de edad en los entornos digitales, 2025). Para ayudar a las empresas en esta tarea, elaboran guías técnicas y otros recursos, entre los que destaca el Pacto Digital para la Protección de las Personas, por su capacidad para lograr la adhesión de más de 400 empresas y medios de comunicación. Formar parte de este listado significa que la empresa ha aceptado formalmente un decálogo de buenas prácticas. A pesar de ello, y de las sanciones que puede acarrear su incumplimiento, no todas lo respetan de manera uniforme; unas promueven y lideran alianzas estratégicas, mientras que otras aún deben afrontar su implementación. Sea cual sea el nivel de implicación, con su firma, en términos generales, se comprometen a:

- Ser transparentes en el diseño y el contenido: no utilizar algoritmos que generen comportamientos compulsivos o adictivos en menores.
- Desarrollar sistemas de verificación de edad no invasivos para impedir el acceso de menores a contenidos inapropiados, como pornografía, violencia o juegos de azar.
- Garantizar la privacidad de los usuarios: deben configurar, de forma predeterminada, los perfiles de menores con el máximo nivel de seguridad, limitando la recolección de datos personales.
- Habilitar canales de denuncia accesibles: enlaces visibles y directos en sus webs, como una suerte de «botón del pánico» o un «canal prioritario», para denunciar contenidos lesivos ante las autoridades y retirarlos con urgencia.
- Evaluar el riesgo: las grandes plataformas deben realizar auditorías periódicas para identificar y mitigar riesgos que afecten al bienestar físico o mental de los menores.

La rendición de cuentas sobre todo lo anterior, es decir, el impacto de su actividad en la infancia será su gran reto (Guadix, 2025).

2.2.1. Compañías comprometidas con la protección de los menores *online*

Algunas empresas, dentro de sus políticas de responsabilidad social corporativa, destacan por establecer estándares complementarios a los legales y lo hacen, por lo general, a través de sus propias fundaciones, desde las cuales articulan diversas iniciativas (Tabla 2). Además, colaboran estratégicamente con instituciones públicas y organizaciones dedicadas a la infancia y a la defensa de sus derechos. En el contexto español, podemos identificar cuatro grandes sectores económicos implicados en la seguridad digital de los menores: las empresas telefónicas y tecnológicas, los medios de comunicación, las entidades deportivas y las empresas de alimentación.

Las empresas que venden productos y servicios que permiten la conexión a Internet a menores de edad, a pesar de implementar filtros de red y herramientas de control parental, reconocen los riesgos implícitos de su uso. Sin embargo, defienden los beneficios que la tecnología puede aportarles en términos de habilidades y competencias digitales. Por ello, desarrollan programas y talleres de alfabetización mediática para inculcarles la responsabilidad, un uso saludable y equilibrado de la tecnología, la protección de la propia imagen y el pensamiento crítico. El objetivo es que aprendan a navegar de forma consciente y segura en el entorno digital. Además de la formación *online* que suelen ofrecer, es habitual que promuevan campañas de concienciación y sensibilización cuando detectan ciertas amenazas que les puedan afectar o cuando quieren apelar a un uso responsable de los dispositivos y a un comportamiento cívico en la red. Para que estas acciones sean más efectivas, son fundamentales el apoyo y la complicidad de las familias y del profesorado. Para estos también imparten cursos certificados y diseñan guías, planes de acompañamiento e incluso *newsletters* educativas que ayuden a mejorar la convivencia con la tecnología tanto en el hogar como en los centros de enseñanza. Todo ello se complementa con la publicación de informes, estudios y noticias sobre el impacto de la tecnología en la niñez y la adolescencia.

Las empresas informativas, por su parte, cumplen un papel fundamental porque pueden llegar a jóvenes audiencias más numerosas mediante una amplia oferta de contenidos interactivos y muy persuasivos. Además, estos contenidos, en ocasiones, están protagonizados por personajes famosos que ejercen cierta influencia en las decisiones que toman. Otras son los propios menores los protagonistas, porque los medios organizan concursos para que participen en el diseño de mensajes e ideas que luego formarán parte de las campañas de concienciación del medio, en línea con la recomendación del Comité sobre los Derechos del Niño, Observación General Nº 25, para que intervengan en el diseño de las políticas y plataformas que les afectan.

Entre los medios de comunicación, los especializados en la verificación de toda clase de desinformación (*fact-checkers*) exigen una mención especial por el esfuerzo que han hecho en los últimos años para desmentir bulos y ayudar a los jóvenes a diferenciar la verdad de contenidos que pueden ser engañosos o perjudiciales. Su papel como aliados en proyectos europeos, universidades y centros de enseñanza obligatoria ha sido esencial para hacerles conscientes de los peligros de las mentiras y de la importancia de ser prosumidores exigentes.

En cuanto a las entidades deportivas, también cooperan con el sector público para combatir de manera coordinada los retos digitales que afronta este ámbito (como el discurso de odio, el ciberacoso, el racismo o la xenofobia). Conscientes de que algunas situaciones que se dan en los estadios durante las competiciones se trasladan también al espacio virtual, LaLiga profesional de fútbol, y la Secretaría de Estado de Telecomunicaciones e Infraestructuras Digitales (SETELECO), a través del Instituto Nacional de Ciberseguridad de España (INCIBE), han firmado un acuerdo, en forma de Memorando de Entendimiento, para prevenir los riesgos en línea, proteger la ciberseguridad de los jóvenes aficionados en espacios dedicados al *fan-engagement*, fomentar un entorno *online* donde impere el civismo y organizar campañas informativas relacionadas con todo lo anterior y con la promoción del servicio de asistencia telefónica 017 que atiende a los ciudadanos ante cualquier incidente sobre ciberseguridad.

Además, existen otras iniciativas privadas que se dedican a ayudar a los clubes deportivos y de ocio a cumplir con todas sus obligaciones conforme a Ley Orgánica 8/2021, de 4 de junio, de protección integral a la infancia y la adolescencia frente a la violencia. Según esta norma, en todas esas entidades debe existir la figura del delegado/a de protección, responsable de velar por la seguridad y el bienestar de los menores tanto en el entorno físico como en el mundo digital. También se observa una tendencia a establecer alianzas entre las entidades deportivas y las empresas de alimentación (a través de sus fundaciones) para incluir, en las competiciones deportivas de cualquier modalidad en la que participan menores y adolescentes, mensajes de concienciación para prevenir, sobre todo, el ciberacoso y fomentar una convivencia respetuosa en las redes sociales.

Por último, el sector de la alimentación también ha demostrado un gran compromiso en la lucha contra todas las formas de violencia y acoso en Internet. Como ocurre en otros contextos, estas compañías publican informes y estudios en los que analizan el impacto de la tecnología en la vida de los menores y recogen sus impresiones sobre sus experiencias en la red. Estas empresas colaboran con colegios, institutos, universidades, clubes deportivos y otras organizaciones del tercer sector. Entre estos documentos destacan los decálogos para una convivencia positiva en las plataformas sociales, que incluyen consejos para una navegación segura, a fin de evitar que los jóvenes atenten contra la reputación y la intimidad de sus iguales.

Tabla 2. El papel de las empresas en España dedicadas a la protección de los menores en los entornos digitales

Entidad	**Alianzas**	**Acciones**
Fundación Telefónica	DQ Institute, Observatorio de Derechos Digitales, Pacto Digital de la AEPD, Generación D España Digital, Carta de Derechos Digitales, Derechos al Futuro	Programa *Líderes digitales* para fomentar el pensamiento crítico en la infancia y la adolescencia. Foro *Telos*: charlas y encuentros para analizar los efectos de la tecnología en los menores y concienciar sobre prevención y seguridad. Formación en competencias digitales para menores, docentes y familias, incluida la formación contra el acoso y para un uso equilibrado de la tecnología. Defensa y protección de los derechos digitales de los menores.
Fundación Orange	GAD3, Save the Children, MasOrange, unicef, Pacto Digital, Red.es, Generación D	Campaña *Por un uso love de la tecnología.* Campañas contra el *sharenting* y el ciberacoso. Formaciones para educadores, estudiantes y familias para fomentar competencias digitales a través de Orange Digital Center. Publicación de estudios sobre el uso de la tecnología en el hogar y las percepciones de la juventud acerca de la influencia de los medios y las plataformas en su bienestar físico y mental. Proyectos para ayudar a menores en riesgo de exclusión social y con distintas capacidades para mejorar su calidad de vida a través de la alfabetización en el uso de la tecnología.
Fundación Vodafone	Save the Children,	Iniciativa Skills Upload. Desarrollo del marco SMILE (Seguridad, Gestión, Identidad, Alfabetización y Empatía) para promover la resiliencia y el bienestar digitales en la infancia. Programa europeo de competencias digitales y resiliencia junto a Save the Children. Espacio www.internetseguro para ayudar a las familias a reforzar la privacidad, la seguridad y el buen uso de la tecnología en el hogar.

Fundación Atresmedia	unicef, Observatorio de Derechos Digitales, AEPD, Asociación Europea para la Transición Digital, fad juventud,	Campañas de sensibilización a través de los diferentes canales de televisión, emisoras de radio y soportes multimedia del Grupo Atresmedia: *Saca el móvil de la cena, No a la barra libre digital, Mentes AMI, Efecto Mil, Amibox, Amibox-aula, Amibox-kids, Amiflash, Educación digital en familia, Menores de edad, no de derechos digitales, Más que un móvil, Por no, Porno.* Consejos, guías y herramientas para familias; recursos educativos para docentes; y concursos para estudiantes.
MalditaEduca	Iberifier, centros educativos (universidades, colegios e institutos) Poynter, Unión Europea, Orange, Newtral	Alfabetización mediática para todas las edades: diseño de programas educativos, materiales, juegos, cursos, talleres y charlas sobre desinformación, *fact-checking*, transparencia, datos y comunicación.
Infoveritas	Centros educativos (universidades, colegios e institutos)	Diseño de charlas, talleres y conferencias a medida para aprender a filtrar la información, diferenciar las fuentes fiables de las que no lo son y desarrollar una actitud crítica ante lo que los menores leen, oyen y ven.
LaLiga	Instituto Nacional de Ciberseguridad de España (Incibe), forma parte de la red paneuropea INSAFE	Acciones de sensibilización, campañas informativas, intercambio de buenas prácticas y proyectos estratégicos vinculados a la seguridad digital.
Mihuella-digital	Centros educativos, clubes deportivos	Planes formativos para centros deportivos, educativos, y familias que ayuden a conocer la huella digital de los menores y a prevenir, detectar y actuar ante cualquier situación que pueda ponerles en riesgo.
Fundación COVAP	Empantallados	Campañas de prevención contra el acoso *online,* el uso de las redes sociales para hostigar a las personas mediante ataques personales y la divulgación de información personal o falsa.

Fundación Colacao	Universidad Complutense Asociación no al acoso escolar	Publicación del I Estudio del Acoso Escolar y el Ciberacoso Detección, prevención y tratamiento para mejorar el bienestar socioemocional de la infancia y la adolescencia en el aula y en los entornos digitales.
Grupo Migueláñez	Fundación ANAR	Ayuda a menores de edad que sufren ciberacoso.

Fuente: Elaboración propia

2.3. El papel de las instituciones públicas (primer sector)

Como advertía el inicio de este capítulo, la protección de la infancia en los entornos digitales es un asunto de Estado y de estados, pues de su capacidad de colaboración dependerá la adopción de medidas exitosas en materia digital que garanticen una participación (transnacional) segura de los menores en la red y que hagan frente a los desafíos de su tiempo. Aunque cada país cuenta con sus propios mecanismos de gobernanza digital —o gobernanza de Internet (GI)[1]–, en ocasiones se producen vacíos regulatorios; el multilateralismo, con sus acuerdos bilaterales o plurilaterales (Serrano, 2021), se presenta como una oportunidad o un complemento para abordar dichos retos.

---

1 Foro de la Gobernanza de Internet en España (s.f.): "La gobernanza de Internet es el desarrollo y la aplicación por los gobiernos, el sector privado y la sociedad civil, en las funciones que les competen respectivamente, de principios, normas, reglas, procedimientos de adopción de decisiones y programas comunes que configuran la evolución y utilización de Internet".

A) Gobernanza de la inteligencia artificial

Comenzando por el exterior, la ONU puso en marcha en septiembre de 2024 el Pacto Digital Mundial para la cooperación digital y la gobernanza de la IA con el objetivo de aprovechar su inmenso potencial y reducir las brechas digitales sin abandonar los valores humanos y los derechos fundamentales. Aunque su capacidad real de implementación aún está a prueba (Artigas, 2025), coincide en algunos puntos de su formulación con las directrices de otros documentos europeos, como la Ley de Inteligencia Artificial de la Unión Europea (EU *AI Act)* y con el Proyecto de Ley Orgánica para la protección de las personas menores de edad en los entornos digitales (2025), entre ellas, exigir responsabilidades a las grandes tecnológicas. Bajo esta premisa, el Pacto de la ONU invita a estas compañías y a las plataformas de redes sociales a que proporcionen materiales formativos para que los niños y jóvenes aprendan sobre cuestiones de seguridad y privacidad, y a que establezcan mecanismos de denuncia adaptados para que estos pequeños usuarios, o sus familiares, puedan canalizar posibles violaciones de seguridad o de privacidad.

A nivel europeo, la EU *AI Act* (2024) devuelve al continente su papel de liderazgo mundial en materia de derechos humanos, pues reivindica que la IA debe ser una tecnología centrada en el individuo. Además, esta norma constituye el primer marco jurídico sobre IA que aborda sus riesgos. Frente a la fragmentación legislativa entre los países, esta legislación entra en diálogo con los reglamentos de los países del bloque para lograr una implementación fiable y homogénea de la IA en toda la Unión.

Un aspecto de interés para la participación de los menores en entornos automatizados es la clasificación establecida por la norma europea sobre los sistemas de IA, que sigue un enfoque de riesgo de cuatro niveles: inaceptable, alto, limitado y nulo. Esto afectaría a las tecnologías que utilizan estos usuarios, como los chatbots, la IA generativa de imágenes, textos o vídeo, o los sistemas de recomendación. Para evitar sanciones y poder comercializar sus servicios o productos, tendrían que ser transparentes, advertirles que están interactuando con una IA, etiquetar los contenidos y eliminar los sesgos en el diseño de sus perfiles, entre otros requisitos.

Ya en el ámbito doméstico, España cuenta con el Proyecto de Ley Orgánica para la protección de las personas menores de edad en los entornos digitales (2025), alineado con otro mecanismo: la Ley Orgánica 8/2021 de Protección Integral a la Infancia (LOPIVI). Nuestro país contempla tipos penales específicos para combatir dos problemas muy concretos fruto del uso inapropiado de la IA: la creación y difusión de imágenes íntimas generadas por inteligencia artificial (*deepfakes*) y todas las formas de acoso y abuso sexual *online* (*grooming*).

B) Gobernanza de la seguridad

La sofisticación de la tecnología afecta a la seguridad de los menores no sólo por los contenidos potencialmente nocivos o inapropiados a los que puedan tener acceso o de los que puedan ser protagonistas, sino también por el propio uso de los dispositivos a través de los cuales se conectan.

Comenzando por los primeros, la creación de contenidos digitales, acelerada por la IA, ha propiciado la aparición de delitos digitales emergentes, siendo los más comunes los de carácter sexual (*Child Sexual Exploitation and Abuse*, CSEA). Aunque estas violaciones del derecho de los menores suelen ir por delante de la norma, como señala el movimiento global Weprotect Global Alliance (2025) en su informe sobre las amenazas globales, existen formas de prevención que los países pueden poner en común. Por ejemplo, esta alianza global identifica, entre estos delitos, los singulares de cada país y aquellos que se tornan transfronterizos, y ofrece buenas prácticas que los mismos países aplican para combatirlos, además de los reglamentos que activan para sancionarlos. La unión de más de 300 organizaciones, que reúne a gobiernos y empresas tecnológicas para transformar la respuesta global contra la explotación sexual en línea, complementa su misión con la de la Convención de las Naciones Unidas sobre el Delito Cibernético (2024). Igualmente, la ONU detecta esos delitos internacionales y fija las obligaciones de prevención. Ambas organizaciones, y en general todos los países, se apoyan a su vez en las redes internacionales INHOPE e INTERPOL para denunciar esas violaciones, así como los contenidos perniciosos que afectan a los menores. Estas redes de vigilancia y control policial también sirven, además, para solicitar la retirada de contenidos lesivos para la infancia en distintas fronteras.

En el contexto europeo, Eurochild (2025) es el mecanismo que trabaja en la misma dirección. Mientras que en España este tipo de infracciones, tipificadas en el Código Penal como violencia digital, se combaten con el apoyo de la Agencia Española de Protección de Datos (AEPD). Existe especialmente una inquietud por la generación de contenido sintético lesivo, aquel que simula contenido sexual o vejatorio con el objetivo de menoscabar la integridad moral de los menores (ultrafalsificaciones o *deepfakes*). Además de estas amenazas, se consideran de alto riesgo los mecanismos de recompensa aleatorios en los videojuegos (*loot boxes*).

Por otra parte, en cuanto a la utilización de dispositivos inteligentes, los países y las instituciones reclaman a los fabricantes de tecnología la instalación, por defecto, de sistemas de verificación de edad (SVE), controles parentales, así como auditorías sobre el impacto de estos dispositivos en la infancia (Unicef, 2024) y la desactivación de funciones de geolocalización, micrófonos y cámaras tras cada conexión de los menores (OECD, 2025; Proyecto de Ley Orgánica para la protección de las personas menores de edad en los entornos digitales, 2025). La AEPD propone implementar sistemas que acrediten que el usuario supera la edad requerida sin revelar su identidad ni datos personales a la plataforma, basándose en certificados o tokens anónimos, como propone el proyecto Beta Digital Wallet (del Castillo, 2026). Una solución puede ser el desarrollo de normas internacionales de certificación para que el diseño de productos digitales sea seguro para la infancia por defecto en cualquier mercado (OCDE, 2025; Proyecto de Ley Orgánica para la protección de las personas menores de edad en los entornos digitales, 2025). En lo que respecta al diseño, se aboga por limitar los elementos visuales o de uso/navegación que resulten adictivos, como el *scroll* infinito, las notificaciones, la reproducción automática de contenidos y los botones que faciliten el visionado sin descanso o *binge-watching*.

C) Gobernanza ante una nueva generación de derechos digitales

Con todo lo anterior, parece evidente que cada innovación que se produce afecta a los ciudadanos y, por tanto, obliga a repensar el contrato social —el de Jean-Jacques Rousseau, ahora digital— que rige nuestras relaciones en línea (Danesi, 2025). Por eso es tan importante que, como coinciden todos los documentos examinados para este trabajo, se eviten la fragmentación y el vacío legal, especialmente con empresas radicadas fuera de la Unión Europea. Esto es ineludible porque, como dice Blanco (2025: 16), "[...] detrás de cada clic hay una biografía, que detrás de cada perfil hay una historia, que cada dato que se recoge, cada decisión que se automatiza, cada rostro que una cámara reconoce... es alguien".

Para Danesi (2025), una de las primeras soluciones que puede aportar la cooperación entre estados es la creación de una nueva generación de derechos humanos, como los neuroderechos: «que buscan proteger la privacidad de nuestros pensamientos y la integridad de nuestra identidad cognitiva frente a la manipulación tecnológica». (Danesi, 2025, p.150). En este sentido, la NeuroRights Foundation se ofrece a los países como un puente entre científicos, legisladores, la industria y el público. Elabora informes sobre la materia y ofrece recursos para una educación pública basada en la integración de la innovación, el acceso justo y la seguridad de los menores. Entre sus propuestas destaca el derecho a la protección frente a los sesgos de los algoritmos o de los procesos automatizados de toma de decisiones.

Tabla 3. El papel de las instituciones u organismos públicos nacionales e internacionales para la protección de los menores en los entornos digitales

Institución/organismo	**Naturaleza**	**Misión**
UNESCO	Pública / Intergubernamental (Agencia de la ONU)	Liderar marcos globales de ética en la inteligencia artificial y educación. Promueve la Alfabetización Mediática e Informacional (AMI) y el pensamiento crítico para combatir la desinformación.
Organización Mundial de la Salud (OMS)	Pública / Intergubernamental	Animar a los gobiernos a desarrollar normas que mejoren la calidad y la fiabilidad de la información a la que acceden los menores en las plataformas digitales, frente al avance de la desinformación. Promover la alfabetización mediática en el pensamiento crítico y el uso de herramientas digitales. Impulsar la creación de una «vía digital» segura para los menores en la red. Combatir la violencia y el odio *online*. Difundir el uso de la API Kindly para detectar el ciberacoso.

Organización para la Cooperación y el Desarrollo Económicos (OCDE)	Pública / Intergubernamental	Establecer estándares como la «Recomendación sobre la Infancia en el Entorno Digital». Promueve la «Seguridad desde el Diseño» (*Safety by Design*) y evalúa, mediante informes PISA, el impacto de las TIC en el rendimiento escolar.
Unión Internacional de Telecomunicaciones (UIT)	Pública / Intergubernamental (Agencia de la ONU)	Impulsar la iniciativa mundial «Protección de la Infancia en Línea» (*Online Child Protection*). Elabora directrices técnicas internacionales para gobiernos e industria, centradas en la ciberseguridad y la cooperación transnacional contra delitos.
Unicef	Pública / Intergubernamental (Agencia de la ONU)	Defender el interés superior del menor en el diseño de tecnologías. Publica informes sobre la brecha digital y guías sobre el impacto de la IA en la infancia.
Comisión Europea	Pública / Gubernamental (Órgano Ejecutivo de la UE)	Implementar el Reglamento de Servicios Digitales (DSA) y la estrategia de un Internet mejor para los niños: BIK+ (*Better Internet for Kids*). Supervisa a las grandes plataformas para que cumplan con la seguridad por diseño.
Parlamento Europeo	Pública / Gubernamental (Órgano Legislativo de la UE)	Legislar para contrarrestar el diseño adictivo y establecer edades mínimas de acceso a las redes sociales.
Instituto Nacional de Ciberseguridad de España (INCIBE)	Pública / Gubernamental (coordinado por SEDIA)	Operar el Centro de seguridad en Internet para menores en España (IS4K, Internet Safe For Kids), ofreciendo formación y ciberseguridad, y la línea de ayuda al 017.
El Observatorio Nacional de Tecnología y Sociedad (Ontsi)	Pública / Gubernamental	Servir como órgano consultivo de la entidad Red.es, adscrita al Ministerio para la Transformación Digital y de la Función Pública, para tomar decisiones amparadas por los informes que elaboran sobre la influencia de la tecnología.

Comisión Nacional de los Mercados y de la Competencia (CNMC)	Pública / Gubernamental	Supervisar el mercado audiovisual y las plataformas de vídeo. Regula la calificación por edades de los contenidos y vigila la publicidad dirigida a menores.
Digital Trust Alliance (DTA)	Transnacional / Público-Privada	Iniciativa que une a los ministerios, la ONU y la industria para combatir la manipulación en línea y regular a los *influencers*.
El Instituto de la Juventud (INJUVE)	Público/gubernamental	Fomentar la participación libre de la juventud. Promover los derechos digitales y la protección de la propia imagen. Investigar los fenómenos relacionados con el uso de la tecnología que conciernen a la juventud.
Agencia Española de Protección de Datos (AEPD)	Pública / Gubernamental (Autoridad de Control)	Garantizar la privacidad y la protección de los datos. Ha desarrollado el Decálogo de Sistemas de Verificación de Edad (SVE) y gestiona el Canal Prioritario para la retirada urgente de contenido sensible. Apoyar, impulsar y acelerar todas las iniciativas que construyan una Europa tecnológica y digital líder.

Fuente: Elaboración propia

III. CONCLUSIONES

Este capítulo ofrece una visión holística de los mecanismos con los que las familias y los usuarios menores de edad cuentan para exigir una participación segura, tranquila y saludable en los entornos automatizados. No obstante, conviene reforzar la gobernanza del hogar, en el que se toma la decisión de proporcionar al menor el primer dispositivo inteligente y en el que la conexión es, en principio, ilimitada. Hay que lograr que la familia se convierta en un actor más dentro del enfoque de corresponsabilidad que impulsa el multilateralismo; ya hemos visto algunos casos de éxito. Es, además, donde más tiempo pasan conectados los hijos. Pero también hemos de invitar a la participación de los más pequeños dentro de este grupo de agentes clave, pues la presión entre iguales por quedarse fuera de la conversación digital es más fuerte que cualquier ley. Aunque se dice que el engaño va por delante de la norma, son la curiosidad de un niño y la necesidad de pertenencia a un grupo las que ponen a prueba cualquier medida de protección. Educar en la responsabilidad de sus acciones será la mejor medida en cualquier jurisdicción.

IV. BIBLIOGRAFÍA

Agencia Española de Protección de Datos (2026). *Pacto Digital para la Protección de las Personas.* https://www.aepd.es/pactodigital/entidades-adheridas

Alto Intelligence–Cyberguardians. (2024). *Research Briefing 2024.* https://www.cyber-guardians.org/wp-content/uploads/2024/06/CyberGuardians_Research_Briefing_2024.pdf

Andreeva, V. (2025). *Protection of Children in the Digital Environment Modern Tools and International Cooperation.* Azerbaiyán: ONU. https://azerbaijan.un.org/en/307647-protection-children-digital-environment-modern-tools-and-international-cooperation

Artigas, C. (2025). La necesaria batalla por los derechos digitales. *Telos, 128:* 18-23.

Ballesteros, B., & Campo, M. J. (2024). *Tecnologías: Impacto en la infancia y adolescencia en España, según su testimonio.* Madrid: Fundación ANAR.

Blanco, D.F. (2025). 'Lex digitalis'. *Telos, 128,* 10-16.

Borrell, J. (2021). Construir un multilateralismo para el siglo XXI. 17/02/2021. https://www.eeas.europa.eu/eeas/construir-un-multilateralismo-para-el-siglo-xxi_es

Chatterjee, R. (2025, 19 de septiembre). *Their teenage sons died by suicide. Now, they are sounding an alarm about AI chatbots.* NPR https://www.npr.org/sections/shots-health-news/2025/09/19/nx-s1-5545749/ai-chatbots-safety-openai-meta-characterai-teens-suicide

Christakis, D. A., & Hale, L. (2025). *Handbook of Children and Screens: Digital Media, Development, and Well-Being from Birth Through Adolescence*: 657. Springer Nature.

Comité de los Derechos del Niño (2021) *Observación general núm. 25 relativa a los derechos de los niños en relación con el entorno digital.* https://docs.un.org/es/crc/c/gc/25

Congreso de los Diputados. *121/000052 Proyecto de Ley Orgánica para la protección de las personas menores de edad en los entornos digitales.* Serie A, núm. 52-1. Madrid, Boletín Oficial de las Cortes Generales, 2025. Disponible en: https://www.congreso.es/public_oficiales/L15/CONG/BOCG/A/BOCG-15-A-52-1.PDF

Comisión Europea (2025, 14 de julio). *Directrices sobre medidas para garantizar un elevado nivel de privacidad, seguridad y protección de los menores en línea, de conformidad con el artículo 28, apartado 4, del Reglamento (UE) 2022/2065.* Diario Oficial de la Unión Europea. https://digital-strategy.ec.europa.eu/es/library/commission-publishes-guidelines-protection-minors

Danesi, C. (2025). Reescribir las reglas colectivas en la era de la 'algocracia'. *Telos, 128:* 148-151.

Del Castillo, C. (2026, 10 de febrero). *Así es Cartera Digital Beta, la app del Gobierno para bloquear el acceso de los menores de 16 años a las redes sociales.* eldiario.es https://www.eldiario.es/tecnologia/cartera-digital-beta-app-gobierno-bloquear-acceso-menores-16-anos-redes-sociales_1_12976242.html

Díez, D. (2025, 12 de septiembre). *El curso escolar comienza con los móviles casi desterrados de las aulas: así queda en cada autonomía.* El País. https://elpais.com/educacion/2025-09-12/el-curso-escolar-comienza-con-los-moviles-casi-desterrados-de-las-aulas-asi-queda-en-cada-autonomia.html

Eurochild. (2025). *The rights of children in the digital environment: Eurochild position paper.* Eurochild

EFE (2023, 30 de noviembre). Llegan al Congreso 63.000 firmas pidiendo restringir el uso del móvil en los menores. EFE. https://efe.com/espana/2023-11-30/movil-menores-firmas-congreso/

España, M. (2025). *Así se somete a una sociedad. Cómo mantener el equilibrio y nuestras libertades en un mundo digital.* Rocaeditorial.

García, C., Rodríguez de Blas, D., Pallero Soto, P., y Sánchez-Sierra Ramos, M. (2022). *Impacto de las pantallas en la vida de la adolescencia y sus familias en situación de vulnerabilidad social: realidad y virtualidad.* Madrid: Cáritas Española Editores.

Guadix, N. (2025). Los derechos de la infancia también deben garantizarse en internet, *Telos, 128:* 136-141.

Haidt, J. (2024). *The anxious generation: How the great rewiring of childhood is causing an epidemic of mental illness.* Penguin.

Mansfield, K. L., Ghai, S., Hakman, T., Ballou, N., Vuorre, M., & Przybylski, A. K. (2025). From social media to artificial intelligence: improving research on digital harms in youth. *The Lancet Child & Adolescent Health, 9*(3): 194-204.

Megías, I. (2024). *Desde el lado oscuro de los hábitos tecnológicos: riesgos asociados a los usos juveniles de las TIC.* Madrid: Centro Reina Sofía, Fundación Fad Juventud.

Moral, C. del, & Burriel, C. (2024). *Derechos #SinConexión: Un análisis sobre derechos de la infancia y la adolescencia y su protección en el entorno digital.* España: Save the Children.

OCDE (2025). *How's Life for Children in the Digital Age?* OECD Publishing, Paris, https://doi.org/10.1787/0854b900-en

Online Safety Act (2025), Age-Restricted Social Media Platforms, Rules 2025. https://www.legislation.gov.au/F2025L00889/latest/text

ONU (septiembre de 2024). *Global Digital Compact.* https://www.un.org/global-digital-compact/sites/default/files/2024-09/Global%20Digital%20Compact%20-%20English_0.pdf

Parlamento Europeo y Consejo de la Unión Europea. *Reglamento (UE) 2022/2065 del Parlamento Europeo y del Consejo de 19 de octubre de 2022 relativo a un mercado único de servicios digitales y por el que se modifica la Directiva 2000/31/CE (Reglamento de Servicios Digitales).* Luxemburgo, EUR-Lex, 2022. Disponible en: https://eur-lex.europa.eu/legal-content/ES/TXT/?uri=CELEX:32022R2065

Porcel, M. (2026, 29 de enero). *Generar tanta adicción como para ir a juicio: las redes sociales pasan por el banquillo.* El País. https://elpais.com/tecnologia/2026-01-29/generar-tanta-adiccion-como-para-ir-a-juicio-las-redes-sociales-pasan-por-el-banquillo.html

Qustodio (2024). *El dilema digital: la infancia en una encrucijada.* https://www.qustodio.com/es/research/qustodio-presenta-su-estodio-anual-de-2024-el-dilema-digital/

Comisión Europea (2024). *AI Act Single Information Platform.* https://ai-act-service-desk.ec.europa.eu/en

Serrano, A. S. (2021). Los acuerdos plurilaterales como refuerzo del multilateralismo en la era digital. *ICE, Revista de Economía,* 922, 91-105.

https://doi.org/10.32796/ice.2021.922.7293

Titheradge, N. y Malchevska, O. (2025, 18 de noviembre). *Quería que ChatGPT me ayudara. Entonces, ¿por qué me aconsejó cómo suicidarme?* BBC Mundo. https://www.bbc.com/mundo/articles/cr7m1r027m9o

UNESCO (2023). Directrices para la gobernanza de las plataformas digitales. Salvaguardar la libertad de expresión y el acceso a la información con un enfoque de múltiples partes interesadas. Francia: Organización de las Naciones Unidas para la Educación, la Ciencia y la Cultura. https://unesdoc.unesco.org/ark:/48223/pf0000387360

Unicef (s.f.). Generative AI: Risks and opportunities for children. Office of Strategy and Evidence. Innocenti. https://www.unicef.org/innocenti/generative-ai-risks-and-opportunities-children

Unicef (2025). *Corporate reporting on child rights impacts in relation to the digital environment: Disclosure recommendations.* Nueva York, UNICEF https://www.unicef.org/childrightsandbusiness/media/1571/file/disclosure-recommendations.pdf

Unicef (2024). *Digital technologies, child rights and well-being The State of Children in the European Union 2024.* https://www.unicef.org/eu/media/2826/file/Digital%20technologies%20policy%20brief.pdf.

West, J. & Robinson, L. (2025). ¿Demasiado joven para usar Internet? Por qué los gobiernos se están poniendo serios con los límites de edad en las redes sociales. OECD. 12 de junio.

Weprotect Global Alliance (2025). Evaluación global de amenazas 2025. Prevención de la explotación y el abuso sexual infantil facilitados por la tecnología: de la información a la acción. https://www.weprotect.org/global-threat-assessment-25/

World Vision International (2024). Children's rights in the digital environment. Policy Brief. January 2024.

Yang, A., Jarret, L. & Gallagher, F. (2025, 26 de agosto) *The family of teenager who died by suicide alleges OpenAI's ChatGPT is to blame.* NBC https://www.nbcnews.com/tech/tech-news/family-teenager-died-suicide-alleges-openais-chatgpt-blame-rcna226147

Capítulo 10.

IA y frontera europea: cuando la eficiencia legitima la excepción

MONIKA KABATA
Profesora de relaciones internacionales
Universidad Loyola Andalucía

I. INTRODUCCIÓN

El espacio europeo sin fronteras constituye uno de los símbolos más visibles y políticamente significativos del proceso de integración europea. Su consolidación ha sido ampliamente presentada como una expresión de prosperidad, libertad y movilidad para los ciudadanos europeos (Cunha *et al.*, 2015; Wolff *et al.*, 2020; Zaiotti, 2011). Esta narrativa se reproduce tanto en el discurso político nacional como en el europeo, y la propia Unión Europea (UE) ha definido el espacio Schengen como "uno de los logros más preciados de la UE" (Comisión Europea, 2016: 2).

El proceso de eliminación gradual de las fronteras interiores, materializado en la creación del espacio Schengen, dio lugar a una profunda reconfiguración del significado y de la práctica del control fronterizo en los países miembros. En este nuevo contexto, el control de fronteras dejó de concebirse como una función rutinaria del Estado para convertirse, al menos normativamente, en una excepción. Sin embargo, esta transformación no implicó la desaparición del control fronterizo, sino su desplazamiento y rearticulación.

En efecto, la desaparición de los controles internos —nunca absoluta, como han puesto de manifiesto las reiteradas reintroducciones temporales de controles en situaciones de "crisis" percibida en los últimos años— fue, desde sus inicios, acompañada por un refuerzo paralelo y sostenido de las fronteras externas. Este proceso generó una relación de interdependencia y sensibilidad recíproca entre fronteras internas y externas, en la que la aparente apertura hacia el interior se sostiene sobre una creciente densificación del control en los márgenes del espacio europeo.

Este fenómeno ha sido ampliamente analizado desde el campo de los Critical Border Studies (CBS), que cuestiona la idea de que la globalización conlleva una desaparición progresiva de las fronteras. Por el contrario, la literatura sostiene que las fronteras no solo persisten, sino que se transforman, se desplazan y se intensifican en determinadas áreas del sistema internacional (Bigo, 2014; Parker & Vaughan-Williams, 2014). En el caso de la UE, la supresión de unas fronteras ha implicado necesariamente el aumento de la centralidad política, simbólica y operativa de otras.

Desde esta perspectiva crítica, las fronteras no deben entenderse como límites territoriales fijos ni como meras líneas geográficas. Tal como señala Leese (2016), poseen múltiples significados —políticos, sociales, económicos, culturales y simbólicos— y son el resultado de procesos de construcción social históricamente contingentes. En este marco, las fronteras reflejan relaciones de poder y marcos discursivos que determinan las condiciones de pertenencia y de exclusión.

Siguiendo esta línea argumentativa, las fronteras europeas del espacio Schengen no solo demarcan el territorio europeo y sus valores, sino que funcionan también como dispositivos de seguridad orientados a proteger dicho espacio frente a sujetos percibidos como potencialmente peligrosos, desempeñando una función central en la distinción temprana entre migrantes "*bona fide*" y "mala *fide*" (E. Brouwer, 2024).

Este proceso de refuerzo de las fronteras externas y de expansión de las prácticas de control fronterizo ha estado intrínsecamente vinculado al desarrollo y al uso de tecnologías digitales. Lejos de ser un elemento accesorio, la digitalización se ha convertido en un componente estructural del control fronterizo contemporáneo en la UE. Este capítulo analiza precisamente esta transformación, centrándose en la fase más reciente de la evolución de las fronteras europeas: la adopción de sistemas de inteligencia artificial (IA) en el control fronterizo y en la gestión de la migración.

La creciente integración de la inteligencia artificial en la gestión migratoria y en el control fronterizo europeo se presenta en el discurso oficial como una promesa de eficiencia, predictibilidad y seguridad. Desde Bruselas, la IA se inserta en una narrativa de innovación "*human centric*" que pretende situar a la Unión en la vanguardia regulatoria y tecnológica a nivel internacional (European Union, 2024b). Sin embargo, este entramado tecnológico que se presenta como solución "inteligente" para gestionar la movilidad global se apoya en infraestructuras de vigilancia, recolección intensiva de datos y toma de decisiones automatizada que tienen consecuencias profundas sobre los derechos fundamentales de personas migrantes, solicitantes de asilo y refugiadas, es decir, sobre uno de los colectivos más expuestos al poder coercitivo del Estado. De este modo, se visualiza una tensión entre la promesa regulatoria y una vulnerabilidad estructural que se reproduce y se amplifica en la frontera.

Partiendo de este escenario, el capítulo propone examinar la IA en la gestión migratoria europea como un ámbito atravesado por una ambivalencia constitutiva: al mismo tiempo que puede ofrecer herramientas potentes para racionalizar procedimientos y, eventualmente, reforzar ciertas garantías, también puede contribuir a intensificar y "automatizar" formas de violencia estructural en la frontera, especialmente cuando se aplica a sujetos que ya se encuentran en situaciones de vulnerabilidad jurídica y social. En las secciones siguientes, el capítulo analizará, en primer lugar, el marco jurídico construido en la Unión Europea; en segundo lugar, el proceso de digitalización de las fronteras y el papel que desempeña la IA; y, finalmente, cómo estas tecnologías pueden reproducir sesgos, consolidar prácticas de control preventivo y afectar directamente los derechos fundamentales de las personas migrantes.

II. *AI ACT* Y FRONTERAS EUROPEAS: REGULACIÓN, RIESGOS Y DESAFÍOS

El desarrollo del mundo contemporáneo y de las tecnologías digitales se caracteriza por una aceleración constante, con transformaciones profundas que se producen a un ritmo difícilmente acompasable por los marcos normativos tradicionales. En este contexto, el Derecho tiende a situarse estructuralmente en una posición reactiva, adaptándose ex post a innovaciones tecnológicas ya consolidadas. No obstante, en el ámbito de la inteligencia artificial, y pese a la necesidad de regular fenómenos en plena evolución, la Unión Europea se ha configurado como un actor pionero al aprobar el primer marco regulatorio integral en esta materia mediante el Reglamento (UE) 2024/1689, conocido como *Artificial Intelligence Act* (en adelante, *AI Act*).

Sin embargo, el *AI Act* no opera en un vacío normativo, sino que se superpone a un entramado jurídico preexistente compuesto, fundamentalmente, por el Reglamento General de Protección de Datos (RGPD) — y, en el ámbito específico del control fronterizo y la gestión de los flujos migratorios, por el acervo Schengen, Pacto sobre Migración y Asilo y los sistemas europeos de información e interoperabilidad, como el *Entry/Exit System* (EES), el *European Travel Information and Authorisation System* (ETIAS), el *Visa Information System* (VIS), el *Schengen Information System* (SIS II) y Eurodac. Esta superposición normativa configura un régimen jurídico particularmente fragmentado, complejo y, en determinados aspectos, potencialmente contradictorio.

Resulta especialmente significativo que, como el propio *AI Act* reconoce expresamente en sus considerandos iniciales, la finalidad del Reglamento es "promover la adopción de una inteligencia artificial fiable y centrada en el ser humano, garantizando al mismo tiempo un alto nivel de protección de los derechos fundamentales" (European Union, 2024b: 1). En esta línea, el Reglamento abre la vía para poner la IA al servicio del progreso humano, asegurando una protección de derechos fundamentales como la vida privada y la protección de datos personales, el derecho de asilo, el principio de no devolución, la prohibición de discriminación y el derecho a la tutela judicial efectiva. Desde esta perspectiva, el uso de la IA en el ámbito del control fronterizo se presenta normativamente como una herramienta destinada a optimizar procesos administrativos complejos, tales como la aceleración del examen de solicitudes de visado y asilo, o el tratamiento automatizado de grandes volúmenes de datos, con el objetivo de identificar riesgos de seguridad y facilitar la toma de decisiones por parte de las autoridades competentes.

El *AI Act* estructura su arquitectura regulatoria a partir de un enfoque escalonado basado en niveles de riesgo (*risk-based approach*), distinguiendo entre prácticas de riesgo inaceptable (art. 5), sistemas de alto riesgo (Anexo III), sistemas de riesgo limitado —sujetos principalmente a obligaciones de transparencia— y sistemas de riesgo mínimo. Esta clasificación desempeña un papel central en el diseño del modelo europeo de gobernanza de la inteligencia artificial, al vincular la intensidad de las obligaciones jurídicas con el potencial impacto de los sistemas.

La distinción entre las dos primeras categorías reviste especial relevancia desde la perspectiva de la protección de los derechos fundamentales. Entre las prácticas prohibidas (art. 5) se incluyen, por ejemplo, la explotación de vulnerabilidades de determinados colectivos o el uso de sistemas de identificación biométrica en tiempo real en espacios de acceso público con fines de aplicación de la ley ; también lo son las evaluaciones predictivas de riesgo de comisión de delitos basadas únicamente en el perfilamiento de personas naturales, la creación/expansión de bases de datos de reconocimiento facial mediante *scraping* no dirigido de imágenes de Internet o CCTV y la categorización biométrica para inferir raza, opiniones políticas, afiliación sindical, creencias religiosas/filosóficas, vida sexual/orientación (European Union, 2024b). Estas prohibiciones protegen contra la vigilancia masiva y sesgos discriminatorios.

Por su parte, los sistemas calificados como de "alto riesgo" quedan sometidos a un régimen jurídico reforzado, que impone, entre otras obligaciones, transparencia (art. 13), una supervisión humana efectiva (art. 14), la garantía de una adecuada calidad y gobernanza de los datos utilizados (art. 10), registro en la base de datos de la UE, de carácter parcialmente público (art. 49), y la realización de una evaluación de impacto relativa a los derechos fundamentales (Fundamental Rights Impact Assessment, FRIA, art. 27). Estas exigencias reflejan el intento del legislador europeo de introducir mecanismos de control jurídico ex ante frente a los riesgos inherentes a la automatización de decisiones.

Como reconoce expresamente el considerando 60 del *AI Act*, el legislador europeo es consciente de que el uso de sistemas de inteligencia artificial en los ámbitos de la migración, el asilo y el control fronterizo afecta a personas que, con frecuencia, se encuentran en situaciones de especial vulnerabilidad y cuya posición jurídica depende en gran medida de las decisiones adoptadas por las autoridades públicas competentes. En este sentido, el propio Reglamento establece que dichos sistemas no deben utilizarse, en ningún caso, para eludir las obligaciones internacionales derivadas de la Convención de Ginebra sobre el Estatuto de los Refugiados y su Protocolo de 1967, ni para vulnerar el principio de no devolución (*non-refoulement*) o restringir el acceso efectivo al derecho a la protección internacional (European Union, 2024b).

Asimismo, el *AI Act* se configura como un instrumento complementario y no sustitutivo de los sistemas de protección de derechos fundamentales ya existentes, lo que implica que las autoridades nacionales y europeas siguen plenamente vinculadas, también en el contexto del uso de sistemas automatizados y bases de datos a gran escala, por las garantías derivadas del Convenio Europeo de Derechos Humanos, la Carta de Derechos Fundamentales de la Unión Europea, el Reglamento General de Protección de Datos. No obstante, pese a esta formulación garantista, la aplicación del *AI Act* en el ámbito migratorio revela tensiones importantes entre la proclamación de principios y la configuración de excepciones específicas para el control fronterizo.

El Anexo III del *AI Act* distingue cuatro tipos de sistemas de “alto riesgo” en el ámbito de la gestión de la migración, el asilo y el control fronterizo. El primer aspecto destacable es la ausencia de una prohibición explícita del uso de polígrafos (detectores de mentiras). El *AI Act* permite el empleo de sistemas de inteligencia artificial en polígrafos, así como de herramientas similares destinadas a detectar el estado emocional de las personas, tanto por parte de las autoridades policiales como de las instituciones de la Unión Europea que las apoyan (Anexo III, punto 6(b)), y específicamente en los ámbitos de la migración, el asilo y el control fronterizo (Anexo III, punto 7(a)).

Como señalan Brouwer (2021) y Van Andel con Brouwer (2025), esta autorización agrava el problema de rendición de cuentas ya existente, contribuye a la estigmatización de grupos específicos —en particular, migrantes y solicitantes de asilo— y vulnera derechos fundamentales como la privacidad, el principio de proporcionalidad y el consentimiento, pese a que no existe evidencia científica sobre la fiabilidad de los polígrafos.

La segunda categoría incluye herramientas utilizadas para evaluar los riesgos que una persona que solicita la entrada —o que ya ha entrado— en el territorio de un Estado miembro puede representar en términos de seguridad, inmigración irregular o salud. La tercera categoría abarca sistemas de IA destinados a asistir a las autoridades públicas en el examen de solicitudes de asilo, visado o permisos de residencia, así como en los recursos asociados, incluyendo evaluaciones relativas a la elegibilidad de los solicitantes y a la fiabilidad de las pruebas presentadas. Finalmente, la cuarta categoría comprende herramientas de IA utilizadas para detectar, reconocer o identificar personas físicas, con la excepción de la verificación de documentos de viaje.

Mientras que los sistemas clasificados como "de alto riesgo" requieren mecanismos especiales de control, mencionados anteriormente, el propio Reglamento introduce espacios de excepción precisamente en estos ámbitos en especial sensibles. En primer lugar, retrasa hasta el 31 de diciembre de 2030 la plena aplicación de sus exigencias a los grandes sistemas de información europeos —tales como el Sistema de Información Schengen (SIS), Eurodac, el Sistema de Información de Visados (VIS), ETIAS, el Sistema de Entrada/Salida (EES) y ECRIS-TCN— (*AI Act,* art. 111(1)). Esto significa que los componentes de inteligencia artificial integrados en estos sistemas no tienen que cumplir con las obligaciones del *AI Act* durante un período prolongado, perpetuando un régimen de opacidad en herramientas clave para la gestión migratoria.

En segundo lugar, se permite flexibilizar la supervisión humana en nombre de la "especificidad" del control migratorio (art. 14(5)) y aunque el *AI Act* impone el registro obligatorio de sistemas de IA de alto riesgo en una base de datos europea pública para garantizar la transparencia y el control público, las autoridades de fronteras, asilo y migración quedan sujetas a un régimen diferenciado (art. 49(4)). Estos sistemas se inscriben en una sección no pública de la base de datos, lo que reduce drásticamente los niveles de escrutinio y dificulta el acceso a mecanismos efectivos de rendición de cuentas, de impugnación o de reparación por parte de las personas afectadas. Adicionalmente, están eximidas de la obligación de publicar un resumen del proyecto de desarrollo de la IA —incluyendo los objetivos y resultados esperados— en la web de la autoridad competente (art. 59(1)(j)). Estas excepciones agravan la opacidad estructural ya existente en el empleo de tecnologías de migración, fronteras y asilo, sin un marco claro de responsabilidad para los actores públicos y privados implicados, lo que obstaculiza el ejercicio efectivo del derecho de tutela (E. Brouwer, 2024).

Una excepción particularmente significativa, presentada en el considerando 19 del *AI Act*, radica en la exclusión de las "zonas fronterizas" de la definición de espacios públicos accesibles. Según Fathallah (2026), los sistemas de IA podrían llegar a identificar a las personas a distancia (en tiempo real) a partir de sus características biométricas, recopilando y almacenando información sobre migrantes incluso sin que exista evidencia, indicio de delito o base legal que lo justifique.

Como señala Brouwer (2024), también conviene destacar que ni las herramientas de IA destinadas a la extracción de datos de dispositivos móviles, ni aquellas orientadas al reconocimiento de dialectos y lenguas, ni el uso de IA en procesos de reasentamiento de personas refugiadas están incluidos en la categoría de sistemas "de alto riesgo", pese a las preocupaciones que suscitan en materia de privacidad y a las dudas sobre su fiabilidad.

De este modo, el *AI Act* consolida un espacio jurídico de excepcionalidad en el que se normaliza la recopilación masiva de datos personales, afectando de manera desproporcionada a personas en situación de movilidad humana. Organizaciones de la sociedad civil —como AlgorithmWatch, Access Now, Amnesty International, PICUM y EDRi— han calificado este régimen como un «marco paralelo» para la IA de fronteras, en el que las salvaguardas reconocidas a la ciudadanía europea se atenúan o se suspenden cuando se trata de personas migrantes o refugiadas («Joint Statement–A Dangerous Precedent», 2024). Así, a pesar de ser celebrada como una legislación pionera con un enfoque "humano-céntrico", el *AI Act* resulta insuficiente en materia de salvaguardas para el grupo más vulnerable en el contexto del control fronterizo y la gestión de flujos migratorios, según varios expertos y ONGs (E. Brouwer, 2024; Fathallah, 2026; Jones, 2024; Kersting, 2025; Passuello, 2025; The #ProtectNotSurveil coalition, 2024). La siguiente sección presenta algunos ejemplos de uso (y de posible uso) de la IA en este ámbito.

III. CONTROL FRONTERIZO, MIGRACIÓN Y ASILO: EL PAPEL DE LA INTELIGENCIA ARTIFICIAL

El uso de la IA en el ámbito del control fronterizo, la migración y el asilo ha sido presentado por las instituciones europeas como una herramienta con un elevado potencial para mejorar la eficiencia administrativa, reducir costes operativos y aumentar la coherencia en la toma de decisiones. Según el Parlamento Europeo, la IA puede contribuir a acelerar los procedimientos, reducir la incertidumbre jurídica, disminuir la carga de trabajo de las autoridades competentes y, en teoría, incluso mitigar sesgos humanos en procesos como la evaluación de solicitudes de asilo o de visados (Dumbrava, 2025). Desde esta perspectiva, la automatización algorítmica se concibe como un instrumento técnico capaz de optimizar la gestión de flujos migratorios cada vez más complejos. Sin embargo, este discurso institucional de eficiencia convive con una creciente preocupación por los riesgos asociados al uso de la IA en contextos marcados por fuertes asimetrías de poder y por la especial vulnerabilidad de las personas afectadas.

La expansión de la IA en el control fronterizo solo se entiende en el contexto de un ecosistema previamente digitalizado: grandes bases de datos interoperables (SIS, VIS, Eurodac, EES, ETIAS, ECRIS-TCN), infraestructuras de vigilancia como EUROSUR y el papel creciente de Frontex y eu-LISA. Estos sistemas han ido incorporando progresivamente datos biométricos (como huellas dactilares, imágenes faciales y, en algunos contextos, ADN) y cruces automatizados de información con fines de seguridad, asilo y retorno, en el marco de "*smart borders*" que desplaza el control mucho más allá de la línea física de la frontera.

La inteligencia artificial necesita datos para funcionar, y el actual entramado de recolección masiva de información en las fronteras europeas se ha convertido en uno de los principales motores del interés por aplicar IA en el contexto de la seguridad fronteriza: permite procesar grandes volúmenes de datos con la promesa de eficiencia en costes y recursos, en un escenario en el que, además, se abaratan el almacenamiento y la capacidad de cálculo (Demková, 2024). La Unión Europea lleva décadas inmersa en un proceso de datafícación de la movilidad. Como señala Fathallah (2026), las personas migrantes son desposeídas de grandes cantidades de datos en condiciones claramente explotadoras, dado que optar por no facilitar esos datos o recurrir a las decisiones derivadas de su uso resulta, en la práctica, extremadamente difícil para quienes dependen del sistema para acceder a derechos básicos.

En este contexto, la IA puede desplegarse en prácticamente todas las fases del proceso migratorio. Como señalan Beduschi y McAuliffe (2021), los sistemas algorítmicos pueden intervenir antes de la salida (predicción de flujos), en el momento de la entrada (*pre-screening*, identificación biométrica), durante la estancia (gestión de solicitudes, integración) y en la fase de retorno (evaluación de riesgos, localización y seguimiento). Un ejemplo paradigmático en la fase previa a la entrada es el sistema ETIAS, que va a automatizar pre-evaluación (*pre-screening*) de los viajeros exentos de visado que deseen ingresar al espacio Schengen por estancias de corta duración de hasta 90 días. Su objetivo principal es reforzar la seguridad fronteriza mediante la evaluación automatizada de los riesgos asociados a la inmigración irregular, a la seguridad pública y a la salud (European Union, 2018).

Como explica Demková (2024), la evaluación se realiza en tres niveles: primero, el cruce automatizado de los datos personales incluidos en las solicitudes con diversas bases de datos como SIS, la de Europol e Interpol; en segundo lugar, las solicitudes se comparan con un conjunto de criterios de riesgo conocidos como "*screening rules*"; y finalmente, contra la "*Watchlist*" de personas sospechosas de implicación en delitos terroristas u otros crímenes graves. El sistema gestionado por la Unidad Central ETIAS de Frontex funcionará sin intervención humana directa, mediante algoritmos de *profiling* ("*screening rules*") (European Union, 2018).

Según Derave (2022), la definición e implementación de estas reglas de screening constituye un hito histórico en la gestión de las fronteras exteriores de la UE y en el uso de tecnologías digitales. Sin embargo, el impacto de ETIAS en la gestión migratoria ha suscitado preocupaciones respecto de los derechos fundamentales. En particular, se advierte que la automatización de los procesos de evaluación de riesgos puede amplificar sesgos discriminatorios contra personas procedentes de determinados orígenes, así como generar riesgos para la protección de la privacidad (art. 8 de la Carta de los Derechos Fundamentales de la UE), el principio de no discriminación y el derecho a un recurso judicial efectivo (E. Brouwer, 2021; Derave *et al.*, 2022; Rico & Laukyte, 2024;

Wiewiórowski, 2025). En el caso de este sistema, hay que tener en cuenta que afecta a personas consideradas "bona *fide*" *migrants,* que no necesitan visado – hasta ahora no han sido percibidas como "peligrosas".

En el ámbito de la vigilancia fronteriza, un ejemplo importante es EUROSUR que también se apoya cada vez más en tecnologías algorítmicas, drones y satélites. Es un sistema de intercambio de información entre los Estados miembros y Frontex para mejorar la conciencia situacional y la capacidad de reacción en las fronteras exteriores de la UE. Posee dos componentes —nacional y europeo. En cada Estado miembro opera un Centro Nacional de Coordinación (NCC), cuales a base de múltiples fuentes —como sensores fijos y móviles, patrullas, sistemas de notificación de buques y datos procedentes de autoridades nacionales, europeas, internacionales y de terceros países, elaboran una Imagen Situacional Nacional (NSP), que es transmitida a Frontex para la elaboración de una Imagen Situacional Europea (ESP) y de una imagen común de inteligencia previa a la frontera (European Union, 2013). Tanto los NCC como Frontex operan 24/7 para ofrecer una imagen situacional en tiempo casi real de las fronteras exteriores de la UE y de las áreas prefronterizas.

Según el art. 1 del Reglamento 1052/2013, EUROSUR busca tres fines: monitorizar, detectar e interceptar cruces no autorizados; prevenir/combatir inmigración ilegal y crimen transfronterizo; y contribuir a salvar vidas de migrantes mediante operaciones SAR oportunas.

No obstante, diversos estudios han cuestionado la coherencia entre estos objetivos declarados y el funcionamiento efectivo del sistema. Aunque la Unión Europea ha presentado EUROSUR como una respuesta humanitaria y técnica a tragedias como la de Lampedusa en 2013, varios autores sostienen que su diseño y uso priorizan objetivos de control y seguridad (Jeandesboz, 2011; Rijpma & Vermeulen, 2015).

Como señala Kabata (2022), la literatura advierte que las prácticas de prevención e interceptación apoyadas por EUROSUR pueden vulnerar los derechos de migrantes y refugiados, incluido el principio de no devolución (*non-refoulement*) (Amnesty International, 2014; Follis, 2017; Pugliese, 2013). Spijkerboer (2007) destaca, además, los costes humanos de las políticas de control fronterizo, señalando que el endurecimiento de las fronteras no reduce la migración irregular, sino que desplaza los flujos hacia rutas más peligrosas, lo que aumenta el riesgo de muertes. En este sentido, las muertes en la frontera serían una consecuencia previsible de dichas políticas, lo que activa la obligación positiva de los Estados de proteger la vida (Spijkerboer, 2007).

Paradójicamente, EUROSUR —presentado como parte de la respuesta europea a esta obligación— ha sido acusado de no cumplir eficazmente su objetivo humanitario. Si bien la existencia de una imagen casi en tiempo real debería facilitar operaciones de búsqueda y rescate oportunas, se sostiene que la intensificación de la vigilancia contribuye a la creación de una nueva "frontera espacial", en la que la detección no implica necesariamente el acceso al territorio europeo (Tazzioli, 2018). A ello se suman dudas sobre la capacidad técnica del sistema para salvar vidas. Como señalan Rijpma y Vermeulen (2015: 467), el entonces director de Frontex reconoció la falta de "capacidad tecnológica para detectar pequeñas embarcaciones que transportan migrantes", lo que refuerza la percepción de que el objetivo humanitario ocupa un lugar secundario.

Según Tazzioli (2018: 274), "los programas de mapeo migratorio, como EUROSUR, no están diseñados para la vigilancia fronteriza ni para actuar en el momento, sino para rastrear movimientos migratorios, recopilar y archivar información con el fin de elaborar escenarios futuros de riesgo migratorio". Investigaciones empíricas indican que los retrasos entre la detección de un evento y su visualización en los mapas —que pueden alcanzar hasta 24 horas— limitan su utilidad operativa inmediata, convirtiendo los incidentes en datos destinados a evaluar el impacto y el nivel de presión sobre determinadas fronteras (Tazzioli & Walters, 2016).

No obstante, se observa una intensa actividad de investigación, financiada en gran medida por la Comisión Europea, orientada a ampliar y consolidar la aplicación de la inteligencia artificial en el ámbito del control fronterizo, lo que puede mejorar "la visibilidad". En este contexto, destacan dos proyectos especialmente relevantes: ROBORDER y REACTION (Kersting, 2025).

ROBORDER constituyó el primer proyecto de seguridad fronteriza explícitamente orientado al uso de IA, desplegado en Grecia, y desarrolló una red de robots móviles no tripulados —aéreos, terrestres, de superficie y submarinos— capaces de operar tanto de forma autónoma como en enjambres coordinados («Roborder», s. f.).

El proyecto sucesor REACTION ha reforzado estas capacidades mediante el desarrollo de drones impulsados por IA y sistemas automatizados de monitorización, con el objetivo de mejorar la detección y prevención de cruces fronterizos. A través de algoritmos adaptativos y técnicas avanzadas de visión por computador, REACTION permite ampliar significativamente la capacidad de vigilancia de las autoridades, reduciendo la necesidad de intervención humana directa en amplias áreas geográficas. En última instancia, el proyecto aspira a consolidar una plataforma holística de vigilancia fronteriza de nueva generación, basada en la fusión multimodal de datos y en sistemas automatizados de alerta temprana, capaz de proporcionar conciencia situacional en zonas remotas y de alto riesgo (KIOS, s. f.).

Como señala Beduschi y McAuliffe (2021) en su estudio del caso de las Islas Canarias —así como en Ceuta y Melilla—, uno de los puntos más vulnerables del proceso migratorio es la identificación de las personas que llegan en pateras. En la mayoría de los casos, estas personas llegan sin documentación, no hablan español y han sufrido experiencias traumáticas, lo que dificulta su capacidad para comunicarse y proporcionar información precisa a las autoridades. En consecuencia, los datos personales incorporados a las bases de datos administrativas pueden contener errores desde el inicio, los cuales tienden a reproducirse a lo largo de todo el recorrido burocrático, constituyendo uno de los principales desafíos para la digitalización del proceso migratorio.

Estos datos —relativos a la identidad, la trayectoria migratoria o el estado de salud— son recopilados por múltiples actores, como la Cruz Roja, las fuerzas policiales y Frontex, e incorporados a distintos sistemas nacionales y europeos, en particular, EURODAC (Beduschi & McAuliffe, 2021). Este sistema, inicialmente concebido para los solicitantes de asilo, ha ampliado progresivamente su ámbito de aplicación mediante la reducción del umbral de edad para el almacenamiento de datos personales hasta los seis años, así como mediante la inclusión de registros relativos a personas migrantes en situación irregular, en particular aquellas interceptadas al cruzar irregularmente las fronteras exteriores de la Unión Europea o encontradas en situación irregular en el territorio nacional, así como de personas reasentadas (European Union, 2024a). Aunque EURODAC es fundamentalmente una base de datos de huellas dactilares, el sistema incorporará también nuevas categorías de datos personales, entre ellas imágenes faciales y copias de documentos de viaje e identidad (European Union, 2024a).

En la fase de tramitación de solicitudes de asilo y estancia, el Parlamento Europeo y el estudio de la Comisión Europea identifica múltiples usos potenciales de la IA: *chatbots* para el registro inicial, herramientas de traducción automática, análisis de lenguaje natural para detectar vulnerabilidades, sistemas de reconocimiento facial para verificación de identidad, modelos predictivos de riesgo de fuga o abandono, y motores inteligentes para organizar grandes volúmenes de documentación (Dumbrava, 2025; European Commission: Directorate-General for Migration and Home Affairs and Deloitte, 2020).

De hecho, algunos Estados miembros ya utilizan el análisis lingüístico (Language Analysis for the Determination of Origin, LADO) como herramienta para determinar el país de origen de las personas solicitantes de asilo (EUAA, 2022). Sin embargo, el informe de la EUAA (2022) reconoce que, si bien los avances en la capacidad de la inteligencia artificial para asistir en la identificación de lenguas y dialectos generan "nuevas oportunidades", también suscitan preocupaciones entre diversos actores respecto a un posible menor grado de precisión y, en consecuencia, a una fiabilidad limitada en el uso de herramientas basadas en IA.

Otro ejemplo es el Sistema Case Matcher, usado en los Países Bajos, que agrupa solicitudes similares para acelerar la toma de decisiones. Como indica el Parlamento Europeo, este tipo de aplicaciones pretenden agilizar la tramitación de los expedientes y reforzar la uniformidad en la toma de decisiones (Dumbrava, 2025). Sin embargo, pese a que pueden aportar información relevante sobre los contextos de riesgo en los países de origen, también pueden distorsionar la evaluación de la credibilidad, al generar sospechas automáticas sobre solicitantes cuyas narrativas presenten similitudes (Dumbrava, 2025).

En el caso de los *chatbots* y agentes conversacionales, se trata de herramientas que están ganando progresivamente interés tanto para fines de control como para la provisión de información, la orientación administrativa y el apoyo a personas migrantes y refugiadas, incluso durante su vida en el país de acogida.

Las personas migrantes en la UE enfrentan dificultades para comprender un entorno legal complejo y fragmentado, agravado por barreras lingüísticas, burocráticas y culturales.

La información dispersa o incorrecta sobre visados, asilo y servicios públicos genera inseguridad jurídica, especialmente para los más vulnerables. Los *chatbots* pueden ser una herramienta útil para ofrecer información fiable, organizada y personalizada.

Proyectos como WELCOME, ACME y EASYRIGHTS ilustran el uso de la IA como herramienta de orientación administrativa, traducción, apoyo a la toma de decisiones legales y acompañamiento en procesos de integración. El proyecto europeo WELCOME propone el uso de *chatbots* como asistentes personales que acompañan a las personas migrantes en distintas fases de su proceso de integración, incluyendo el registro administrativo, la orientación inicial, el aprendizaje de idiomas, la educación cívica y el acceso a servicios sociales (Universitat Pompeu Fabra, 2023). El proyecto ACME (*A Chatbot for Asylum-Seeking Migrants in Europe*) intenta asistir a solicitantes de asilo en la identificación del nivel de protección internacional más adecuado a su situación (Fazzinga *et al.*, 2024), mientras el proyecto EASYRIGHTS entre sus funcionalidades incluyen agentes de traducción automática de documentos extensos, así como asistentes que guían paso a paso en procedimientos administrativos complejos relacionados con permisos de residencia, empadronamiento, acceso a prestaciones sociales o reconocimiento de derechos (Observatorio Español del Racismo y la Xenofobia, s. f.).

Aun así, el despliegue de *chatbots* plantea cuestionamientos sobre la precisión de la información, la perpetuación de sesgos en los algoritmos, la protección de los datos personales y el reemplazo gradual de servicios públicos que anteriormente eran garantizados por profesionales humanos.

Un caso especialmente preocupante es el proyecto *Automated Virtual Agent for Truth Assessment in Real-time* (AVATAR), que buscaba desarrollar un agente virtual capaz de automatizar procesos de screening, entrevistas y evaluaciones de credibilidad mediante la detección de "posibles comportamientos anómalos". Para ello, el sistema analizaba flujos de datos procedentes de sensores como cámaras, micrófonos y sistemas de seguimiento ocular (*eye-tracking*), lo que plantea serias dudas respecto a la protección de los derechos fundamentales y al riesgo de discriminación derivada de sesgos en los algoritmos (Dumbrava, 2025).

Otro ejemplo de sistemas de IA basados en la detección emocional es el proyecto *Intelligent Portable Control System* (iBorderCtrl), que evaluaba la probabilidad de que una persona mintiera mediante el análisis de microexpresiones faciales y otros indicadores biométricos. Sin embargo, este enfoque algorítmico suscita preocupaciones éticas y jurídicas importantes, ya que puede invadir la privacidad de los individuos y afectar derechos esenciales, como el derecho de asilo, el principio de no devolución (*non-refoulement*) y la prohibición de expulsiones colectivas (Dumbrava, 2025). Además, iBorderCtrl planteaba riesgos significativos de discriminación, especialmente hacia grupos vulnerables, como las personas con discapacidad, al sugerir de forma implícita una relación entre la mentira y la ilegalidad. Este enfoque ignora que, en determinados contextos, las declaraciones falsas pueden constituir un recurso legítimo de autoprotección ante situaciones de persecución o riesgo (Breyer, 2021).

Estos son solo algunos ejemplos de cómo se utiliza (o podría utilizarse) la IA en el ámbito del control fronterizo y de la gestión de flujos migratorios. La investigación avanza rápidamente y Frontex se ha convertido en un centro clave para la vigilancia y el intercambio de datos, y es uno de los impulsores más importantes del uso de IA mediante la organización de eventos como los *General Industry Days: Emerging Technologies for Border Management.* Mientras la tecnología puede ofrecer ciertos beneficios, conlleva muchos riesgos y consolida la gestión migratoria del modelo de gobernanza basado en vigilancia, predicción y clasificación, en el que la movilidad se convierte en un objeto de gestión algorítmica permanente. Estos desarrollos corren el riesgo de reforzar la securitización de la migración y legitimar respuestas tecnosolucionistas a problemas que son, en esencia, políticos, sociales y jurídicos. La siguiente sección ofrece una revisión de los problemas centrales relacionados con los derechos fundamentales.

IV. DERECHOS FUNDAMENTALES EN RIESGO: LA IA EN LA GESTIÓN MIGRATORIA

Passuello (2025), en su blog sobre los derechos y la inteligencia artificial, utiliza la expresión "*a quiet erosion of rights*", que resulta especialmente pertinente en el ámbito de la gestión de fronteras, migración y asilo. Mientras que el debate sobre la protección de los derechos fundamentales en relación con la IA suele estar dominado por las grandes empresas tecnológicas —tendiendo a silenciar o minimizar las preocupaciones críticas—, en este contexto la cuestión adquiere una relevancia particular, ya que afecta a un colectivo que carece de una voz política efectiva y que, en muchos casos, no puede reivindicar la protección de sus derechos ni participar en los procesos que influyen en la elaboración normativa.

En consecuencia, resulta crucial prestar especial atención al uso de estas tecnologías en el ámbito migratorio. Según la Agencia de los Derechos Fundamentales de la Unión Europea (FRA), los riesgos asociados a la IA en este contexto pueden afectar, entre otros, al derecho a la dignidad humana (art. 1 de la Carta), al respeto de la vida privada y familiar (art. 7), a la protección de datos personales (art. 8), al principio de igualdad y no discriminación (arts. 20 y 21), al derecho a la tutela judicial efectiva (art. 47) y al derecho a una buena administración (art. 41) (FRA, 2020).

Basándose en la presentación anterior del marco jurídico y de los posibles usos de estas tecnologías, la afectación de estos derechos se produce principalmente a través de la reproducción y amplificación de sesgos discriminatorios, la opacidad de los procesos algorítmicos, los errores en la toma de decisiones automatizadas y la consolidación de prácticas que pueden vulnerar garantías fundamentales como el derecho de asilo, el principio de no devolución, la protección de datos personales y el derecho a un recurso judicial efectivo (Brouwer, 2021; Derave *et al.*, 2022; Parlamento Europeo, 2025).

La creciente "dataficación" de la migración implica la recopilación sistemática de grandes volúmenes de datos personales, incluidos datos biométricos altamente sensibles. La interconexión de bases de datos europeas refuerza la capacidad de vigilancia, pero también multiplica los riesgos asociados a errores, filtraciones o usos indebidos. La interoperabilidad permite que la información incorrecta registrada en un sistema se propague automáticamente a otros sistemas, generando efectos en cascada en la vida de las personas afectadas: detenciones arbitrarias, rechazos fronterizos o restricciones de movilidad sin conocimiento ni posibilidad real de corrección (Beduschi & McAuliffe, 2021; E. R. Brouwer, 2019).

En este sentido, el problema reside tanto en la recopilación de datos como en su circulación automatizada, así como en la dificultad práctica de ejercer derechos como el acceso, la rectificación o la supresión, especialmente para personas situadas fuera del territorio de la Unión. En la fase inicial de recogida, incluso información aparentemente básica —como el nombre y los apellidos— queda con frecuencia registrada de manera incorrecta (Bellio *et al.*, 2024). Si bien el uso de herramientas basadas en IA (por ejemplo, sistemas lingüísticos de transliteración o normalización) podría contribuir a reducir ciertos errores, también puede introducir nuevos fallos derivados de limitaciones técnicas, sesgos o modelos inadecuadamente entrenados. A ello se suma que el tratamiento masivo de datos en contextos migratorios suele producirse en escenarios caracterizados por una asimetría estructural entre las autoridades y las personas afectadas. En la práctica, el consentimiento resulta irrelevante o inexistente, y la posibilidad de oponerse al tratamiento de datos queda limitada por el propio diseño del sistema.

Aunque una de las ventajas del uso de la IA es la estandarización, otro eje central del debate es el riesgo de reproducción y amplificación de sesgos discriminatorios. Si bien la toma de decisiones humanas también está atravesada por prejuicios, los sistemas de IA tienden a institucionalizar dichos sesgos al integrarlos en modelos matemáticos aplicados de forma sistemática y a gran escala (Beduschi & McAuliffe, 2021). El riesgo, por tanto, no es únicamente que se produzcan errores, sino que estos se produzcan de manera estructural, repetible y difícilmente detectable, afectando de forma desproporcionada a determinados perfiles de personas.

Un ejemplo paradigmático es el uso de tecnologías de reconocimiento facial, que presentan tasas de error significativamente más altas en personas con piel oscura, especialmente en mujeres (Beduschi & McAuliffe, 2021). En contextos migratorios, esto puede traducirse en fallos de identificación, sospechas infundadas o denegaciones injustificadas de entrada. De forma similar, los sistemas de perfilado de riesgo utilizados en solicitudes de visado —basados en variables como la nacionalidad, la edad o el género— pueden reforzar estereotipos raciales y geográficos, dificultando de manera estructural el acceso a la movilidad legal para determinados colectivos (Beduschi & McAuliffe, 2021). En estos supuestos, la discriminación no opera necesariamente mediante categorías explícitas, sino a través de correlaciones estadísticas que reproducen desigualdades históricas bajo la apariencia de neutralidad técnica.

En el caso de ETIAS, para la definición de los riesgos relacionados con la seguridad, la inmigración irregular o un alto riesgo epidémico, el Reglamento (UE) 2018/1240 establece la necesidad de tener en cuenta, entre otros elementos, información verificada y basada en datos proporcionada por los Estados miembros sobre tasas inusualmente altas de personas que exceden el período de estancia autorizado o que han sido rechazadas en la frontera, para grupos específicos de viajeros en cada Estado miembro (art. 33, apartado 2, letra e). No obstante, como señalan Derave *et al.* (2022), si estas tasas reflejan prácticas discriminatorias históricas por parte de agentes fronterizos, ETIAS podría reproducir o incluso intensificar sesgos estructurales preexistentes. Así, el riesgo no radica únicamente en el uso de datos, sino también en el tipo de datos seleccionados, su origen y las lógicas institucionales que los producen.

En este punto, la transparencia resulta decisiva. La exclusión de la obligación de registrar estos sistemas en una base de datos europea de carácter público ha contribuido a que la frontera sur de la UE se convierta en un laboratorio para la IA aplicada al control fronterizo, posibilitando pruebas en condiciones reales registradas únicamente en una sección no pública de la base de datos de la UE y favoreciendo un funcionamiento opaco, difícilmente fiscalizable (Fathallah, 2026). Esta opacidad no es un problema meramente informativo, sino una condición que limita el control democrático y reduce las garantías procesales disponibles.

En efecto, la falta de transparencia afecta directamente el derecho a un recurso judicial efectivo, ya que dificulta conocer las razones de una decisión y, por tanto, impugnarla de manera significativa. Cuando las decisiones se basan en procesos automatizados o en sistemas de evaluación de riesgo cuya lógica permanece inaccesible, las personas afectadas se enfrentan a una forma de exclusión procedimental: no solo pueden ser objeto de decisiones negativas, sino que además carecen de los elementos necesarios para contestarlas. Este problema se ha evidenciado en el proyecto iBorderCtrl, donde la falta de transparencia dificultó el escrutinio público y la exigencia de responsabilidades.

Finalmente, un problema central que guía la política fronteriza europea es el énfasis en la ampliación de la vigilancia, la predicción de flujos migratorios y las evaluaciones de riesgo, que, mediante el uso de la IA, pueden facilitar prácticas de devolución forzosa (*pushbacks*) (Fathallah, 2026). Estas operaciones, orientadas a prevenir y detener el desplazamiento de personas migrantes antes de que alcancen las fronteras de la UE, vulneran el derecho a solicitar asilo y el principio de no devolución. En este sentido, la IA puede contribuir a desplazar el control fronterizo hacia una lógica preventiva y anticipatoria, en la que la movilidad se gestiona como un riesgo que debe ser neutralizado antes incluso de materializarse.

El sistema de vigilancia construido en la UE remite a la imagen *foucaultiana* del panóptico, aunque Bigo (2008) y Follis (2017) introducen conceptos más adaptados a la realidad fronteriza europea. Bigo (2008) propone el término *ban-opticon*, en el que la vigilancia no se dirige a toda la población, sino a determinados grupos minoritarios. Por su parte, Follis (2017: 1050) utiliza el concepto de *oligopticon* para subrayar que la visión ofrecida por el aparato puede representar, en realidad, lo opuesto al panóptico: una forma de observación fragmentada, caracterizada por "visiones extremadamente estrechas del todo (conectado)", que, aunque muy detallada, también resulta "susceptible al cegamiento, la distorsión y la mala interpretación".

El punto central es que, como sostiene Deleuze (citado en Brighenti, 2007: 336), el panóptico constituye "un diagrama lógico del poder más que un mero dispositivo visual físico". De forma análoga, las herramientas basadas en IA orientadas a la gestión de flujos migratorios no solo amplían la visibilidad de la migración, sino que materializan y refuerzan la capacidad de la UE para intervenir, regular y gobernar dichos flujos. En este sentido, la digitalización y automatización de la vigilancia fronteriza no es un mero recurso técnico, sino un instrumento de poder que reconfigura relaciones, anticipa riesgos y condiciona derechos fundamentales, consolidando un modelo de gobernanza centrado en la predicción, la clasificación y la exclusión.

V. CONCLUSIONES

Este capítulo ha mostrado que la promesa oficial de mayor rapidez, estandarización y reducción de la discrecionalidad convive con el riesgo de generar nuevas formas de injusticia estructural y exclusión: los mismos rasgos que se presentan como garantía de objetividad pueden, en la práctica, reforzar asimetrías preexistentes y producir decisiones automatizadas difíciles de impugnar para personas ya situadas en posiciones de especial vulnerabilidad.

Desde la perspectiva del marco legal, la existencia de una regulación específica sobre IA —y el hecho de que la UE sea pionera en este ámbito— es, sin duda, preferible a un escenario de vacío normativo. Sin embargo, el problema central no es solo la presencia o ausencia de normas, sino a quién protegen efectivamente y con qué intensidad. El propio diseño de las normas revela que las personas migrantes, solicitantes de asilo y otros nacionales de terceros países no gozan del mismo nivel de protección que los ciudadanos y residentes de la Unión. Las excepciones amplias para fines de control fronterizo, seguridad interior o gestión de flujos migratorios, junto con regímenes especiales para bases de datos y sistemas de alto riesgo en este ámbito, dibujan un espacio de garantías degradadas precisamente allí donde la asimetría de poder es mayor.

Este sesgo no resulta sorprendente: encaja con una filosofía de control fronterizo ya conocida, basada en la securitización de la movilidad y en la construcción del extranjero como riesgo a gestionar (Kabata, 2022). La novedad no reside tanto en los objetivos, sino en la escala y la granularidad con las que ahora pueden perseguirse: la IA no altera la lógica de fondo, pero sí expande las capacidades de seguimiento, clasificación y exclusión.

En última instancia, la cuestión se vincula directamente con los llamados "valores europeos". No basta con invocarlos en abstracto: la forma en que se diseñan las excepciones, se distribuyen las garantías y se toleran —o no— espacios de menor protección para determinados colectivos revela qué valores se priorizan realmente en la práctica: seguridad, previsibilidad y control, o dignidad humana, igualdad y Estado de derecho sin categorías de ciudadanía de segunda clase.

Nos guste o no, la IA formará parte del futuro de la gobernanza migratoria europea; la pregunta decisiva no es tanto si debe utilizarse, sino bajo qué condiciones y límites normativos. De cara a preservar los valores proclamados por la propia Unión, resulta imprescindible construir cortafuegos institucionales que impidan que la frontera se consolide como un espacio de excepción digital en el que la vigilancia intensiva, la opacidad y la experimentación tecnológica se normalicen a costa de las personas migrantes.

VI. BIBLIOGRAFÍA

Amnesty International. (2014). Amnesty International's contribution to the European Commission's public consultation on the Debate on the future agenda for Home Affairs policies: An open and safe Europe-what next? http://ec.europa.eu/dgs/home-affairs/what-is-new/public-consultation/2013/consulting_0027_en.htm

Beduschi, A., & McAuliffe, M. (2021). Artificial Intelligence, migration and mobility: Implications for policy and practice. En World Migration Report 2022 (International Organization for Migration (IOM)).

Bellio, N., Lancho Bances, C., Sánchez Monedero, J., & Valdivia, A. (2024). DIGITAL TECHNOLOGIES FOR MIGRATION CONTROL AT THE SPANISH SOUTHERN BORDER. EuroMed Rights–AlgoRace.

Bigo, D. (2008). Globalized (in)security: The field and the ban-opticon. En D. Bigo & A. Tsoukala (Eds.), Terror, Insecurity and Liberty: Illiberal Practices of Liberal Regimes after 9/11: 10-48. Taylor & Francis Group. https://doi.org/10.4324/9780203926765-7

Bigo, D. (2014). The (in)securitization practices of the three universes of EU border control: Military/Navy – border guards/police – database analysts. Security Dialogue, 45(3): 209-225. https://doi.org/10.1177/0967010614530459

Breyer, P. (2021, diciembre 16). Transparency lawsuit against secret EU surveillance research: MEP Patrick Breyer achieves partial success in court. https://www.patrick-breyer.de/en/transparency-lawsuit-against-secret-eu-surveillance-research-mep-patrick-breyer-achieves-partial-success-in-court/

Brighenti, A. (2007). Visibility: A Category for the Social Sciences. Current Sociology, 55(3): 323-342. https://doi.org/10.1177/0011392107076079

Brouwer, E. (2021). Schengen and the Administration of Exclusion: Legal Remedies Caught in between Entry Bans, Risk Assessment and Artificial Intelligence Volume 23 Issue 4 (2021). European Journal of Migration and Law, 23(4). https://doi.org/doi:10.1163/15718166-12340115

Brouwer, E. (2024, diciembre 12). EU's AI Act and Migration Control. Shortcomings in Safeguarding Fundamental Rights. Verfassungsblog. https://doi.org/10.59704/a4de76df20e0de5a

Brouwer, E. R. (2019, mayo 25). Interoperability of Databases and Interstate Trust: A Perilous Combination for Fundamental Rights. VerfBlog. https://verfassungsblog.de/interoperability-of-databases-and-interstate-trust-a-perilous-combination-for-fundamental-rights/

Comisión Europea. (2016, septiembre 14). Comunicación de la Comisión al Parlamento Europeo, al Consejo Europeo y al Consejo: Aumentar la seguridad en un mundo definido por la movilidad: Mejora del intercambio de información para luchar contra el terrorismo y refuerzo de las fronteras exteriores. COM(2016) 602 final.

Cunha, A., Silva, M., & Frederico, R. (Eds.). (2015). The Borders of Schengen (Vol. 93). P.I.E. Peter Lang.

Demková, S. (2024). The EU's Artificial Intelligence Laboratory and Fundamental Rights. En M. Fink (Ed.), Redressing Fundamental Rights Violations by the EU: The Promise of the 'Complete System of Remedies': 391-421. Cambridge University Press. https://doi.org/10.1017/9781009373814.022

Derave, C., Genicot, N., & Hetmanska, N. (2022). The Risks of Trustworthy Artificial Intelligence: The Case of the European Travel Information and Authorisation System. European Journal of Risk Regulation, 13(3). https://ssrn.com/abstract=5027729

Dumbrava, C. (2025). Artificial intelligence in asylum procedures in the EU [Briefing]. European Parliamentary Research Service. https://www.europarl.europa.eu/RegData/etudes/BRIE/2025/775861/EPRS_BRI(2025)775861_EN.pdf

EUAA. (2022). Study on Language Assessment for Determination of Origin of Applicants for International Protection. European Union Agency for Asylum. https://doi.org/10.2847/530205

European Commission: Directorate-General for Migration and Home Affairs and Deloitte. (2020). Opportunities and challenges for the use of artificial intelligence in border control, migration and security. (Volume 1, Main Report). Publications Office of the European Union. https://data.europa.eu/doi/10.2837/923610

European Union. (2013). Regulation (EU) No 1052/2013 of the European Parliament and of the Council of 22 October 2013 establishing the European Border Surveillance System (Eurosur). Official Journal of the European Union, L 295.

European Union. (2018). Regulation (EU) 2018/1240 of the European Parliament and of the Council of 12 September 2018 establishing a European Travel Information and Authorisation System (ETIAS) and amending Regulations (EU) No 1077/2011, (EU) No 515/2014, (EU) 2016/399, (EU) 2016/1624 and (EU) 2017/2226. Official Journal of the European Union, L 236.

European Union. (2024a). Regulation (EU) 2024/1358 of the European Parliament and of the Council of 14 May 2024 on the establishment of 'Eurodac' for the comparison of biometric data in order to effectively apply Regulations (EU) 2024/1351 and (EU) 2024/1350 of the European Parliament and of the Council and Council Directive 2001/55/EC and to identify illegally staying third-country nationals and stateless persons and on requests for the comparison with Eurodac data by Member States' law enforcement authorities and Europol for law enforcement purposes, amending Regulations (EU) 2018/1240 and (EU) 2019/818 of the European Parliament and of the Council and repealing Regulation (EU) No 603/2013 of the European Parliament and of the Council. Official Journal of the European Union, L series 2024/1358.

European Union. (2024b). Regulation (EU) 2024/1689 of the European Parliament and of the Council of 13 June 2024 laying down harmonised rules on artificial intelligence and amending Regulations (EC) No 300/2008, (EU) No 167/2013, (EU) No 168/2013, (EU) 2018/858, (EU) 2018/1139 and (EU) 2019/2144 and Directives 2014/90/EU, (EU) 2016/797 and (EU) 2020/1828 (Artificial Intelligence Act) (Text with EEA relevance). http://data.europa.eu/eli/reg/2024/1689/oj

Fathallah, S. (2026, enero 6). The EU AI Act and the violent logics of border AI |. Internet Policy Review. https://policyreview.info/articles/news/violent-logics-border-ai/2062

Fazzinga, B., Palmieri, E., Vestoso, M., Bolognini, L., Galassi, A., Furfaro, F., & Torroni, P. (2024). A Chatbot for Asylum-Seeking Migrants in Europe. 2024 IEEE 36th International Conference on Tools with Artificial Intelligence (ICTAI): 702-707. https://doi.org/10.1109/ICTAI62512.2024.00104

Follis, K. S. (2017). Vision and Transterritory. Science, Technology, & Human Values, 42(6): 1003-1030. https://doi.org/10.1177/0162243917715106

Jeandesboz, J. (2011). Beyond the Tartar Steppe: EUROSUR and the ethics of European border control practices. En P. Burgess & S. Gutwirth (Eds.), A Threat Against Europe? Security, Migration and Integration: 111-132. VUBPRESS.

Joint statement–A dangerous precedent: How the EU AI Act fails migrants and people on the move. (2024, marzo 13). Access Now. https://www.accessnow.org/press-release/joint-statement-ai-act-fails-migrants-and-people-on-the-move/

Jones, C. (2024, junio 6). Automating the fortress: Digital technologies and European borders. Statewatch. https://www.statewatch.org/analyses/2024/automating-the-fortress-digital-technologies-and-european-borders/

Kabata, M. (2022). The intersection of counter-terrorism, migration and border control policies in the European Union: The securitisation of migration? [Doctoral, Nottingham Trent University]. https://ircp.ntu.ac.uk/id/eprint/48575/

Kersting, L. (2025, febrero 27). The AI Act: Securing Borders, Not Rights. Collective Aid. https://www.collectiveaidngo.org/blog/2025/2/27/the-ai-act-securing-borders-not-rights

KIOS. (s. f.). REACTION: REal-Time ArtifiCial InTellIgence for BOrders Surveillance via RPAS Data aNalytics to Support Law Enforcement Agencies. Recuperado 6 de febrero de 2026, de https://www.kios.ucy.ac.cy/projects_kios/reaction-real-time-artificial-intelligence-for-borders-surveillance-via-rpas-data-analytics-to-support-law-enforcement-agencies/

Leese, M. (2016). Exploring the Security/Facilitation Nexus: Foucault at the 'Smart' Border. Global Society, 30(3): 412-429. https://doi.org/10.1080/13600826.2016.1173016

Observatorio Español del Racismo y la Xenofobia. (s. f.). EasyRights, un proyecto con inteligencia artificial que simplifica la burocracia y mejora el acceso de las personas migrantes a los servicios públicos. https://www.inclusion.gob.es/web/oberaxe/w/easyrights-un-proyecto-con-inteligencia-artificial-que-simplica-la-burocracia-y-mejora-el-acceso-de-las-personas-migrantes-a-los-servicios-publicos

Parker, N., & Vaughan-Williams, N. (2014). Critical Border Studies: Broadening and Deepening the «Lines in the Sand» Agenda. Routledge, Taylor and Francis. https://www.routledge.com/Critical-Border-Studies-Broadening-and-Deepening-the-Lines-in-the-Sand-Agenda/Parker-Vaughan-Williams/p/book/9781032928234

Parlamento Europeo. (2024, enero 23). Ley de Inteligencia Artificial 23.1.2024 Enmiendas aprobadas por el Parlamento Europeo el 14 de junio de 2023 sobre la propuesta de Reglamento del Parlamento Europeo y del Consejo por el que se establecen normas armonizadas en materia de inteligencia artificial (Ley de Inteligencia Artificial) y se modifican determinados actos legislativos de la Unión (COM(2021)0206—C9-0146/2021—2021/0106(COD)). Diario Oficial de La Unión Europea, Serie C. http://data.europa.eu/eli/C/2024/506/oj

Passuello, C. (2025, octubre 30). Digital Rights and AI: Can the EU protect human rights in the age of artificial intelligence?. Global Campus of Human Rights. https://www.gchumanrights.org/preparedness/digital-rights-and-ai-can-the-eu-protect-human-rights-in-the-age-of-artificial-intelligence/

Pugliese, J. (2013). Technologies of Extraterritorialisation, Statist Visuality and Irregular Migrants and Refugees. Griffith Law Review, 22(3): 571-597.

Rico, C. I. V., & Laukyte, M. (2024). ETIAS system and new proposals to advance the use of AI in public services. Computer Law & Security Review, 54. https://doi.org/10.1016/j.clsr.2024.106015

Rijpma, J., & Vermeulen, M. (2015). EUROSUR: saving lives or building borders? European Security, 24(3): 454-472. https://doi.org/10.1080/09662839.2015.1028190

Roborder. (s. f.). Aims & Objectives. https://roborder.eu/the-project/aims-objectives/

Spijkerboer, T. (2007). The human costs of border control. European Journal of Migration and Law, 9(1): 127-139. https://doi.org/10.1163/138836407X179337

Tazzioli, M. (2018). Spy, track and archive: The temporality of visibility in Eurosur and Jora. Security Dialogue, 49(4): 272-288. https://doi.org/10.1177/0967010618769812

Tazzioli, M., & Walters, W. (2016). The sight of migration: Governmentality, Visibility and Europe's contested borders. Global Society, 30(3): 445-464. https://doi.org/10.1080/13600826.2016.1173018

The #ProtectNotSurveil coalition. (2024, abril 4). A dangerous precedent: How the EU AI Act fails migrants and people on the move. PICUM. https://picum.org/blog/a-dangerous-precedent-how-the-eu-ai-act-fails-migrants-and-people-on-the-move/

Universitat Pompeu Fabra. (2023, febrero 8). El proyecto europeo Welcome, coordinado por la UPF, desarrolla Chatbots inteligentes y de realidad virtual para mejorar los servicios de acogida. https://www.upf.edu/es/web/focus/noticies/-/asset_publisher/qOocsyZZDGHL/content/el-proyecto-europeo-welcome-coordinado-por-la-upf-desarrolla-chatbots-inteligentes-y-de-realidad-virtual-para-mejorar-los-servicios-de-acogida/10193

Van Andel, J., & Brouwer, E. (2025, agosto 28). Human Rights Here | Polygraphs at the Border: An Unreliable Tool at the Cost of Human Rights. Human Rights Here. https://www.humanrightshere.com/post/polygraphs-at-the-border-an-unreliable-tool-at-the-cost-of-human-rights

What is ETIAS? (s. f.). https://etias.com/what-is-etias

Wiewiórowski, W. (2025, noviembre 3). ETIAS Fundamental Rights Guidance Board: Ensuring access to an effective judicial remedy. European Data Protection Supervisor. https://www.edps.europa.eu/press-publications/press-news/blog/etias-fundamental-rights-guidance-board-ensuring-access-effective-judicial-remedy

Wolff, S., Ripoll Servent, A., & Piquet, A. (2020). Framing immobility: Schengen governance in times of pandemics. Journal of European Integration, 42(8): 1127-1144. https://doi.org/10.1080/07036337.2020.1853119

Zaiotti, R. (2011). Performing Schengen: Myths, rituals and the making of European territoriality beyond Europe. Review of International Studies, 37: 537-556.

PARTE IV

LA IA Y LA PROTECCIÓN DE LOS DERECHOS HUMANOS DESDE PERSPECTIVAS REGIONALES

Capítulo 11.
Autoritarismo digital: el modelo chino

FERNANDO DELAGE
Director del Departamento de Estudios Internacionales, Universidad Loyola Andalucía.

The outcome of this Gray War [the systemic global rivalry between democracy and autocracy] will be determined not so much by who controls some piece of territory in Europe or East Asia—though that matters too—but rather by who controls the information networks and communications technologies that shape the distribution of world power by shaping the daily lives of billions of people.
—JACOB HELBERG, *The Wires of War* (2021).

I. INTRODUCCIÓN

Las nuevas fronteras tecnológicas y el acceso a determinados recursos críticos —de las tierras raras a los semiconductores avanzados—, se han convertido en el principal campo de batalla geoeconómico y geopolítico entre las grandes potencias, en particular entre Estados Unidos y China (Helberg, 2021; Miller, 2023; Ding, 2024; Fishman, 2025). Es un terreno vinculado a la sostenibilidad del crecimiento y la prosperidad de las principales economías, pero también el que determinará en gran medida el futuro equilibrio de poder global.

La revolución digital ha dado origen en este contexto a una dinámica de competición que tiene por objeto la definición de estándares tecnológicos y su difusión, así como el control de las redes y sistemas de información. En un entorno que no es neutro, cada uno de los dos gigantes aspira a imponer sus reglas como base de un reconfigurado sistema global (Maçães, 2025).

En esa relación de rivalidad entre Estados Unidos y China por el liderazgo tecnológico, la inteligencia artificial (IA) ocupa un papel central (Allison and Schmidt, 2020; Lee, 2021; Scharre, 2023; Suleyman, 2025). Estados Unidos considera que el mayor desafío a su preeminencia tecnológica procede de la República Popular China, cuyo gobierno ha dedicado ingentes recursos financieros y una metódica planificación para adquirir una posición de ventaja. El objetivo oficial es, de hecho, el de convertirse en el líder global en IA hacia 2030 (State Council of the People's Republic of China, 2017; Chang, 2025). Los investigadores chinos ya lideran en el número de publicaciones y patentes de IA, y —en 2024— sus modelos de IA redujeron la brecha con los norteamericanos en cuatro indicadores clave de rendimiento en un promedio del 80% (Maslej *et al*, 2025). En marzo de 2025, las autoridades chinas anunciaron, por otra parte, un nuevo fondo nacional de capital de riesgo para invertir decenas de miles de millones de dólares adicionales en IA y otras tecnologías avanzadas durante las dos próximas décadas (Reuters, 2025; Cao, 2025). Empresas de todo el mundo están adoptando cada vez más modelos de IA chinos por su alto rendimiento, por sus códigos abiertos y por ser mucho más baratos de ejecutar (Krikke, 2026).

Si China domina estas tecnologías fundamentales, sus empresas y sector industrial podrían obtener un beneficio extraordinario en términos de crecimiento económico, empleo e impulso en I+D, consolidando una situación a su favor en distintas esferas. En el terreno militar, por ejemplo, si el Ejército Popular de Liberación logra una superioridad en IA, podría anticipar movimientos enemigos, optimizar los procesos logísticos y dominar el campo de batalla con drones y sistemas autónomos con una eficiencia sin igual. La superioridad cuántica en la que también avanza China permitiría descifrar las comunicaciones e inteligencia de otros países, mientras haría impenetrables las propias. La proliferación de la IA china en dispositivos, servicios esenciales e infraestructuras críticas aumentaría los riesgos de espionaje y sabotaje masivo, con daños potenciales mayores que los producidos por recientes ciberataques. Por lo demás, la censura estatal y la vigilancia masiva que practica la República Popular con respecto a sus ciudadanos podría extender un "modelo chino de autoritarismo digital", con graves implicaciones para la democracia y los derechos humanos en el mundo.

Para poder formular estrategias eficaces que hagan frente a la expansión de dicho modelo y mitigar su impacto, resulta necesario comenzar por conocer sus características e instrumentos, e identificar sus riesgos. Tal es el objeto del presente capítulo, que se organiza del siguiente modo. Tras esta introducción se delimitará el concepto de autoritarismo digital y el papel de China en el auge del fenómeno. Las secciones posteriores examinarán, sucesivamente, la construcción del Estado de vigilancia chino, los efectos de la política de IA sobre los derechos humanos a nivel interno, y la exportación del modelo a otros países. Las conclusiones resumirán, por último, el alcance del desafío que representan las prácticas chinas para las libertades fundamentales y propondrán algunas líneas generales de actuación.

II. AUTORITARISMO DIGITAL Y EL PAPEL DE LA REPÚBLICA POPULAR CHINA

Las tecnologías de la información y la comunicación permiten el intercambio de un gigantesco volumen de datos. La rapidez y el bajo coste de la circulación de información, sumados a la proliferación de medios digitales y redes sociales, han facilitado la participación política y la movilización ciudadana, promoviendo la difusión de los derechos humanos y la democracia, incluso en Estados autoritarios. Esas mismas tecnologías son también empleadas, sin embargo, por regímenes represivos para limitar los derechos humanos y ejercer un control social con el fin de asegurar su supervivencia política.

Al incrementarse exponencialmente los tipos y volumen de datos disponibles, la inteligencia artificial, las herramientas de reconocimiento facial y otras tecnologías proporcionan, en efecto, una mayor capacidad a los gobiernos para analizar datos y monitorizar las actividades diarias de los usuarios (Morozov, 2011). Desde esta perspectiva, y en consonancia con la regresión democrática que atraviesa el planeta, también se ha producido durante los últimos veinte años un retroceso de la libertad en Internet y un auge del autoritarismo digital (Freedom House, 2025).

Este último puede definirse como "el uso de la tecnología digital y de las comunicaciones para participar en prácticas que impiden el libre flujo de información, reprimen la disidencia política, vigilan a los ciudadanos, violan la privacidad personal, subvierten los derechos humanos y los principios democráticos, y facilitan campañas de influencia maliciosa a nivel nacional o global" (Strub, 2023). En términos más generales, el fenómeno representa la propagación de normas iliberales a través de entornos digitales, mediante prácticas que no solo realizan actores autoritarios dentro de sus fronteras, sino que afectan igualmente a las sociedades abiertas y democráticas, ya sea como resultado de las actividades de interferencia por esos mismos Estados autoritarios, o bien por la adopción de políticas de control en sistemas pluralistas. En otras palabras, el uso de la tecnología digital por parte de regímenes autoritarios para vigilar, reprimir y manipular a la población afecta a las libertades civiles y la democracia en el conjunto del planeta.

A la vanguardia del autoritarismo digital se encuentra la República Popular China (véase, entre otros, Hoffman, 2021). Para el Partido Comunista Chino (PCCh), la digitalización y la IA son instrumentos decisivos para reforzar el régimen político (Ingster, 2016; Lilkov, 2020). Recurriendo a las tecnologías de vigilancia y al *big data*, las autoridades chinas han creado un sofisticado sistema dirigido a vigilar el comportamiento de individuos y organizaciones, en el que participan —además de la administración y las estructuras del PCCh—, proveedores de servicios de internet, empresas de análisis de datos y redes sociales.

También a escala global persigue China una estrategia orientada a aumentar su control e influencia sobre el ámbito digital a largo plazo. Lo hace exportando sistemas de vigilancia y monitorización a países de Asia, África, Oriente Próximo y América Latina (Polyakova & Meserole, 2019; National Bureau of Asian Research, 2022), y —con ellos— normas, estándares y políticas restrictivas que buscan la integración de valores y prácticas autoritarias en el núcleo de las infraestructuras digitales de los países en desarrollo y de los ecosistemas conforme a los cuales operan dichas infraestructuras. La producción masiva por parte de China de equipos de tecnologías de la información y de la comunicación, apoyada en subvenciones públicas y en una demanda sin precedente, ha facilitado la exportación de productos digitales de bajo coste a todo el mundo, a través en particular de la Ruta de la Seda Digital (Bradford, 2023). La exportación de tecnologías cada vez más avanzadas, asequibles y fácilmente accesibles otorga a las empresas chinas, y en consecuencia a su gobierno, una considerable influencia sobre los flujos y almacenamiento de datos, y crea una situación de dependencia de estos países con respecto a un desarrollo digital que quedará en buena medida en manos de la República Popular.

China no solo construye la infraestructura digital de numerosos países en desarrollo, sino que también promueve, en efecto, la censura y la formación de opinión. Plataformas digitales como TikTok ilustran cómo se pueden aprovechar los espacios de una economía global abierta para recopilar datos, rastrear a ciudadanos y utilizar la manipulación algorítmica para influir en los entornos de información con el fin de sembrar desconfianza interna, fomentar la polarización y debilitar las normas democráticas. El modelo chino de vigilancia digital y control social crea, en definitiva, importantes limitaciones al ejercicio de las libertades (Crosston, 2020).

Los gigantes tecnológicos chinos son, como se indicó, parte crucial del autoritarismo digital chino. La Administración del Ciberespacio de China (CAC), la agencia reguladora establecida por el gobierno en 2014 obliga a las plataformas digitales a invertir en su propia tecnología para censurar contenidos. Esas mismas grandes empresas (Alibaba, Tencent, Baidu, etc.) están obligadas por ley a cooperar en asuntos de seguridad nacional e inteligencia, ayudando a la vigilancia y poniendo su experiencia, productos y datos a disposición de los objetivos del gobierno. Si estas empresas no cumplen, se enfrentan a multas o, incluso, a la pérdida de sus licencias. Grandes cantidades de datos se transfieren así sistemáticamente de empresas privadas a las autoridades, al estar las primeras legalmente obligadas a proporcionar una puerta trasera para que la administración pueda acceder a cualquier información cifrada. Mediante el acceso a esa información a gran escala, el análisis de *big data* con que cuenta el gobierno es predictivo y será cada vez más preciso (Goldman, 2020).

III. EL ESTADO DE VIGILANCIA CHINO

Bajo el liderazgo de Xi Jinping, elegido secretario general en noviembre de 2012, el PCCh ha consolidado ese modelo de autoritarismo digital de censura, propaganda y vigilancia de la población a través de la IA. Los antecedentes de esos esfuerzos se remontan, no obstante, a principios de los años noventa, cuando desde el ministerio de Seguridad Pública se puso en marcha el denominado "Proyecto Nacional de Información de Seguridad Pública", más conocido como el *Golden Shield Project* (Chandel *et al*, 2019). Se trataba en su origen de un sistema de gestión de seguridad y de información sobre delincuentes, así como de una base de datos nacional de ciudadanos adultos. El ministerio estableció asimismo la Oficina de Supervisión de Seguridad de Redes de Información Pública con la misión de monitorizar, interceptar y censurar las actividades *online* de los ciudadanos, desde la transmisión por Bluetooth hasta las redes inalámbricas.

Con el crecimiento continuo del número de usuarios de Internet, el gobierno chino comenzó a construir en 2001 el Gran Cortafuegos (*Great Firewall*), un conjunto de sistemas de *software* y *hardware* empleados para monitorizar y filtrar las comunicaciones, que determina el contenido aceptable y el prohibido conforme a las regulaciones del PCCh. Además de bloquear herramientas y plataformas de internet extranjeras, obliga a las empresas de otros países a adaptarse a la normativa nacional (Creemers, 2020). La finalidad no es solo, por tanto, la de crear un internet cerrado, sino también controlar a sus usuarios (Griffiths, 2020).

En 2017, cuando más de la mitad de la población china estaba ya conectada a Internet, el gobierno anunció los planes para convertirse en un "gran centro de innovación en IA en el mundo" hacia 2030, y seleccionó a Baidu, a Tencent, al gigante del comercio electrónico Alibaba, y a la empresa de software de reconocimiento de voz iFLYTEK, como "campeones nacionales" en el campo de la IA. La vida de los ciudadanos chinos depende cada vez en mayor grado de las aplicaciones de este puñado de empresas que colaboran con la administración para facilitar la recuperación, recopilación y procesamiento a gran escala de información personal a través de actividades *online*, desde sus comportamientos en redes sociales hasta sus hábitos de compra (Horsley, 2021).

Los ciudadanos chinos se han acostumbrado de este modo a que la información sobre sus aficiones personales, educación y salud, titulaciones académicas, situación económica, hábitos alimentarios y de consumo, etc., estén en manos de las grandes empresas tecnológicas y del Estado. A ello hay que sumar el despliegue de cámaras con sistema de reconocimiento facial, lo que se traduce en un grado de monitorización individual sin precedente. El caso más extremo de este tecno-autoritarismo es Xinjiang, la provincia en el noroeste de China en la que, además de las omnipresentes cámaras, la mayoría de los residentes están obligados a descargar aplicaciones en sus teléfonos que permiten a las autoridades monitorizar y rastrear sus movimientos (Leibold, 2019). En 2019 se reveló que las autoridades chinas seguían de cerca la ubicación de casi dos millones y medio de personas en tiempo real a través de una empresa de reconocimiento facial y de una compañía contratada por la policía (Yang and Murgia, 2019). Con la recuperación y contextualización de los datos disponibles de numerosas cámaras de vigilancia, pueden identificar con facilidad a aquellos ciudadanos que pueden representar una amenaza para la "seguridad nacional" o para la "confianza social".

En manos del PCCh, las nuevas tecnologías digitales se han convertido de este modo en poderosas herramientas para la vigilancia y control de la sociedad (Chin and Lin, 2022). Dos sistemas de monitorización deben destacarse en particular: *Skynet* y *Sharp Eyes*. El primero de ellos es un proyecto de videovigilancia establecido por el gobierno chino a partir de 2003, que conecta y recopila datos de las cámaras de vigilancia instaladas en todos los transportes, centros comerciales, teatros y lugares públicos, que permite identificar a un gran número de personas en tiempo real. Promovido como un mecanismo de control del crimen, y asistido por el análisis de multitudes y la IA, funciona en realidad como un instrumento de control estatal. Las empresas Hikvision, SenseTime, Huawei y ZTE participaron en el desarrollo de este proyecto, que ha hecho de China el país con mayor número de cámaras per cápita (se estima que se ha instalado un total de 700 millones, una por cada dos ciudadanos: Weber, 2025b: 152).

En 2015, se lanzó por otra parte el proyecto *Sharp Eyes*, un sistema de vigilancia aún más amplio, que conecta cámaras instaladas en smartphones, vehículos, televisores y otros electrodomésticos inteligentes con cámaras de vigilancia públicas. *Sharp Eyes* se ha adaptado al Internet de las Cosas y fortalece así las capacidades de monitorización del gobierno (Gershgorn, 2021; De Oliveira Fornasie and Silveira Borges, 2023).

Las autoridades chinas integran pues tecnologías antiguas y de última generación (escáneres de teléfonos, cámaras de reconocimiento facial, bases de datos de rostros y huellas dactilares y otros datos biométricos) en una amplia gama de herramientas para el control autoritario. Los datos recogidos se contextualizan y sintetizan mediante algoritmos de IA para monitorizar a los ciudadanos, pero también para predecir su comportamiento.

A todo lo anterior hay que sumar el uso de las redes sociales, entre las que destacan Weibo y WeChat, a efectos de propaganda ideológica. El PCCh siempre ha intentado reforzar la legitimidad del régimen dando forma al discurso público, movilizando a sus bases de apoyo y suprimiendo todo movimiento de protesta política y social. En esa dirección, además de subvertir y cooptar proactivamente las redes sociales para sus propios fines, las autoridades también utilizan algoritmos, junto a la intervención manual, para distribuir intencionadamente información maliciosa, distorsionar hechos y construir narrativas favorables al régimen. Muchas cuentas de redes sociales son creadas directamente por el gobierno y utilizan herramientas engañosas, como *bots* y *trolls*.

Existen diversos tipos de "información sensible" en China: de las luchas políticas internas al más alto nivel a la corrupción, pasando por el precio de la vivienda, la asistencia sanitaria o la polución ambiental. Los temas más censurados suelen ser los relacionados con las protestas ciudadanas en Hong Kong, los aniversarios de la masacre de Tiananmen, o el tratamiento de las minorías étnicas, en particular los uigures de Xinjiang. Aplicaciones de referencia, incluidas las ya mencionadas Weibo y WeChat, emplean a miles de personas para censurar manualmente todo contenido "ilegal". Muchas empresas han externalizado ese trabajo de eliminación de contenido a las denominadas "fábricas de censura", que se extienden, incluso, a las imágenes; es decir, si a través de las redes sociales los usuarios intentan evitar la censura de texto para publicar contenido sensible mediante imágenes, también serán descubiertos (Yang, 2025).

Para los gobernantes chinos, en definitiva, los avances de la censura y de las tecnologías de vigilancia reducen considerablemente el coste de la represión social, a la vez que facilitan la promoción de la propaganda del régimen. Y, en ese modelo de autoritarismo digital que amplía el control del Estado sobre sus ciudadanos, se ha dado un salto cualitativo en los últimos años mediante la integración de la IA.

IV. LA IA Y EL APARATO DE CONTROL ESTATAL

Al regular la IA, la Unión Europea, pionera en este terreno, tiene entre sus principales objetivos salvaguardar los derechos fundamentales y asegurar la transparencia y la rendición de cuentas. En China, por el contrario, la normativa establece un sistema de control político en el que la seguridad sirve al Estado y no a las personas. Mientras en las democracias liberales priman los principios básicos de un Estado de Derecho y la protección de los usuarios, en China se trata de asegurar la obediencia a las autoridades políticas y que la IA sirva a los "valores socialistas" (Colville, 2025).

Tan es así que el desarrollo de la IA se ha incorporado formalmente al "Concepto de Seguridad Nacional Integral" de la República Popular como parte del aparato que vigila la estabilidad social y la seguridad del régimen político, prohibiéndose todas aquellas plataformas que "inciten a la subversión del poder estatal" o "dañen la imagen nacional" (State Council of the People's Republic of China, 2017). Con tal fin, se obliga a los operadores a cumplir las evaluaciones de seguridad gestionadas por el gobierno y el registro de algoritmos, en un sistema de aprobación previa que impide que las aplicaciones "políticamente no aceptables" lleguen a los usuarios. De este modo, la IA ha transformado el sistema de control estatal chino en un instrumento de precisión cada vez más eficiente e intrusivo que permite al gobierno automatizar la censura y mejorar la vigilancia predictiva y biométrica para suprimir de manera preventiva la disidencia.

Las implicaciones de estos hechos son considerables al proporcionar a la administración china un control aún mayor en la vigilancia de su población y en la gestión de los flujos de información, a la vez que le permite reforzar su poder fuera de sus fronteras como exportador global de este tipo de tecnologías. Son cuestiones todas ellas que han examinado en detalle varios informes recientes sobre las prácticas y capacidades chinas con respecto a la IA.

Un estudio del National Endowment for Democracy de Estados Unidos (Weber, 2025a) ha analizado cuatro tecnologías clave centradas en datos cuyo desarrollo fortalece dichas capacidades. Esas tecnologías son las siguientes:

- **Aplicaciones de vigilancia por IA**: China recurre a sistemas de vigilancia con IA cada vez más potentes, que incluyen no solo cámaras de reconocimiento facial sino también sofisticados "cerebros urbanos" que combinan flujos de datos para rastrear y monitorizar actividades en los núcleos urbanos. Estas herramientas crean una red de vigilancia generalizada y pueden ser utilizadas por las autoridades para neutralizar las protestas antes de que se produzcan.

- **Neurotecnologías y tecnologías inmersivas**: La República Popular cuenta con capacidades de primer nivel mundial en la investigación y desarrollo de neurotecnologías, como interfaces cerebro-ordenador, y ha invertido activamente en tecnologías inmersivas como la realidad virtual. En conjunto, estas tecnologías expanden los límites de la vigilancia al permitir a los poseedores de datos inferir y, potencialmente, influir en el estado mental de las personas, lo que afecta a los derechos de privacidad y a la autonomía individual de los que depende la ciudadanía democrática. Como ya se indicó, la legislación china obliga a que los datos de estas tecnologías comerciales sean accesibles para las autoridades estatales.
- **Tecnologías cuánticas**: China es líder en computación y comunicaciones cuánticas, lo que la sitúa en posición de beneficiarse en el futuro de avances que podrían hacer obsoletos los actuales sistemas de encriptación. Son capacidades que ponen en peligro a periodistas independientes, defensores de derechos humanos y políticos de la oposición, erosionando la protección de la que disfrutan en otras sociedades
- **Monedas digitales**: La República Popular ha introducido su propia moneda digital, gestionada por el Banco Central, a través de la cual se facilita otro espacio de vigilancia estatal de los usuarios y de control sobre las compras. La expansión de dicha moneda digital obstaculizaría, por otra parte, la capacidad de las democracias para implementar sanciones contra regímenes autoritarios.

El Australian Strategic Policy Institute (ASPI), conjuntamente con la Human Rights Foundation de Estados Unidos, han examinado en otro informe cuatro áreas concretas en las que China ha ampliado el uso de sistemas avanzados de IA en el aparato de represión y control autoritario desde 2023: la censura multimodal de imágenes políticamente sensibles; la integración de la IA en la cadena de justicia penal; la industrialización del control de la información en la red; y el uso de plataformas habilitadas por IA por parte de empresas chinas que operan en el extranjero (Ryan *et al*, 2025). Entre sus principales conclusiones cabe destacar las siguientes:

- La IA realiza gran parte del trabajo de censura en la red en China, y los grandes modelos de lenguaje (LLM) empleados censuran no solo textos políticamente delicados, sino también —como ya se anticipó— imágenes sensibles. Las exigencias de censura han creado una fuerte demanda de innovación en las herramientas habilitadas por IA, haciendo que sea más rápido y barato que nunca filtrar y controlar lo que los usuarios dicen y muestran. Las autoridades han proporcionado además recursos e incentivos para el desarrollo de LLM avanzados para lenguas de minorías étnicas (uigures, tibetanos, mongoles y coreanos), con el propósito explícito de monitorizar y controlar las comunicaciones en la red de dichos idiomas, tanto en China como fuera de sus fronteras.

- El informe también destaca la integración de la IA en el sistema penal a través de iniciativas como la vigilancia masiva, los tribunales inteligentes y las prisiones inteligentes. Los sospechosos de delitos en China pueden ser identificados y detenidos con la ayuda de la vigilancia habilitada por IA, procesados en tribunales donde la IA ayuda a redactar acusaciones y penas de prisión, y encarcelados en prisiones donde los sistemas de vigilancia con IA monitorizan sus expresiones faciales y emociones. Esta nueva cadena de IA fortalece las capacidades de los fiscales y reduce aún más la transparencia en un sistema de justicia penal ya tradicionalmente inclinado hacia las condenas.

- Este estudio subraya, como otros, que el gobierno chino ha adoptado una definición de seguridad con respecto a la IA que prioriza la seguridad del régimen por encima del bienestar humano. Y a medida que las empresas tecnológicas chinas —que operan al servicio del PCCh— se vuelven más competitivas a nivel internacional, mientras simultáneamente la República Popular pretende imponer sus normas y estándares de IA a nivel global, resulta cada vez más evidente el riesgo de expansión del modelo chino de IA.
- Un último aspecto destacado por este segundo informe, en el que también coincide con otros trabajos de investigación, es el ya mencionado papel de los grandes operadores tecnológicos. Si bien siempre han estado obligados a seguir las regulaciones del gobierno, en la actualidad se han convertido en elementos determinantes en el desarrollo de tecnologías de censura —que venden a compañías más pequeñas—, y en la cooperación directa con las autoridades en casos penales. Entre otros ejemplos se menciona específicamente a ByteDance, la empresa matriz de TikTok, que bloquea todo contenido políticamente sensible; a Tencent, el gigante de las redes sociales y los videojuegos, que utiliza IA para monitorizar el comportamiento de los usuarios y asignarles "puntuaciones de riesgo" en función de su actividad *online*; o al motor de búsqueda Baidu, que suministra diversas herramientas de moderación de contenido y ha colaborado con la administración en centenares de casos penales, especialmente en los relacionados con ciberdelitos.

Como se indicó, esta arquitectura de control político no es un problema exclusivamente interno, ya que el país también exporta su modelo. Las empresas tecnológicas chinas venden al exterior software de IA y de reconocimiento facial, así como otras tecnologías de vigilancia, lo que plantea un grave desafío a la ciberseguridad, así como el riesgo de una creciente institucionalización de la violación de derechos humanos a escala global.

V. CHINA COMO EXPORTADOR DE TECNOLOGÍAS Y PRÁCTICAS DE VIGILANCIA

El alcance del modelo chino de autoritarismo digital se multiplica, en efecto, al exportarse con éxito a otros países de diferentes continentes. Lo hace a través de distintos acuerdos bilaterales, pero sobre todo mediante la Ruta de la Seda Digital (RSD), establecida en 2015 y parte de la Iniciativa de la Ruta de la Seda (la *Belt and Road Initiative* en su denominación oficial en inglés). A lo largo de la RSD, la República Popular desarrolla y gestiona proyectos de infraestructuras que incluyen, entre otros, cables de fibra óptica, redes móviles, estaciones de retransmisión de satélites, centros de datos, comercio electrónico y ciudades inteligentes, construidos en su mayor parte por empresas tecnológicas chinas. China, en otras palabras, es quien está dando forma al espacio digital de numerosos Estados, a los que concede préstamos que garantizarán la dependencia a largo plazo de sus productos tecnológicos y de la asistencia de sus empresas (Kurlantzick, 2020).

Por un lado, la RSD responde al Plan "Made in China 2025", cuyo objetivo es el de potenciar la innovación de China y de ese modo garantizar una mayor autonomía en el sector tecnológico digital. Pero, al mismo tiempo, es mucho más que un proyecto que abre nuevos mercados a las empresas chinas (y limita por tanto las posibilidades de las occidentales) e impulsa la conectividad digital de los países en desarrollo con la República

Popular. Lo que hace que los avances de China en los sistemas de represión impulsados por IA sean tan significativos es que, además de ofrecer su tecnología, exporta igualmente sus prácticas de vigilancia masiva y de erosión de las libertades civiles (Polyakova and Meserole, 2019). Con tal fin, asesora a los regímenes autoritarios sobre cómo desarrollar la legislación necesaria para la protección de datos y privacidad, cómo utilizar los datos disponibles y cómo dirigir sus relaciones con los medios en materia de gestión de la información, además de formar a funcionarios gubernamentales.

La experiencia de Pekín en el uso de este tipo de herramientas digitales lo ha convertido en el proveedor de referencia de aquellos regímenes que desean desplegar su propio sistema de vigilancia. Estados autocráticos y democracias débiles son por ello sus principales compradores, especialmente cuando hacen frente a periodos de disturbios internos (Beraja *et al*, 2023; Heeks *et al*, 2024). Un informe del Center for Strategic and International Studies (CSIS) de Washington indicaba que, entre 2006 y 2021, Huawei había concluido contratos en este terreno con más de 40 gobiernos, la mayoría de los cuales son considerados por Freedom House como no democráticos y escasamente respetuosos con los derechos humanos (Qi, 2021).

Para las autoridades chinas, los datos son un recurso estratégico de primer orden. La obligación —exigida por la Ley Nacional de Inteligencia de 2017— de que empresas, organizaciones y ciudadanos de la República Popular deben cooperar con los servicios de inteligencia, se vio reforzada por la Ley de Seguridad de Datos de 2021. Sus disposiciones implican que los datos recogidos por los operadores tecnológicos chinos en el extranjero —ya sea a través de herramientas de seguridad pública, de redes sociales o de plataformas de comercio electrónico— estarán disponibles para el PCCh. Mediante estos recursos, las autoridades en Pekín pueden obtener información valiosa que pueden utilizar para dar forma a estrategias de propaganda adaptada a diversas audiencias extranjeras, o también para actualizar sus estrategias de penetración económica sobre la base de los conocimientos adquiridos sobre mercados y empresas extranjeros (Johnson, 2023). Por volver al ejemplo de Huawei, esta empresa procesa una gran cantidad de datos sensibles relacionados con los registros de salud, fiscalidad y legales de los ciudadanos en los países contratantes. *Huawei Cloud Services* también opera infraestructuras de considerable relevancia, como la producción de petróleo y distribución de combustible en Brasil, o las operaciones de centrales eléctricas en Arabia Saudí (Xi, 2021).

Suministrar tecnologías avanzadas de vigilancia a líderes autoritarios también permite ampliar el alcance transnacional de las políticas de represión de China. No son pocos los ejemplos de gobiernos beneficiarios de la ayuda china en este terreno, Tailandia parece destacar entre ellos, que devuelven regularmente a la República Popular a los disidentes chinos que han huido del país.

Por resumir, la consecuencia de la venta comercial de tecnologías de vigilancia y del desarrollo de la RSD es la expansión global del modelo chino de autoritarismo digital. Con él se abre la puerta a la institucionalización de la vigilancia ilegal, la supresión de los derechos humanos universales y la erosión de los valores pluralistas (Carter and Carter, 2025). También puede perpetuar el dominio de regímenes autoritarios y convertirse en una herramienta de opresión para su uso contra minorías y la oposición política. Es una estrategia que representa un desafío directo a la seguridad nacional de los Estados soberanos, y que podría provocar brechas de ciberseguridad y un aumento de ciberataques. Por todas estas razones, la apuesta del PCCh por dominar las tecnologías emergentes exige una estrecha atención por parte de aquellas sociedades que quieren preservar un futuro digital democrático.

En el caso de la Unión Europea, las implicaciones son bien conocidas desde hace tiempo. El modelo chino compite con los esfuerzos europeos por ser pioneros en la protección de datos y en la protección de los derechos individuales *online*. La UE trata de fortalecer la privacidad mediante la confidencialidad y la seguridad de las comunicaciones electrónicas, e incluso anticipar los posibles daños de la aplicación no regulada de capacidades avanzadas de IA (European Parliament, 2023). La UE intenta encontrar una solución equilibrada y centrada en los derechos de la persona, mientras que la República Popular China va en la dirección opuesta y, a través de su creciente influencia política y económica, atrae a muchos otros Estados a seguir su ejemplo en oposición a las democracias occidentales. En este contexto, la cautela europea hacia determinados proveedores chinos de telecomunicaciones constituye una expresión concreta de esa divergencia de modelos. Las preocupaciones relacionadas con la seguridad de las infraestructuras críticas y la posible injerencia de terceros Estados se han ido reflejando en criterios regulatorios cada vez más definidos respecto a empresas como Huawei y ZTE. La evolución normativa apunta así a una tendencia sostenida a considerar a ambos operadores como proveedores de alto riesgo en el despliegue de redes 5G.

El seguimiento institucional de la aplicación del denominado *5G Toolbox* pone de relieve esta tendencia. El *Second report on Member States' Progress in implementing the EU Toolbox on 5G Cybersecurity* subraya la necesidad de restringir o excluir a proveedores considerados de alto riesgo de las partes críticas de las redes, y menciona expresamente a Huawei y ZTE en el marco de dichas evaluaciones (NIS Cooperation Group, 2023). En la misma línea, el *Legislative Train* del Parlamento Europeo, al hacer balance del estado de implementación del Plan de Acción 5G, recoge que la Comisión Europea considera que ambos proveedores representan riesgos significativamente mayores que otros suministradores, instando a los Estados miembros a adoptar medidas coherentes con el marco común de mitigación de riesgos (European Parliament, 2024).

Estas posiciones institucionales, junto con un número creciente de decisiones nacionales de restricción o exclusión, muestran cómo la preocupación por las dependencias tecnológicas vinculadas al modelo chino se ha traducido en mecanismos regulatorios relativamente estables dentro de la Unión. La política europea de ciberseguridad en el ámbito de las telecomunicaciones deja así de ser una cuestión puramente técnica para situarse también en el terreno de la competición entre modelos de gobernanza digital.

El autoritarismo digital chino es también una amenaza potencial para los ciudadanos europeos en su vida cotidiana. Hay un aumento progresivo de productos tecnológicos y de *software* chinos en la UE que suponen un enorme riesgo para los datos personales sensibles y la ciberseguridad europea en general: se trata de aplicaciones y *software* que pueden extraer comunicaciones e imágenes personales de los dispositivos. El previsible crecimiento del Internet de las Cosas, cuyos estándares aún son inestables, incrementará a su vez con rapidez la cuota en los mercados europeos de los dispositivos chinos, con la consiguiente situación de vulnerabilidad a menos que los gobiernos de la UE garanticen exhaustivos controles de seguridad.

No es necesario insistir, por lo demás, en las preocupaciones de seguridad relacionadas con la participación de empresas chinas, Huawei de manera destacada, en el despliegue de las redes de telecomunicaciones de nueva generación en Europa, y los riesgos para la seguridad de datos e infraestructuras críticas (véase al respecto Small, 2022). Las enormes subvenciones proporcionadas por el gobierno chino a sus gigantes tecnológicos, receptores asimismo de múltiples medidas que facilitan su conquista de los mercados globales, constituyen un desafío creciente para las compañías europeas, así como para las normas de competencia y la protección de datos y de la propiedad intelectual.

VI. CONCLUSIONES

Tras el fin de la Guerra Fría, las naciones democráticas fueron las protagonistas de la innovación y el desarrollo tecnológico. Esta situación ha cambiado de manera notable con el ascenso de China. Con anterioridad, la República Popular tenía que recurrir a tecnologías diseñadas y producidas en el extranjero para sus políticas de seguridad pública. Son ahora las empresas chinas las que han diseñado sistemas de IA orientados a la vigilancia masiva y la monitorización de sus ciudadanos hasta unos niveles sin precedente. Es el resultado de una estrategia que busca asegurar el dominio del PCCh mediante un sistema de control social que evite y prevenga la disidencia política. China ha establecido con tal fin un modelo de autoritarismo digital que restringe la privacidad y la libertad de expresión en la red, y obliga por ley a empresas y organizaciones a cooperar en el intercambio de información personal sensible con el gobierno.

Los efectos no se limitan al interior del país. China ha entrado en nuevos mercados, exportando con éxito sus productos, tecnologías y prácticas, con la Ruta de la Seda Digital como instrumento de referencia. Al dominar el desarrollo y la gestión de centros de telecomunicaciones y datos en numerosos países, obtiene acceso a información y capacidades que le permitirán llevar a cabo operaciones de influencia. Al mismo tiempo, demuestra cómo su arquitectura de IA puede integrarse en las políticas de vigilancia, censura y control social, afectando a la situación de los derechos fundamentales en todo el mundo. La República Popular se esfuerza porque su concepción de soberanía digital se imponga sobre un marco de gobernanza abierta de Internet, y aspira a que la vigilancia en la red y la limitación de la privacidad se conviertan en la norma a escala mundial; una perspectiva que resulta atractiva para los regímenes autoritarios, como demuestra el hecho de que otros países están siguiendo la aproximación china.

Para evitarlo, los gobiernos democráticos, y en particular los Estados miembros de la UE, deben trabajar juntos para adoptar reglas que consagren las libertades civiles como un elemento clave de la seguridad de la IA, y para ofrecer una alternativa a los métodos autoritarios. Se trata de construir ecosistemas de IA que resistan de manera proactiva la expansión de normas digitales autoritarias, haciendo de la transparencia, la responsabilidad y la libre expresión principios centrales de su diseño. Para ello deben establecerse normas de contratación que excluyan modelos opacos o con filtros políticos, requieran la divulgación de cualquier filtro de moderación oculto y eviten que los usuarios puedan verse bloqueados o amenazados.

En esa misma dirección, los gobiernos pluralistas deberían coordinarse para establecer estándares globales que prohíban la censura política, prioricen sistemas de IA abiertos e inspeccionables, y restrinjan la exportación de tecnologías de vigilancia y formación de opinión. También deben eliminarse los incentivos comerciales que impulsen las prácticas de censura, exigiendo la transparencia debida en materia de derechos humanos en todas las cadenas de suministro de IA. El riesgo, como se ha indicado en estas páginas, no existe solo para los ciudadanos de países autoritarios: si se dependiera únicamente de las presiones del mercado, las empresas de las sociedades abiertas podrían seguir el mismo camino de los operadores chinos. Las sociedades democráticas deben evitar ceder por ello ante los intereses de las empresas de IA, siempre inclinadas a contar con un entorno escasamente regulado para maximizar sus beneficios y cuota de mercado. La contrapartida sería la normalización de la vigilancia en la red y la erosión de los valores democráticos y de las libertades fundamentales.

VII. BIBLIOGRAFÍA

Allison, G. and Schmidt, E. (2020). Is China Beating the U.S. to AI Supremacy? Harvard Kennedy School, Belfer Center for Science and International Affairs, https://www.belfercenter.org/publication/china-beating-us-ai-supremacy

Beraja, M. et al. (2023). Exporting the Surveillance State via Trade in AI. National Bureau of Economic Research, Working Paper 31676, https://www.nber.org/papers/w31676

Bradford, A. (2023). Exporting China's Digital Authoritarianism through Infrastructure. En Bradford, A. *Digital Empires: The Global Battle to Regulate Technology*. Oxford University Press, 290–323.

Cao, A. (2025, 11 abril). New AI Fund in China to Pour US$8 Billion into Early-Stage Projects, *South China Morning Post*.

Carter, E. B. and Carter, B. L. (2025). Exporting the Tools of Dictatorship: The Politics of China's Technology Transfers. *Perspectives on Politics*, 23 (3), 1089-1108.

Chandel, S. et al. (2019). The Golden Shield Project of China: A Decade Later–An in-depth study of the Great Firewall, 2019 International Conference on Cyber-Enabled Distributed Computing and Knowledge Discovery (CyberC), https://www.acsu.buffalo.edu/~yunnanyu/files/papers/Golden.pdf

Chang, W. et al. (2025). China's Drive Toward Self-Reliance in Artificial Intelligence: From Chips to Large Language Models, MERICS, https://merics.org/sites/default/files/2025-07/MERICS%20Report-AI_Stack_final.pdf

Chin, J. and Lin, L. (2022). *Surveillance State: Inside China's Quest to Launch a New Era of Social Control.* MacMillan.

Colville, A. (2025, 30 julio). How China sees AI safety. *China Media Project,* https://chinamediaproject.org/2025/07/30/how-china-sees-ai-safety/

Creemers, R. (2020). *China's Approach to Cyber Sovereignty*. Konrad-Adenauer-Stiftung, https://www.kas.de/en/single-title/-/content/chinas-approach-to-cyber-sovereignty

Crosston, M. (2020). Cyber Colonization: The dangerous fusion of artificial intelligence and authoritarian regimes. *Cyber, Intelligence, and Security*, 4 (1), 149-171.

De Oliveira Fornasie, M. and Silveira Borges, G. (2023). The Chinese 'sharp eyes' system in the era of hypervigilance: between state use and risks to privacy. *Revista Brasileira de Políticas Públicas*, 13 (1), 443-456.

Ding, J. (2024). *Technology and the Rise of Great Powers: How Diffusion Shapes Economic Competition*. Princeton University Press.

European Parliament. (2023, 8 junio). EU AI Act: first regulation on artificial intelligence, https://www.europarl.europa.eu/topics/en/article/20230601STO93804/eu-ai-act-first-regulation-on-artificial-intelligence

European Parliament. (2024). *Legislative Train Schedule: A Europe fit for the digital age – 5G Action Plan*. https://www.europarl.europa.eu/legislative-train/carriage/5g-action-plan/report?sid=9901

Fishman, E. (2025). *Chokepoints: American Power in the Age of Economic Warfare*. Portfolio.

Freedom House (2025). Freedom on the Net 2025: An Uncertain Future for the Global Internet, https://freedomhouse.org/sites/default/files/2025-12/FOTN%202025_final_digital_120525.pdf

Gershgorn, D. (2021, 2 marzo). China's 'Sharp Eyes' Program Aims to Surveil 100% of Public Space. *One Zero*, https://cset.georgetown.edu/article/chinas-sharp-eyes-program-aims-to-surveil-100-of-public-space/

Goldman, D. (2020). *You Will Be Assimilated: China's Plan to Sino-Form the World*. Bombardier Books.

Griffiths, J. (2020). *The Great Firewall of China: How to build and control an alternative version of the Internet*. Bloomsbury Publishing.

Heeks, R. et al. (2024). China's digital expansion in the Global South: Systematic literature review and future research agenda. *The Information Society*, 40 (2), 69-95.

Helberg, J. (2021). *The Wires of War: Technology and the Global Struggle for Power*. Simon & Schuster.

Hoffman, S. (2021). Double-Edged Sword: China's Sharp Power Exploitation of Emerging Technologies, National Endowment for Democracy, https://www.ned.org/wp-content/uploads/2021/04/Double-Edged-Sword-Chinas-Sharp-Power-Exploitation-of-Emerging-Technologies-Hoffman-April-2021.pdf

Horsley, J. P. (2021, 29 enero). How will China's privacy law apply to the Chinese state? Brookings Institution, https://www.brookings.edu/articles/how-will-chinas-privacy-law-apply-to-the-chinese-state/

Ingster, N. (2016). *China's Cyber Power.* The International Institute of Strategic Studies, Adelphi Papers, núm. 456.

Johnson, M. (2023). China's Grand Strategy for Global Data Dominance. Hoover Institution, CGSP Occasional Paper Series No. 2, https://www.hoover.org/sites/default/files/research/docs/Johnson_ChinasGrandStrategy_Web.pdf

Krikke, J. (2026, 20 enero). Why China's AI models will have greater global appeal. *Asia Times,* https://asiatimes.com/2026/01/why-chinas-ai-models-will-have-greater-global-appeal/?utm_source=flipboard&utm_content=topic/china

Kurlantzick, J. (2020, 17 diciembre). China's Digital Silk Road Initiative: ¿A Boon for Developing Countries or a Danger to Freedom? *The Diplomat,* https://thediplomat.com/2020/12/chinas-digital-silk-road-initiative-a-boon-for-developing-countries-or-a-danger-to-freedom/

Lee, K. F. (2021). *AI Superpowers: China, Silicon Valley, and the New World Order.* Harper Business.

Leibold, J. (2020). Surveillance in China's Xinjiang Region: Ethnic Sorting, Coercion, and Inducement. *Journal of Contemporary China,* 29 (121), 46-60.

Lilkov, D. (2020). Made in China: Tackling Digital Authoritarianism. Wilfried Martens Centre for European Studies, https://www.martenscentre.eu/publication/made-in-china-tackling-digital-authoritarianism/

Maçães, B. (2025). *World Builder: Technology and the New Geopolitics.* Cambridge University Press.

Maslej, N. et al. (2025). The AI Index 2025 Annual Report, Institute for Human-Centered AI, Stanford University, https://hai.stanford.edu/ai-index/2025-ai-index-report

Miller, C. (2023). *Chip War: The Fight for the World's Most Critical* Technology. Scribner.

Morozov, E. (2011). *The Net Delusion: The Dark Side of Internet Freedom.* Public Affairs.

National Bureau of Asian Research. (2022). China's Digital Ambitions: A Global Strategy to Supplant the Liberal Order, https://www.nbr.org/wp-content/uploads/pdfs/publications/sr97_chinas_digital_ambitions_mar2022.pdf

NIS Cooperation Group. (2023). *Second report on Member States' Progress in implementing the EU Toolbox on 5G Cybersecurity*. European Commission, https://portal5g.pt/wp-content/uploads/2023/06/Second_Progress_Report_on_the_Toolbox_implementation_Final1532_6tCYyhf6XxDf7mRLN0mHxy3PZho_96519.pdf

Polyakova, A. and Meserole, C. (2019). Exporting digital authoritarianism: The Russian and Chinese models. Brookings Institution, https://www.brookings.edu/research/exporting-digital-authoritarianism/

Qi, J. (2021, 17 mayo). Research: Huawei still getting contracts from developing countries. *Financial Times.*

Reuters. (2025, 6 marzo). China to Set Up National Venture Capital Guidance Fund, State Planner Says, https://www.reuters.com/world/china/china-set-up-national-venture-capital-guidanc-fund-state-planner-says-2025-03-06/.

Ryan, F., et al. (2025). The party's AI: How China's new AI systems are reshaping human rights. Australian Strategic Policy Institute, https://www.aspi.org.au/report/the-partys-ai-how-chinas-new-ai-systems-are-reshaping-human-rights/

Scharre, P. (2023). *Four Battlegrounds: Power in the Age of Artificial Intelligence.* Norton & Company.

Small, A. (2022). *No Limits: The Inside Story of China's War with the West.* Melville House.

State Council of the People's Republic of China. (2017). New Generation Artificial Intelligence Plan, Stanford Cyber Policy Center, https://digichina.stanford.edu/work/full-translation-chinas-new-generation-artificial-intelligence-development-plan-2017/

Strub, D. (2023). Confronting the Rise of Digital Authoritarianism. The National Bureau of Asian Research, Congressional Briefings Series, https://www.nbr.org/wp-content/uploads/pdfs/publications/digital-authoritarianism-brief_apr23.pdf

Suleyman, M. (2025). *The Coming Wave: AI, Power, and Our Future.* Crown.

Weber, V. (2025a). Data-Centric Authoritarianism: How China's Development of Frontier Technologies Could Globalize Repression. National Endowment for Democracy, https://www.ned.org/data-centric-authoritarianism-how-chinas-development-of-frontier-technologies-could-globalize-repression-2/

Weber, V. (2025b). China's AI-Powered Surveillance State. *Journal of Democracy,* 36 (4), 151-160.

Xi, J. (2021, 21 mayo). Huawei switch to the cloud: China competing with US in Asia, Africa and Latin America. *Voice of America*, https://www.voachinese.com/a/Huawei-cloud-coercive-leverage-20210520/5899020.html

Yang, J. (2025, 19 septiembre). Inside China's Surveillance and Propaganda Industries: Where Profit Meets Party. *The Diplomat*, https://thediplomat.com/2025/09/inside-chinas-surveillance-and-propaganda-industries-where-profit-meets-party/

Yang, Y. and Murgia, M. (2019, 16 febrero). Data leak reveals China is tracking almost 2.6m people in Xinjiang. *Financial Times*.

Capítulo 12.

Inteligencia Artificial, comunitocracia y necropolítica en el Líbano: retos para la promoción regional de los derechos humanos

FRANCISCO SALVADOR BARROSO CORTÉS

Profesor de Relaciones Internacionales

Universidad Loyola Andalucía

I. INTRODUCCIÓN

A comienzos de 2026, el Líbano sigue inmerso en una transición institucional reciente tras años de bloqueo. La elección del general Joseph Aoun como presidente (9 de enero de 2025) y la formación del gobierno de Nawaf Salam (8 de febrero de 2025) abrieron expectativas de reformas y reconstrucción, aunque continúan constreñidas por equilibrios sectarios y por presiones externas. De forma simultánea, el entorno securitario permanece frágil, bajo la sombra del conflicto con Israel y el alto el fuego de finales de 2024 vinculado a la Resolución 1701, con tensiones recurrentes en torno al control del sur y el debate sobre el desarme de actores armados como Hizbulá.

Sobre este trasfondo inmediato, el punto de partida empírico se sitúa en un panorama de derechos humanos que, a comienzos de 2026, aparece marcado por crisis simultáneas que se refuerzan y dañan derechos civiles, políticos, económicos y sociales, en un contexto donde tras el alto el fuego de noviembre de 2024 persisten la violencia y la inseguridad en el sur, con víctimas civiles, desplazamientos prolongados y un deterioro sostenido de servicios básicos y medios de vida (OHCHR, 2025; Anera, 2025). Este deterioro se inscribe en un colapso socioeconómico persistente, con pobreza extendida y dificultades para cubrir alimentación, medicación y educación, que afectan de manera desproporcionada a refugiados y a los hogares más vulnerables (Anera, 2025; Amnesty International, 2025). En paralelo, la impunidad y el bloqueo institucional siguen siendo estructurales por la falta de avances en investigaciones clave y por debilidades de rendición de cuentas, lo que refuerza la imagen de un Estado de capacidades limitadas, mediado por lógicas comunitarias en la distribución de protección y riesgo (Human Rights Watch, 2025a; Amnesty International, 2025). En el plano cívico, las denuncias por difamación e insulto y las prácticas de citación e interrogatorio operan como mecanismos de presión sobre periodistas y activistas, con efectos disuasorios y de autocensura, especialmente en investigaciones sobre corrupción o abusos (Amnesty International, 2025; Human Rights Watch, 2025b). En este marco, la IA aparece como instrumento ambivalente para la promoción y protección de derechos porque puede acelerar análisis humanitarios y de contexto y, a la vez, amplificar riesgos si faltan salvaguardas de diligencia debida, evaluación de impacto, trazabilidad, transparencia, supervisión y acceso a remedio. Por último, el Examen Periódico Universal (EPU)[1] de enero de 2026 confirma que estos déficits persisten mientras continúan las crisis y las

---

[1] El Examen Periódico Universal, EPU, es un mecanismo del Consejo de Derechos Humanos de Naciones Unidas que somete a todos los Estados a una revisión periódica, mediante diálogo entre pares, sobre el cumplimiento de sus obligaciones y compromisos en derechos humanos. La evaluación se apoya en un informe del propio Estado, una compilación de información de la ONU y un resumen de aportes de otras partes interesadas, y concluye con recomendaciones que el Estado puede aceptar o dejar anotadas. En el caso del Líbano, el examen del cuarto ciclo tuvo lugar en enero de 2026.

reformas no se consolidan (OHCHR, 2026; Amnesty International, 2025).

En ese marco, abordar la IA desde un enfoque de derechos humanos es una exigencia práctica. En una comunitocracia atravesada por lógicas necropolíticas, la visibilidad administrativa y el acceso a protección no dependen solo de reglas formales, sino de intermediaciones y redes que producen vulnerabilidad diferencial. Por ello, herramientas de IA aplicadas al registro, la verificación o la priorización de ayuda pueden mejorar asignaciones en contextos de escasez, pero también consolidar sesgos, aumentar opacidades y desplazar decisiones hacia sistemas difíciles de auditar o impugnar.

Esta cuestión adquiere mayor relieve en un contexto internacional donde el orden liberal basado en reglas se ve sometido a tensiones crecientes. En la formulación atribuida a Antony Blinken, dicho orden remite a un sistema de leyes, acuerdos, principios e instituciones orientado a gestionar relaciones interestatales y proteger derechos (Miller, 2024). En esa coyuntura, la IA actúa como vector de transformación, al reconfigurar capacidades militares y de inteligencia, concentrar ventajas económicas en quienes controlan datos y cómputo, y amplificar la competencia en la esfera informativa mediante desinformación y manipulación a escala (Trachtenberg, 2025: 9). En este sentido, el desfase entre innovación y gobernanza añade presión a un multilateralismo ya debilitado.

Desde el punto de vista normativo, un enfoque de derechos humanos digitales ofrece una base robusta para ordenar riesgos, responsabilidades y remedios, incluso cuando la responsabilidad se distribuye entre agencias públicas, organizaciones internacionales y proveedores privados (Bakiner, 2023; Khazanchi & Saxena, 2025). En el ámbito de la seguridad, además, conviene evitar el supuesto intercambio lineal entre privacidad y protección. En términos comparados, las posiciones ciudadanas aparecen más matizadas de lo que suele asumirse. Se toleran ciertos usos de la IA, aunque el apoyo se debilita ante sospechas de sesgo o de control intensificado (Ezzeddine et al., 2023). Esto es clave cuando la vigilancia puede recaer de forma desigual sobre algunos grupos.

Que el derecho internacional de los derechos humanos no reconozca de manera general un derecho autónomo frente a decisiones automatizadas no significa que estas queden sin protección. Derechos ya consolidados, como igualdad y no discriminación, privacidad, debido proceso y acceso a impugnación y reparación, proporcionan herramientas suficientes. La dificultad radica en hacerlos operativos allí donde se diseña, contrata y utiliza la automatización, especialmente cuando la trazabilidad es baja y la responsabilidad se dispersa (Abrusci & Mackenzie-Gray Scott, 2023; Langford, 2020). En usos de alto impacto, el enfoque de IA confiable cobra relevancia por su énfasis en mitigar sesgos, reforzar explicabilidad y garantizar robustez (Meert et al., 2025).

En el caso libanés, el riesgo característico no es solo el fallo puntual, sino la violencia lenta de la IA, entendida como un desgaste acumulativo de agencia y exigibilidad. La gobernanza algorítmica puede traducir desigualdades previas y mediaciones informales en umbrales y clasificaciones con apariencia de neutralidad. Esa apariencia reduce la inteligibilidad del proceso y complica la impugnación y la corrección. Así, se naturalizan distintos niveles de protección cuando la clasificación afecta a movilidad, servicios, seguridad o asistencia (Teo, 2025; IASC, 2023). En el terreno humanitario, estos riesgos se agravan cuando la urgencia, la opacidad y los datos incompletos desplazan el juicio humano y complican la asignación de responsabilidades y remedios (Pizzi *et al.*, 2020).

Con estos elementos, el objetivo del capítulo no es proponer un nuevo derecho específico frente a la decisión automatizada, sino delimitar condiciones institucionales y salvaguardas mínimas para que los derechos ya reconocidos resulten comprensibles y exigibles allí donde la clasificación algorítmica reordena elegibilidad, asistencia y seguridad. En términos jurídicos y políticos, la cuestión central se expresa en tres preguntas. Quién es visible para el sistema, quién puede cuestionar una decisión con garantías y quién responde cuando la automatización produce daño o exclusión (Pizzi et al., 2020; Abrusci & Mackenzie-Gray Scott, 2023).

El capítulo se organiza en cuatro apartados, además de esta introducción. El primero delimita los objetivos y formula las hipótesis de trabajo. A continuación, se desarrolla el marco conceptual de comunitocracia y necropolítica, como lentes para analizar la producción de vulnerabilidad diferencial. El tercer apartado examina usos relevantes de IA en ámbitos humanitarios y de seguridad en el Líbano, atendiendo a sus efectos potenciales sobre derechos. El cuarto aborda los principales dilemas de gobernanza, con especial énfasis en opacidad, trazabilidad, rendición de cuentas y posibilidad de impugnación. Por último, se presentan recomendaciones operativas y se discuten sus implicaciones para la promoción regional de los derechos humanos en un contexto de crisis del multilateralismo.

II. OBJETIVOS E HIPÓTESIS

La investigación parte de una hipótesis central. En el Líbano, la IA aplicada a la gestión humanitaria y a la seguridad tiende a intensificar desigualdades y riesgos para los derechos humanos cuando se inserta en una comunitocracia donde el acceso a protección se negocia a través de intermediaciones y donde la rendición de cuentas es limitada. En ese marco, la traducción de mediaciones informales a categorías, umbrales y perfiles puede reforzar una necropolítica de la administración cotidiana, al distribuir de manera desigual la movilidad, los servicios y la exposición al daño, sobre todo cuando los sistemas de datos son opacos y carecen de controles efectivos. En cambio, estas herramientas pueden contribuir a mejorar la documentación, la alerta temprana y la asignación de ayuda si se despliegan con supervisión humana sostenida, minimización de datos, auditorías y evaluaciones de impacto en derechos humanos, junto con una gobernanza multiactor que sea verificable y exigible.

El marco analítico se despliega en cuatro subhipótesis, cada una asociada a un mecanismo causal distinto, sesgo de datos, opacidad decisional, doble uso y condicionalidad de los donantes.

H1. Sesgo y estratificación: Cuanto mayor sea la dependencia de datos obtenidos mediante intermediación clientelar, mayor será el sesgo estructural y la exclusión o penalización de ciertos grupos.

H2. Opacidad y responsabilidad: Cuanto más se desplace la decisión hacia sistemas automatizados o semiautomatizados, mayor será la dificultad de atribuir responsabilidades y de activar remedios efectivos.

H3. Doble uso y securitización: En crisis y con fragmentación institucional, las herramientas humanitarias tienden a securitizarse, con efectos de verificación, clasificación y control de movilidad, aumentando riesgos para privacidad y no discriminación.

H4. Condicionalidad y donantes: Las salvaguardas son más probables cuando donantes y organizaciones internacionales imponen estándares exigibles, como evaluaciones de impacto en derechos humanos y auditorías.

Para poder comprender de qué manera incide la IA en la promoción de los derechos humanos en el estudio de caso del Líbano donde el sistema de gobernanza predominante es la comunitocracia y donde se registran actividades típicas de la necropolítica, este artículo pretende responder la siguiente pregunta de investigación:

> ¿Cómo se instrumentaliza la IA en los ámbitos humanitario y de seguridad para reordenar la gobernanza de los derechos humanos en el Líbano, y qué condiciones explican que dicha instrumentalización mitigue o intensifique vulnerabilidades diferenciales en un sistema comunitocrático atravesado por lógicas necropolíticas?

III. MARCO TEÓRICO Y METODOLOGÍA

El análisis del papel de la inteligencia artificial (IA) en la promoción y protección de los derechos humanos en el Líbano parte de una premisa deliberadamente sobria. Las tecnologías no se despliegan en un vacío institucional, sino que se acoplan a formas preexistentes de reparto, intermediación y producción de autoridad. En el caso libanés, esto obliga a situar el debate en la arquitectura consociacional y, sobre todo, en sus manifestaciones prácticas. El consociacionalismo se ha descrito como un arreglo dirigido a gestionar una sociedad plural mediante reglas de reparto y cohabitación entre comunidades confesionales, donde la inclusión política depende menos de mayorías electorales que de mecanismos de representación y negociación entre élites segmentarias (McCulloch, 2014; Barroso & Hachem, 2025). En su funcionamiento cotidiano, esta consociación de corte corporativo distribuye cargos y cuotas de poder a lo largo de líneas confesionales. Para ello combina coaliciones, equilibrios representativos y capacidades de veto propias del mecanismo político conocido como Power-Sharing o poder compartido (Lijphart, 1977; 1989). Tales rasgos pueden operar como garantías de seguridad intercomunitaria, pero también generan incentivos para la parálisis, la transacción permanente y la difuminación de responsabilidades (Dodge & Salloukh, 2024; Salloukh, 2020).

Sobre ese sustrato, el concepto de comunitocracia resulta útil no como sinónimo del consociacionalismo, sino como su deriva funcional. El sistema deja de ser únicamente una fórmula de inclusión pactada y tiende a comportarse como un "gobierno de las comunidades", donde agendas sectarias y políticas orientadas a intereses de élites comunitarias, junto con actores no estatales, estructuran el acceso efectivo a recursos y protección mediante redes clientelares y mediaciones segmentarias (Salamey, 2017; Barroso Cortés & Alaminos Hervás, 2023). La IA no aparece como elemento neutral, sino como un posible acelerador de lógicas previas de mediación y clasificación. Cuando herramientas algorítmicas se incorporan a la gestión de servicios, ayudas, movilidad o seguridad, tienden a traducir relaciones clientelares y jerarquías comunitarias en datos, categorías y umbrales operativos. Con ello, pueden cristalizar exclusiones, desplazar decisiones hacia dispositivos opacos y ampliar la brecha de rendición de cuentas, lo que dificulta atribuir responsabilidad y activar remedios (Danaher et al., 2017; Busuioc, 2021; Brown et al., 2021).

La literatura sobre identificación, datos y biometría en contextos humanitarios refuerza este punto desde otra perspectiva. Tecnologías de registro y verificación pueden producir "sujetos digitales" más legibles para las organizaciones, pero también potencialmente más expuestos a nuevas formas de control, dependencia e inseguridad. Este efecto resulta especialmente sensible en entornos donde la protección efectiva se negocia y se distribuye de manera diferencial (Jacobsen, 2015). En paralelo, el debate sobre explotación de grandes volúmenes de datos en crisis advierte que los riesgos no provienen solo de fallos técnicos, sino también de usos "exitosos" que amplifican sesgos y exclusiones, tensionan la privacidad y comprometen el principio de "no hacer daño" cuando faltan salvaguardas robustas (Gazi & Gazis, 2021).

El segundo lente teórico del capítulo se orienta a captar la dimensión más dura de esa vulnerabilidad, cuando las exclusiones dejan de ser únicamente desigualdades y pasan a traducirse en exposición sistemática al daño, la precariedad o el abandono. La necropolítica sirve para conceptualizar cómo determinadas configuraciones de pertenencia y estatus configuran umbrales de seguridad y desprotección, y cómo la privación de derechos puede fijarse como pauta de gobierno en condiciones de fragilidad institucional, movilidad forzada o estatus jurídicos precarios (Santos, 2025). En términos conceptuales, este enfoque conecta con la definición clásica de la necropolítica como una forma de soberanía que se expresa en la capacidad de decidir quién puede vivir y quién debe morir, o, en formulaciones más ajustadas al caso, quién queda expuesto a condiciones de vida socialmente degradadas (Mbembe, 2019). En el Líbano, esta lógica puede materializarse como una gobernanza que no necesariamente elimina de forma directa, pero sí "deja morir" de manera progresiva mediante la administración selectiva de protección, servicios y seguridad, reforzando la idea de que algunas vidas cuentan más que otras según su adscripción comunitaria (Salamey, 2017). En la medida en que dicha racionalidad se entrelaza con dinámicas comunitocráticas, se vuelve más plausible que la desprotección se distribuya de forma desigual y persistente, apoyada en vínculos entre actores armados, políticos, institucionales y económicos que favorecen la impunidad (Barroso Cortés & Alaminos Hervás, 2023).

El tercer bloque conceptual especifica el mecanismo de inserción de la IA en estos arreglos. La literatura sobre gobernanza algorítmica ha mostrado que la automatización no equivale solo a eficiencia, sino a nuevas formas de autoridad y control apoyadas en datos, atravesadas por riesgos de opacidad, sesgo y desplazamiento de responsabilidad (Danaher *et al.*, 2017). En el ámbito público, ello se traduce en un problema de rendición de cuentas porque el proceso decisional se distribuye entre organizaciones, proveedores y modelos, haciendo más difícil identificar quién decide, con qué criterios y bajo qué posibilidad real de revisión, corrección y reparación (Busuioc,

2021; Brown *et al.*, 2021). Desde una perspectiva institucional y jurídica, la delegación de capacidad decisoria en software, y a menudo en actores privados que lo diseñan o lo operan, tiende a acentuar las fricciones con los principios de control democrático, trazabilidad y exigibilidad (Langer, 2024).

Sobre esta base, el capítulo adopta una metodología cualitativa de estudio de caso con enfoque sociotécnico y normativo. La elección responde a dos razones. Primero, la incidencia de la IA sobre derechos humanos no se capta adecuadamente mediante indicadores agregados, porque depende del ensamblaje entre tecnología, intermediaciones comunitarias y prácticas administrativas. Segundo, la pregunta que guía el trabajo es condicional, en la medida en que busca precisar bajo qué circunstancias la IA puede mitigar daños o, por el contrario, intensificar vulnerabilidades diferenciales. El Líbano se presenta así como un caso exigente para observar cómo una infraestructura de clasificación basada en datos opera en un entorno comunitocrático y de crisis prolongada, donde la protección se negocia y la rendición de cuentas se fragmenta.

La estrategia empírica se apoya en triangulación documental. El corpus integra tres familias de materiales. En primer lugar, literatura académica sobre consociacionalismo, comunitocracia, necropolítica y gobernanza algorítmica, utilizada para delimitar conceptos y fijar expectativas teóricas (McCulloch, 2014; Salamey, 2017; Danaher *et al.*, 2017; Busuioc, 2021). En segundo lugar, guías técnicas sobre gobernanza de datos y responsabilidad en contextos humanitarios, útiles para operacionalizar salvaguardas y criterios de debida diligencia en el tratamiento de datos en escenarios de vulnerabilidad (IASC, 2021; ICRC, 2024). En tercer lugar, marcos regulatorios y documentos de referencia que permiten ubicar obligaciones y estándares aplicables cuando sistemas automatizados influyen en decisiones de acceso, elegibilidad o vigilancia, con especial atención a supervisión humana, trazabilidad y evaluación de riesgos (Council of Europe, 2024; European Union, 2024). El capítulo no emplea información identificable. Cuando se alude a ejemplos, se hace de forma agregada y evitando detalles que puedan facilitar reidentificación o exposición de personas y comunidades.

El análisis se desarrolla mediante análisis cualitativo de contenido orientado a mecanismos. En términos operativos, sigue tres pasos. Primero, se delimita el campo de aplicaciones relevantes para el argumento, esto es, usos que funcionan como infraestructura de clasificación y priorización en ámbitos humanitarios y de seguridad, como verificación, *scoring* de riesgo, priorización de ayuda o filtrado de movilidad (Jacobsen, 2015; Gazi & Gazis, 2021). Segundo, se operacionalizan los mecanismos en el ciclo de datos y decisión mediante preguntas observables, quién captura datos, quién valida registros, qué variables se ponderan, qué umbrales activan consecuencias y qué canales de revisión y reparación existen (Busuioc, 2021; Brown *et al.*, 2021). Tercero, se contrasta ese patrón con condiciones institucionales del caso libanés, prestando atención a intermediación comunitaria, incentivos clientelares, fragmentación administrativa y zonas grises de responsabilidad (Salamey, 2017; Dodge & Salloukh, 2024).

Para mantener el análisis manejable y verificable, el capítulo organiza la lectura empírica en cuatro mecanismos transversales. El primero es el sesgo por datos asociado a mediaciones comunitarias, cuando el acceso al registro o la validación depende de redes clientelares y traslada desigualdades previas al sistema (Salamey, 2017; Danaher *et al.*, 2017). El segundo es el doble uso y la securitización, cuando herramientas justificadas como humanitarias se acoplan a lógicas de control, vigilancia o restricción de movilidad (Gazi & Gazis, 2021; ICRC, 2024). El tercero es la opacidad tecnológica y contractual, que dificulta examinar criterios de decisión, trazabilidad y responsabilidades, en particular cuando intervienen proveedores externos (Busuioc, 2021; Council of Europe, 2024). El cuarto es la brecha de rendición de cuentas, cuando la cadena proveedor–

modelo–institución usuaria dispersa responsabilidades y debilita el derecho a explicación y la posibilidad real de remedio (Busuioc, 2021; Brown *et al.*, 2021). El capítulo incorpora, por último, consideraciones éticas coherentes con el objeto de estudio. Se asume la minimización de datos y el principio de no hacer daño aplicado a la información en crisis, tanto por la sensibilidad del contexto como por la naturaleza potencialmente securitizable de los datos (IASC, 2021; ICRC, 2024). Como limitación, se reconoce que el enfoque documental no sustituye auditorías técnicas completas ni acceso a sistemas internos; no obstante, permite identificar condiciones institucionales, mecanismos plausibles y riesgos recurrentes, y ofrece una base sólida para recomendaciones operativas exigibles (Council of Europe, 2024; European Union, 2024).

El marco conceptual y la estrategia metodológica permiten formular expectativas contrastables sobre cómo las mediaciones comunitarias se traducen en sesgos de datos y de clasificación, en qué condiciones emerge el doble uso de infraestructuras humanitarias, qué tipos de opacidad bloquean la revisión y la corrección y cómo se produce, en la práctica, la dispersión de responsabilidades que debilita la exigibilidad de derechos (Danaher *et al.*, 2017; Busuioc, 2021; Salamey, 2017).

IV. EL LÍBANO COMO ECOLOGÍA DE DATOS EN CRISIS

Para evaluar si, y en qué condiciones, los sistemas basados en inteligencia artificial pueden contribuir a la promoción de los derechos humanos en el Líbano, conviene partir de una premisa sencilla. Las decisiones sobre necesidad, elegibilidad y acceso se toman dentro de una ecología institucional y social atravesada por intermediaciones. En una comunitocracia, la pertenencia, las redes y los mediadores locales no solo facilitan trámites, también seleccionan información, jerarquizan demandas y determinan qué sujetos se vuelven administrativamente visibles. Esta lógica afecta a hogares libaneses empobrecidos y a población refugiada siria, aunque con trayectorias y riesgos distintos. Por ello, la cuestión no es si la IA "mejora" la gestión, sino cómo la automatización de registros, perfiles o puntuaciones puede estabilizar decisiones previamente mediadas y convertir criterios discutibles en reglas percibidas como objetivas, desplazando la responsabilidad hacia circuitos difíciles de auditar y de impugnar.

En una crisis prolongada, los datos dejan de ser un instrumento de diagnóstico y se convierten en una tecnología de asignación. Para que una necesidad cuente debe traducirse a categorías reconocibles por programas y agencias, un proceso especialmente delicado cuando la población destinataria es heterogénea e incluye hogares libaneses vulnerables, desplazamientos internos, refugiados sirios con estatus variables y redes transfronterizas. Por eso, entender el Líbano como ecología de datos exige mirar menos a la arquitectura formal del Estado y más a los actores, rutinas y flujos informacionales que producen y hacen circular la información. En esos engranajes se decide quién es reconocido, quién queda fuera y en qué condiciones se accede a recursos escasos.

La diferencia entre población local y refugiada sigue siendo relevante, aunque la crisis haya solapado vulnerabilidades. El Banco Mundial estimó para 2022 una pobreza monetaria del 44% en las zonas estudiadas y advirtió que los hogares sirios se encontraban entre los más castigados, con cerca de nueve de cada diez por debajo del umbral de pobreza (World Bank, 2024). En paralelo, VASyR sitúa al 85% de las familias sirias por debajo de la cesta mínima de gasto y cifra en torno al 42% la inseguridad alimentaria moderada o severa (UNHCR, n.d.). Con menos fondos y programas incapaces de cubrir a todos, el dato se vuelve un bien disputado, porque de él dependen entradas, esperas y exclusiones dentro del sistema de ayuda (Human Rights Watch, 2022; World Bank, 2024).

4.1. Mediación comunitaria y acceso: registro y traducción de necesidades

En el Líbano, el registro y la canalización de demandas rara vez dependen solo de criterios formales. En la práctica, alcaldías, redes vecinales y autoridades informales operan como puertas de entrada al sistema. Esta centralidad de lo local se explica, en parte, por el repliegue inicial del Estado en la gestión directa del flujo sirio y por el desplazamiento de responsabilidades hacia el nivel municipal, donde las respuestas fueron desiguales (Kikano et al., 2021). En consecuencia, los actores locales influyen en quién gana visibilidad administrativa y quién entra en listados y programas (Mourad & Piron, 2016). Además, la mediación no solo canaliza demandas, también las traduce a lo socialmente aceptable y operativamente verificable, lo que puede generar subregistro y exclusiones silenciosas para quienes carecen de capital relacional. En algunos municipios, esta lógica se ha reforzado mediante intentos de recuperar control sobre la economía política de la ayuda, condicionando de facto el acceso a recursos (Allegrini, 2024). En municipios como Bourj Hammoud, la alcaldía ha actuado como instancia de coordinación con los actores humanitarios y como puerta de entrada operativa a través de comités locales en los que participan autoridades municipales y ONG. En la práctica, ese arreglo influye en quién logra ser registrado, canalizado o priorizado.

4.2. Mediación comunitaria y acceso: elegibilidad, selección y riesgos de captura

Cuando los recursos son escasos, la elegibilidad se decide en un terreno más situado de lo que sugieren los manuales. A los criterios formales se superponen valoraciones sobre gravedad, arraigo, dependencias o facilidad de verificación, y ahí las mediaciones locales ganan margen para inclinar prioridades. Este patrón se inserta en una estructura donde patronazgo y clientelismo han mostrado persistencia, con efectos sobre la universalidad de las políticas y la igualdad de trato (Hamzeh, 2001). En la práctica, la vulnerabilidad no solo se mide, también se acredita, y esa acreditación depende de documentación, relatos administrativamente verosímiles y accesos relacionales. La zona es sensible porque abre espacio a sesgos y capturas que rara vez adoptan la forma de corrupción explícita, pero sí de reciprocidad y favor. En la Bekaa, por ejemplo, se ha documentado cómo algunos alcaldes instrumentalizaron la gestión de la ayuda y aprovecharon descoordinaciones de actores internacionales para imponer condiciones y reforzar rentas clientelares (Allegrini, 2024). El efecto sobre la ecología de datos es claro. Listados que circulan por canales semiformales y recomendaciones con peso decisivo reordenan prioridades sin trazabilidad plena, de modo que el dato no solo describe la vulnerabilidad, sino que contribuye a producirla como categoría operativa (Allegrini, 2024).

4.3. Mediación comunitaria y acceso: continuidad de la asistencia y percepción de arbitrariedad

Incluso con registro y cumplimiento de criterios, el acceso efectivo y la continuidad de la ayuda dependen de actualizaciones, verificaciones y, sobre todo, de reajustes presupuestarios. En la asistencia en efectivo, ACNUR describe un entramado de socios implementadores y mecanismos de seguimiento que incluye validación de beneficiarios y canales de quejas y retroalimentación para revisar exclusiones o errores (UNHCR, 2023). Al mismo tiempo, la propia agencia reconoce recortes relevantes por restricciones de financiación, lo que hace más frecuentes las entradas y salidas del sistema sin que quienes las padecen perciban una explicación suficiente (UNHCR, n.d.). En ese contexto, la mediación comunitaria vuelve a ser ambivalente. Puede orientar y reducir incertidumbre, pero también intensificarla cuando la información circula de forma selectiva, alimentando percepciones de agravio comparativo entre hogares libaneses empobrecidos y población refugiada (Human Rights Watch, 2022). Desde un enfoque de derechos, la cuestión no es solo quién recibe, sino cómo se decide, cómo se explica y qué posibilidades reales existen de revisión y reparación en un sistema de protección social fragmentado y de alcance limitado, donde reclamar puede tener costes (Human Rights Watch, 2022).

4.4. La ecología de datos: quién recolecta, cómo circula y qué se decide

La ecología de datos describe un entorno en el que la información se produce de forma dispersa y con criterios que no siempre encajan entre sí. En el Líbano, los datos sobre población, necesidades y asistencia se recogen desde instancias estatales y municipales, agencias internacionales y ONG, y también a través de infraestructuras tecnológicas y financieras asociadas a la entrega de ayudas. Un ejemplo de arquitectura híbrida es LOUISE, plataforma compartida para canalizar asistencia en efectivo y coordinar parte de la distribución, principalmente para refugiados sirios y, en determinados programas, también para hogares libaneses vulnerables (UNHCR, 2023). A ello se suma la existencia de programas nacionales de focalización como el National Poverty Targeting Program, basado en *proxy means testing* y apoyado en sistemas automatizados para procesar información y decidir elegibilidad (World Bank, 2020). El resultado es un mosaico de bases de datos que puede superponerse sobre las mismas personas sin compartir definiciones idénticas de hogar o vulnerabilidad, con riesgos de inconsistencias y decisiones difíciles de reconciliar cuando cambian las circunstancias. Esta complejidad está en el trasfondo de los esfuerzos de coordinación que el Lebanon Response Plan presenta como un enfoque integrado y co-liderado con el Gobierno para responder a crisis simultáneas y solapadas (UNHCR, UNDP, & OCHA, 2025).

Conviene subrayar que la ecología de datos no es solo un inventario de actores, sino un régimen de clasificación. Definir "riesgo", "necesidad" o "capacidad de afrontamiento" incorpora supuestos y jerarquías que orientan la asignación. Cuando, además, se incorporan herramientas automatizadas para priorizar o puntuar vulnerabilidades, el foco se desplaza hacia la gobernanza. Quién fija criterios, cómo se auditan efectos y qué mecanismos existen para corregir errores que impactan sobre bienes básicos. En una ecología fragmentada, estas preguntas constituyen el núcleo desde el que debe evaluarse cualquier promesa por derechos asociada a la IA. No se trata de percepciones marginales. Después de la explosión del puerto de Beirut, los sondeos sobre tensiones en Bourj Hammoud reflejaron que libaneses y sirios consideraban injusta la distribución de la ayuda, si bien lo hacían desde diagnósticos diferentes. Esto ayuda a entender cómo la falta de explicaciones claras y la reducción de recursos alimentan con rapidez el agravio comparativo (Najdi, 2022).

4.5. Fragmentación institucional: opacidad y zonas grises de responsabilidad

La fragmentación institucional no es solo un problema de eficiencia, sino de responsabilidad. Cuando varias instituciones recogen datos y toman decisiones parciales, se vuelve difícil atribuir quién responde por exclusiones erróneas, suspensiones sin explicación o reutilizaciones del dato para fines distintos a los declarados. En el Líbano, esta dispersión se agrava por una protección social fragmentada y de cobertura limitada, lo que empuja a muchas personas a depender de redes informales y apoyos paralelos, incluidos actores religiosos y políticos (Human Rights Watch, 2022). Además, la coexistencia de programas nacionales de focalización como el NPTP con dispositivos humanitarios que operan con criterios y plataformas propias multiplica puntos de decisión y facilita inconsistencias y dilución de responsabilidades (World Bank, 2020; UNHCR, 2023). Un ejemplo ilustrativo es Hizbulá, una formación político militar chiita que, además de su peso partidista, ha desarrollado capacidades de provisión y coordinación de servicios en paralelo al Estado y mantiene una red amplia de asistencia social en territorios donde cuenta con una base significativa de apoyo. En el contexto de crisis, esa infraestructura incluye instrumentos propios de ayuda y acceso, como cadenas de abasto y tarjetas para compras subsidiadas, junto con arreglos financieros que funcionan como alternativa práctica para parte de su base social, lo que añade nuevos intermediarios y capas de decisión difíciles de rastrear cuando se entrecruzan con programas estatales y humanitarios (Ghaddar, 2020).

De ahí que emerjan zonas grises especialmente delicadas en dos situaciones. La primera aparece cuando la asistencia se cruza con lógicas de control y verificación. Cuanto más decisivos son los datos para acceder a recursos, mayor es el coste percibido de registrarse o actualizar información, sobre todo si procedimientos y salvaguardas son opacos o se comunican de forma insuficiente (UNHCR, 2023; UNHCR, n.d.). La segunda se produce cuando la mediación local redefine prioridades y desplaza decisiones hacia circuitos relacionales menos visibles, donde la trazabilidad formal no explica por qué se reordenan casos o por qué ciertos hogares resultan más "legítimos" que otros (Allegrini, 2024; Mourad & Piron, 2016). En ambos escenarios, la fragmentación favorece la opacidad y debilita la capacidad de exigir cuentas precisamente allí donde la vulnerabilidad es mayor (Human Rights Watch, 2022)[2].

---

2 Una evidencia reciente de este cruce entre asistencia y verificación es el ejercicio de Presence Verification de ACNUR en el Líbano, que exige confirmar en línea la presencia en el país para mantener

En suma, tratar el Líbano como una ecología de datos en crisis no es un encuadre descriptivo, sino el punto de apoyo para evaluar con rigor la relación entre IA y derechos humanos. La automatización puede aportar coordinación y consistencia en algunos tramos, pero también puede fijar sesgos derivados de la intermediación y ampliar zonas grises de responsabilidad si se apoya en datos fragmentados y en decisiones difícilmente auditables (UNHCR, 2023; World Bank, 2020). Por eso, estimar su potencial pro derechos exige atender a cómo se produce y circula el dato, cómo se decide la vulnerabilidad y qué mecanismos existen para revisar, explicar y reparar decisiones (Human Rights Watch, 2022).

V. IA, DERECHOS HUMANOS Y VULNERABILIDAD DIFERENCIAL EN EL LÍBANO

En el Líbano, la IA se integra en una ecología de datos estructuralmente fragmentada, en la que la visibilidad administrativa, la elegibilidad y el acceso a recursos dependen de intermediaciones locales y de dispositivos organizativos diversos (IASC, 2023; ICRC, 2024). En este marco, los sistemas basados

---

el expediente activo y conservar el acceso a servicios y ayudas, e incorpora la recogida de la ubicación GPS como parte del procedimiento. En 2025, este tipo de verificación tuvo efectos operativos sobre la asistencia en efectivo, el PMA informó de suspensiones temporales de hogares a la espera de verificación, con reinstalaciones parciales después, un patrón que suele vivirse como entrada y salida del sistema cuando faltan explicaciones claras. En un registro distinto, pero revelador de las zonas grises, los convoyes de retorno desde Arsal muestran cómo los datos pueden activar circuitos de control más allá de la ayuda, al requerir prerregistro ante la Seguridad General y el envío de listados a las autoridades sirias para su aprobación.

en IA, junto con mecanismos de automatización, priorización y *scoring*, funcionan como infraestructuras de clasificación. Convierten desigualdades preexistentes y mediaciones sociales en categorías operativas, umbrales de decisión y resultados distributivos (IASC, 2023; UNHCR, 2023). El acoplamiento no es neutro. En el mejor de los casos, aporta trazabilidad y coherencia procedimental. En el peor, fija sesgos, profundiza opacidades y desplaza el control hacia entramados técnicos y contractuales poco transparentes y complejos de auditar, con impactos directos sobre la rendición de cuentas y el acceso a remedios efectivos (IASC, 2023; ICRC, 2024). A la luz de la hipótesis general y de las subhipótesis H1 a H4, esta ambivalencia se observa con especial claridad en tres ámbitos. La focalización y la distribución de la asistencia, el registro, la validación y la identificación, y la securitización de datos y el doble uso en contextos de crisis prolongada (UNHCR, 2023; World Bank, 2021).

5.1. Dónde entra la IA: clasificación, priorización y verificación en la asistencia

En gobernanza algorítmica aplicada a derechos humanos, muchos efectos relevantes no dependen de sistemas especialmente sofisticados, sino de que el acceso a bienes básicos quede mediado por fórmulas, puntuaciones y automatizaciones poco transparentes para las personas afectadas (IASC, 2023; ICRC, 2024). En el Líbano, esta lógica se aprecia en la arquitectura de la asistencia, donde el registro, la verificación y la selección convierten el dato en una condición práctica de acceso (UNHCR, 2023; World Bank, 2021).

En este sentido, un primer anclaje es LOUISE, una plataforma compartida para canalizar asistencia en efectivo y coordinar su entrega entre agencias, cuyo funcionamiento se apoya en ciclos de identificación, validación y control de beneficiarios (UNHCR, 2023; UNHCR, UNICEF, & WFP, 2020). Además, la información pública dirigida a beneficiarios subraya que la selección se realiza en gran medida mediante una fórmula matemática, reforzando el papel de reglas cuantitativas y umbrales como mediadores de elegibilidad (WFP, s. f.; IASC, 2023). Asimismo, un segundo punto de apoyo empírico es el National Poverty Targeting Program (NPTP), que integra un *proxy means test* (PMT), un sistema de información de gestión (MIS) y mecanismos de transferencia que consolidan decisiones de elegibilidad apoyadas en el procesamiento sistemático de datos (World Bank, 2021). En sistemas comunitocráticos, este tipo de automatización no elimina la discrecionalidad, sino que suele desplazarla hacia la selección de variables, la calidad del dato, las reglas de actualización y los márgenes de opacidad procedimental que rodean el modelo y sus proveedores (IASC, 2023; ICRC, 2024).

5.2. H1 Sesgo y estratificación, cuando el dato mediado se vuelve criterio operativo

La subhipótesis H1 sostiene que, cuanto mayor es la dependencia de datos producidos mediante intermediación comunitaria y redes locales, mayor es el riesgo de sesgo estructural y exclusión diferencial. La explicación es sociotécnica. El sesgo no es solo un asunto estadístico, también tiene una dimensión institucional. Depende de quién logra registrar, documentar, actualizar y validar información en un ecosistema fragmentado y, en consecuencia, de quién pasa a ser legible para la administración (IASC, 2023; ICRC, 2024). En contextos de crisis y politización del dato, la guía operacional del sistema humanitario advierte que la gestión de datos puede causar daño si no se anticipan riesgos asociados a representatividad, sensibilidad y usos posteriores (IASC, 2023).

Cuando esas trayectorias desiguales alimentan un score o una regla de elegibilidad, el sesgo tiende a estabilizarse. Registros incompletos o asimétricos pasan a funcionar como la verdad operativa del sistema, y la continuidad en los programas queda atada a ciclos de actualización y validación que no todos los hogares pueden sostener en condiciones comparables (WFP, s. f.; UNHCR, 2023). La información pública dirigida a beneficiarios refuerza este punto al insistir en que mantener los datos al día es decisivo para reevaluar la elegibilidad y evitar suspensiones, lo que permite observar cómo exigencias procedimentales, en apariencia neutras, pueden terminar traduciéndose en exclusiones con efectos materiales.

Un indicio empírico reciente en el Líbano es el ejercicio de Presence Verification de ACNUR. La agencia solicita confirmar la presencia en el país a través de un portal de autoservicio para mantener el expediente activo y, con ello, el acceso a servicios y asistencia, e informa de que el proceso implica la recogida de la ubicación GPS. Esta clase de verificación no se queda en un trámite administrativo. El PMA ha señalado que, en 2025, la verificación incidió en la planificación de la asistencia en efectivo, con suspensiones de hogares a la espera de verificación y reinstalaciones posteriores, un movimiento que desde la experiencia de los beneficiarios puede vivirse como entrada y salida del sistema sin una lógica fácilmente comprensible cuando la comunicación no llega con suficiente claridad.

Desde la perspectiva de la necropolítica, el problema adquiere una dimensión adicional. Cuando el acceso a bienes esenciales depende de verificación y clasificación, el error o el sesgo dejan de ser meramente administrativos y pueden convertirse en exposición al daño mediante privación progresiva y degradación de condiciones de vida, precisamente el tipo de riesgo que los marcos humanitarios tratan de minimizar bajo el principio de no hacer daño (IASC, 2023; ICRC, 2024). Por último, la crítica a enfoques *means tested* basados en PMT en escenarios de pobreza masiva ha señalado riesgos de error y exclusión que, en términos de derechos, se perciben como arbitrariedad y desprotección. Esta literatura aporta plausibilidad empírica a H1 cuando la focalización basada en datos se convierte en infraestructura de acceso (Amnesty International, 2024; World Bank, 2021).

5.3. H2 Opacidad y responsabilidad. Decisión distribuida y remedios debilitados

La subhipótesis H2 sostiene que, a medida que la decisión se desplaza hacia sistemas automatizados o semiautomatizados, se vuelve más difícil atribuir responsabilidades y activar remedios efectivos. En el caso libanés, esta dificultad se acentúa porque el ciclo decisional se reparte entre agencias, socios implementadores, plataformas y proveedores, lo que multiplica los puntos de intervención y diluye la trazabilidad de quién decide, con qué criterios y en qué momento del proceso (UNHCR, 2023; UNHCR, UNICEF, & WFP, 2020). En la arquitectura de asistencia en efectivo descrita por UNHCR, la identificación y la validación de beneficiarios, junto con el monitoreo y los controles, refuerzan la centralidad de la verificación. Sin embargo, esa misma complejidad puede resultar opaca desde la perspectiva del hogar afectado, sobre todo cuando la continuidad depende de decisiones cuya lógica no se comunica de manera inteligible (UNHCR, 2023). Un indicio concreto aparece en la propia gestión de las transferencias, UNHCR y WFP han informado de cambios de sistema que alteran la previsibilidad del calendario de cargas, con fechas sujetas a variación y comunicación mensual por SMS, e incluso recomiendan esperar a la notificación antes de acudir a canjear la asistencia, lo que desplaza la comprensión del proceso hacia una secuencia técnica que el beneficiario no controla. A ello se suma que el PMA ha documentado casos en los que hogares considerados elegibles quedan temporalmente “en espera” por verificaciones de UNHCR, lo que complica identificar en qué instancia se tomó la decisión y ante quién puede reclamarse cuando la suspensión produce efectos inmediatos. Por último, el propio mantenimiento del expediente puede quedar condicionado por ejercicios de verificación digital, UNHCR señala que confirmar la presencia en el país es un requisito para conservar el expediente activo y mantener el acceso a servicios y asistencia, y precisa que en ese proceso se recoge la ubicación GPS.

Desde una perspectiva de derechos, esa opacidad tiende a debilitar el derecho a explicación, reduce la justiciabilidad práctica, perpetúa sesgos sin auditoría y aumenta la dependencia de infraestructuras de datos con gobernanza imperfecta (IASC, 2023; ICRC, 2024). Estos efectos son especialmente sensibles cuando las decisiones automatizadas afectan a necesidades básicas y, por tanto, cuando los errores o las exclusiones implican costes humanos inmediatos (UNHCR, 2023; IASC, 2023).

5.4. H3 Doble uso y securitización. Del beneficiario al sujeto verificable

La subhipótesis H3 sostiene que, en contextos de crisis y fragmentación institucional, herramientas concebidas con fines humanitarios tienden a securitizarse, ampliando prácticas de verificación, clasificación y control con riesgos para la privacidad y la no discriminación (IASC, 2023; ICRC, 2024). En el Líbano, esta deriva es plausible por la politización del dato y por la superposición entre protección social y control administrativo, en un entorno de tensiones sostenidas en torno a la población refugiada (IASC, 2023; ICRC, 2024). En el plano operativo, UNHCR señala el uso de verificación biométrica periódica y otros controles para asegurar que la asistencia llega a beneficiarios identificados, lo que confirma la centralidad de la verificación en el régimen de acceso (UNHCR, 2023).

El problema normativo no es la verificación en sí, sino la posibilidad de que infraestructuras de datos creadas para asistir sean reutilizables para fines de control o exclusión si cambian incentivos políticos o contextos de seguridad, una preocupación destacada en marcos humanitarios de responsabilidad de datos y protección de datos personales (IASC, 2023; ICRC, 2024). Además, análisis de sociedad civil han documentado medidas discriminatorias y prácticas municipales restrictivas dirigidas a población siria, lo que incrementa el riesgo de que datos y clasificación se acoplen a lógicas de control y estigmatización (LCPS, 2024; ALEF et al., 2025). En este escenario, la IA y la analítica avanzada pueden actuar como multiplicadores, al ampliar la capacidad de clasificación y, con ella, la capacidad de exclusión, si no existen garantías y contrapesos adecuados (IASC, 2023).

5.5. H4 Condicionalidad y donantes. Cuando aparecen salvaguardas exigibles

La subhipótesis H4 plantea que las salvaguardas son más probables cuando donantes y organizaciones internacionales exigen estándares verificables. Este argumento se refuerza si se atiende al giro reciente hacia marcos regulatorios que convierten principios generales en obligaciones operativas. La Convención Marco del Consejo de Europa sobre IA y derechos humanos, democracia y Estado de Derecho se presenta como un instrumento internacional legalmente vinculante orientado a garantizar la coherencia con los derechos humanos a lo largo del ciclo de vida de los sistemas de IA (Council of Europe, 2024). En paralelo, el AI Act de la Unión Europea adopta un enfoque basado en riesgos y establece requisitos para los sistemas de alto riesgo en materia de gobernanza de datos, documentación, trazabilidad, transparencia y supervisión humana (European Union, 2024).

Trasladado al caso libanés, estos instrumentos operan como estándares de referencia para la debida diligencia cuando sistemas de clasificación y decisión inciden sobre derechos fundamentales, especialmente en entornos de rendición de cuentas fragmentada (IASC, 2023; European Union, 2024). La implicación analítica coherente con H4 es que, en ausencia de un centro estatal fuerte y con múltiples actores involucrados, la exigibilidad depende en gran medida de que donantes y agencias traduzcan esos estándares a condiciones operativas, procedimientos verificables y obligaciones exigibles en la cadena de implementación, con impacto directo sobre la trazabilidad de decisiones y responsabilidades (IASC, 2023; Council of Europe, 2024). En la gestión de población refugiada siria, esta traducción se observa en la forma en que ACNUR ha formalizado ejercicios de verificación como requisito de continuidad. La propia agencia establece que confirmar la presencia en el país es condición para mantener el expediente activo y conservar el acceso a servicios y asistencia, y especifica que el proceso incluye la recogida de la ubicación GPS cuando se completa en línea. Esta arquitectura de verificación se conecta, además, con la operación de la asistencia en efectivo, el PMA ha documentado que, en el marco de la verificación realizada por ACNUR, hogares elegibles pueden quedar temporalmente "en espera" a la espera de cotejo, lo que desplaza la decisión hacia una secuencia interagencial y dificulta identificar un único punto de responsabilidad cuando se producen suspensiones o retrasos. En paralelo, los propios canales de información pública reconocen cambios de sistema que alteran la previsibilidad del calendario de cargas y remiten a notificaciones por SMS como condición práctica para saber cuándo está disponible la transferencia, lo que ilustra cómo salvaguardas y controles se vuelven operativos a través de reglas procedimentales que acotan discrecionalidad, pero también reconfiguran, de hecho, las posibilidades de seguimiento e impugnación por parte de los hogares afectados.

VI. CONCLUSIONES E IMPLICACIONES

Este análisis parte de una premisa operativa. En el Líbano, la inteligencia artificial no se introduce como una herramienta neutral, sino como una infraestructura de clasificación que redefine la legibilidad administrativa y condiciona el acceso a protección, servicios y asistencia en un contexto de crisis prolongada. En un sistema de gobernanza atravesado por lógicas comunitarias de intermediación y por una capacidad estatal desigual, la IA tiende a funcionar como una tecnología de gobierno que traduce conflictos distributivos en métricas, umbrales y prioridades. Por ello, sus efectos rara vez son lineales.

En determinados usos, la IA puede reforzar funciones con potencial protector, por ejemplo, la documentación de abusos, la detección temprana de necesidades o una asignación más consistente de recursos. Con todo, esa capacidad de ordenar y priorizar puede volverse problemática si se apoya en datos generados por mediaciones comunitarias desiguales. También lo es cuando desplaza decisiones a arquitecturas técnicas y contractuales difíciles de examinar, o cuando se integra en dinámicas de securitización que transforman la ayuda en un mecanismo de verificación y control. En términos politológicos, el núcleo del dilema se sitúa en la relación entre clasificación y poder, y en cómo la automatización puede estabilizar jerarquías preexistentes bajo una apariencia de objetividad procedimental.

Los resultados se comprenden mejor si se atiende a cuatro mecanismos. En primer lugar, el sesgo no proviene solo del modelo, sino de trayectorias desiguales de registro y validación. En un ecosistema fragmentado, la intermediación local no es un contexto externo, sino parte del insumo que decide quién resulta legible para el sistema y quién queda fuera. En segundo lugar, la decisión se distribuye entre agencias, socios implementadores y proveedores, y esa distribución suele abrir una brecha de responsabilidad. Cuando falta trazabilidad, se dificulta pedir explicaciones, impugnar resultados y obtener remedios efectivos, lo que debilita la rendición de cuentas y erosiona la confianza institucional. En tercer lugar, el doble uso se vuelve plausible cuando herramientas concebidas para asistir terminan sirviendo para perfilar, filtrar o restringir, especialmente en entornos politizados donde la gobernanza de la movilidad y de la población desplazada se ha convertido en un campo de disputa. En cuarto lugar, las salvaguardas no aparecen de manera automática. Su presencia depende de la capacidad de donantes y organizaciones internacionales para traducir estándares generales en obligaciones operativas, verificables y exigibles, incluidas las que se juegan en la contratación, la gobernanza del dato y la auditoría. Esto es decisivo en contextos de autoridad policéntrica, donde los incentivos de los actores divergen.

A partir de este caso, la implicación excede el ámbito libanés. La gobernanza algorítmica rara vez corrige por sí sola los entornos institucionales en los que se inserta y tiende, más bien, a amplificar sus patrones. Cuando la protección se negocia de forma fragmentada y la rendición de cuentas es débil, la clasificación automatizada puede consolidar dependencias y jerarquías bajo una apariencia de neutralidad. Esta dinámica proyecta efectos regionales en al menos tres planos. Por un lado, la circulación transfronteriza de plataformas, proveedores y rutinas de evaluación facilita la difusión de modelos de focalización y verificación en otros países receptores de ayuda. Por otro, la securitización de la asistencia en un caso puede operar como precedente y normalizar enfoques de control en contextos vecinos, especialmente allí donde la gestión de población desplazada ocupa un lugar central en la agenda interna y en la cooperación internacional. Por último, en un escenario de multilateralismo debilitado y gestión del riesgo en ascenso, crece la probabilidad de que los estándares de derechos humanos se apliquen de manera desigual, con efectos acumulativos sobre la credibilidad de las agendas regionales de promoción de derechos.

En ese marco, la IA aparece como una herramienta de doble filo. En el plano humanitario puede acelerar el análisis de necesidades, el seguimiento de desplazamientos y la priorización de respuestas mediante el procesamiento rápido de grandes volúmenes de información, como ya sugieren algunos informes operativos que reconocen el uso de herramientas basadas en IA para el análisis de contexto. En términos de rendición de cuentas, puede contribuir a la verificación y documentación de incidentes a partir de fuentes abiertas cuando persisten ataques y daños a civiles tras un alto el fuego. En el espacio cívico, puede ayudar a identificar patrones de desinformación, acoso y restricciones a la expresión en línea en entornos donde se han señalado usos de marcos penales con efectos disuasorios y déficits en derechos digitales. Ahora bien, la lección libanesa también advierte del riesgo de que estas capacidades intensifiquen vigilancia, perfilado y control social en contextos comunitocráticos, reforzando exposiciones diferenciales al daño. Por ello, cualquier despliegue con pretensión regional exige diligencia debida en derechos humanos, evaluaciones de impacto, transparencia, supervisión efectiva y acceso a remedio como condiciones mínimas de legitimidad.

La contribución principal del trabajo es doble. Por un lado, articula un marco que conecta comunitocracia, necropolítica y gobernanza algorítmica para explicar por qué la clasificación automatizada puede cristalizar jerarquías y producir vulnerabilidad diferencial. Por otro, traduce esa discusión en un umbral de salvaguardas mínimas para contextos de alto impacto. De cara a las líneas futuras, conviene complementar el análisis documental con auditorías técnicas, revisión de prácticas de contratación y estudios de campo que permitan observar cómo se decide en sistemas concretos y cómo esas decisiones se experimentan y se contestan.

La conclusión es deliberadamente práctica. Si se quiere que la IA contribuya realmente a la protección de los derechos humanos en contextos de alta vulnerabilidad, su uso debe quedar supeditado a garantías que puedan comprobarse, con supervisión humana sustantiva, minimización de datos y una limitación estricta de la finalidad, auditorías periódicas y evaluaciones de impacto en derechos humanos, además de trazabilidad inteligible y mecanismos de queja que funcionen en la práctica. Cuando el nivel de riesgo es alto, resulta prudente mantener una separación nítida entre circuitos humanitarios y de seguridad y restringir al máximo las transferencias, los cruces y la reutilización de información, para evitar que la asistencia termine operando como un instrumento de verificación, vigilancia o control.

VII. BIBLIOGRAFÍA

Abrusci, E., & Mackenzie-Gray Scott, R. (2023). The questionable necessity of a new human right against being subject to automated decision-making. International Journal of Law and Information Technology, 31(2), 114–143. https://doi.org/10.1093/ijlit/eaad013

ALEF et al. (2025). Submission to the UN Universal Periodic Review (Lebanon), July 2025. https://alefliban.org/wp-content/uploads/2025/09/UPR-SyrianRefugees_Final.pdf

Allegrini, J. (2024). "Hospitality" delegitimised by international humanitarianism: When mayors "take back control" of the political economy of solidarity in Lebanese municipalities receiving displaced Syrians. Journal of International Migration and Integration. https://link.springer.com/article/10.1007/s12134-024-01165-6

Amnesty International. (2024). Lebanon: Poverty crisis: A dire need for universal social security (Public statement). https://www.amnesty.org/en/wp-content/uploads/2024/08/MDE1884072024ENGLISH.pdf

Amnesty International. (2025). Lebanon Crises erode human rights, submission to the 51st session of the UPR Working Group, January 2026. https://www.amnesty.org/en/wp-content/uploads/2025/07/MDE1895662025ENGLISH.pdf

Anera. (2025, 31 de agosto). Lebanon Situation Report, August 2025. ReliefWeb. https://reliefweb.int/report/lebanon/lebanon-situation-report-august-2025

Bakiner, O. (2023). The promises and challenges of addressing artificial intelligence with human rights. Big Data & Society, 10(2). https://doi.org/10.1177/20539517231205476

Barroso Cortés, F. S., & Alaminos Hervas, M. Á. (2023). Manipulación política, populismo y necropolítica en el Líbano. En V. Guarinos Galán & M. Blanco Pérez (Eds.), Universos distópicos y manipulación en la comunicación contemporánea: del periodismo a las series pasando por la política (pp. 180–198). Dykinson.

Barroso Cortés, F. S., & Hachem, F. T. (2025). A Crossroad Between Reformulating the Power-sharing System and Federalism for Lebanon. Contemporary Review of the Middle East, 12(1), 45-65. https://doi.org/10.1177/23477989241305446

Brown, S., Davidovic, J., & Hasan, A. (2021). The algorithm audit: Scoring the algorithms that score us. Big Data & Society, 8(1), 1–8. https://doi.org/10.1177/2053951720983865

Busuioc, M. (2021). Accountable artificial intelligence: Holding algorithms to account. Public Administration Review, 81(5), 825–836. https://doi.org/10.1111/puar.13293

Clark, J. A., & Salloukh, B. F. (2013). Elite strategies, civil society, and sectarian identities in postwar Lebanon. International Journal of Middle East Studies, 45(4), 731–749. https://doi.org/10.1017/S0020743813000883

Council of Europe. (2024). Council of Europe Framework Convention on Artificial Intelligence and Human Rights, Democracy and the Rule of Law (CETS No. 225). https://rm.coe.int/1680afae3c

Council of Europe. (2024). HUDERIA: Risk and impact assessment of AI systems from the point of view of human rights, democracy and the rule of law. https://www.coe.int/en/web/artificial-intelligence/huderia-risk-and-impact-assessment-of-ai-systems

Danaher, J., Hogan, M. J., Noone, C., Kennedy, R., Behan, A., De Paor, A., Felzmann, H., Haklay, M., Khoo, S.-M., Morison, J., Murphy, M. H., O'Brolchain, N., Schafer, B., & Shankar, K. (2017). Algorithmic governance: Developing a research agenda through the power of collective intelligence. Big Data & Society, 4(2), 1–21. https://doi.org/10.1177/2053951717726554

Dodge, T., & Salloukh, B. F. (2024). Special issue introduction: Consociationalism and the state: Lebanon and Iraq in comparative perspective. Nationalism and Ethnic Politics, 30(1), 1–7. https://doi.org/10.1080/13537113.2024.2303834

European Union. (2024). Regulation (EU) 2024/1689 (Artificial Intelligence Act). https://eur-lex.europa.eu/eli/reg/2024/1689/oj/eng

Ezzeddine, Y., Bayerl, P. S., & Gibson, H. (2023). Safety, privacy, or both: Evaluating citizens' perspectives around artificial intelligence use by police forces. Policing and Society, 33(7), 861–876. https://doi.org/10.1080/10439463.2023.2211813

Ghaddar, H. (2020, 9 de diciembre). Hezbollah has created parallel financial and welfare systems to manage the current crisis. The Washington Institute for Near East Policy. https://www.washingtoninstitute.org/policy-analysis/hezbollah-has-created-parallel-financial-and-welfare-systems-manage-current-crisis

Hamzeh, A. N. (2001). Clientelism, Lebanon: Roots and trends. Middle Eastern Studies, 37(3), 167–178. https://www.jstor.org/stable/4284178

Human Rights Watch. (2022, 12 de diciembre). Lebanon: Rising poverty, hunger amid economic crisis. https://www.hrw.org/news/2022/12/12/lebanon-rising-poverty-hunger-amid-economic-crisis

Human Rights Watch. (2025a). World Report 2025, Lebanon. https://www.hrw.org/world-report/2025/country-chapters/lebanon

Human Rights Watch. (2025b, 14 de abril). Lebanon Journalists, Activist Summoned for Investigations. https://www.hrw.org/news/2025/04/14/lebanon-journalists-activist-summoned-investigations

Inter-Agency Standing Committee. (2023). Operational guidance on data responsibility in humanitarian action (2nd ed.). https://interagencystandingcommittee.org/sites/default/files/migrated/2023-04/IASC%20Operational%20Guidance%20on%20Data%20Responsibility%20in%20Humanitarian%20Action%2C%202023.pdf

Inter-Agency Standing Committee. (2021). Operational guidance on data responsibility in humanitarian action (February 2021). https://reliefweb.int/report/world/iasc-operational-guidance-data-responsibility-humanitarian-action-february-2021

International Committee of the Red Cross. (2024). Handbook on data protection in humanitarian action (3rd ed.). https://www.icrc.org/en/data-protection-humanitarian-action-handbook

Jacobsen, K. L. (2015). Experimentation in humanitarian locations: UNHCR and biometric registration of Afghan refugees. Security Dialogue, 46(2), 144–164. https://doi.org/10.1177/0967010614552545

Khazanchi, D., & Saxena, M. (2025). Navigating digital human rights in the age of AI: challenges, theoretical perspectives, and research implications. Journal of Information Technology Case and Application Research. https://doi.org/10.1080/15228053.2025.2452028

Kikano, F., Fauveaud, G., & Lizarralde, G. (2021). Policies of exclusion: The case of Syrian refugees in Lebanon. Journal of Refugee Studies, 34(1), 422–452. https://doi.org/10.1093/jrs/feaa058

Langford, M. (2020). Taming the digital Leviathan: Automated decision-making and international human rights. AJIL Unbound, 114, 141–146. https://doi.org/10.1017/aju.2020.31

Lebanese Center for Policy Studies (LCPS). (2024). Syrian Refugees in Lebanon: Legal Challenges for Municipalities. https://www.lcps-lebanon.org/en/articles/details/4884/syrian-refugees-in-lebanon-legal-challenges-for-municipalities

Lijphart, A. (1977). Democracy in plural societies: A comparative exploration. Yale University Press.

Lijphart, A. (1989). From the politics of accommodation to adversarial politics in the Netherlands: A reassessment. West European Politics, 12(1), 139–153. https://doi.org/10.1080/01402388908424727

Mbembe, A. (2019). Necropolitics. Duke University Press.

McCulloch, A. (2014). Consociational settlements in deeply divided societies: The liberal–corporate distinction. Democratization, 21(3), 501–518. https://doi.org/10.1080/13510347.2012.748039

Meert, W., De Laet, T., & De Raedt, L. (2025). Artificial intelligence: A perspective from the field. In N. A. Smuha (Ed.), The Cambridge Handbook of the Law, Ethics and Policy of Artificial Intelligence (pp. 17–39). Cambridge University Press. https://doi.org/10.1017/9781009367783.003

Miller, M. (2024, 27 de marzo). Department press briefing—March 27, 2024. U.S. Department of State. https://2021-2025.state.gov/briefings/department-press-briefing-march-27-2024/

Mourad, L., & Piron, L.-H. (2016). Municipal service delivery, stability, social cohesion and legitimacy in Lebanon: An analytical literature review. Developmental Leadership Program & Issam Fares Institute for Public Policy and International Affairs. https://scholarworks.aub.edu.lb/bitstreams/033e7c6a-7cbb-499a-a28f-620998996b7f/download

Najdi, W. (2022). Aid tensions after the 2020 Beirut port explosion. Forced Migration Review, 70. https://www.fmreview.org/issue70/najdi/

Office of the High Commissioner for Human Rights. (2025, octubre). UN experts warn against continued violations of ceasefire in Lebanon and urge protection of civilians. https://www.ohchr.org/en/press-releases/2025/10/un-experts-warn-against-continued-violations-ceasefire-lebanon-and-urge

Office of the High Commissioner for Human Rights. (2026, 15 de enero). Lebanon's human rights record to be examined by Universal Periodic Review. https://www.ohchr.org/en/countries/lebanon

Pizzi, M., Romanoff, M., & Engelhardt, T. (2020). AI for humanitarian action: Human rights and ethics. International Review of the Red Cross, 102(913), 145–180. https://doi.org/10.1017/S1816383121000011

Salamey, I. (2017). The decline of nation-states after the Arab Spring: The rise of communitocracy. Routledge. https://doi.org/10.4324/9781315615363

Salloukh, B. F. (2020). Consociational power-sharing in the Arab world: A critical stocktaking. Studies in Ethnicity and Nationalism, 20(2), 100–108. https://doi.org/10.1111/sena.12325

Teo, S. A. (2025). Artificial intelligence and its 'slow violence'to human rights. AI and Ethics, 5(3), 2265-2280. https://doi.org/10.1007/s43681-024-00547-x

Trachtenberg, M. (2025). The rules-based international order: A historical analysis. International Security, 50(2), 7–54. https://doi.org/10.1162/ISEC.a.11

UNHCR, UNDP, & OCHA. (2025, January 28). Lebanon Response Plan 2025: Introduction (Final draft cleared). https://data.unhcr.org/en/documents/download/114939

UNHCR, UNICEF, & WFP. (2020). Lebanon One Unified Inter-Organizational System for E-cards (LOUISE): Learning review. https://reliefweb.int/report/lebanon/lebanon-one-unified-inter-organizational-system-e-cards-louise-learning-review

UNHCR. (2023, December). UNHCR cash programmes: Lebanon (Fact sheet). https://www.unhcr.org/lb/sites/lb/files/legacy-pdf/UNHCR-Lebanon-Cash-Fact-Sheet_year-end-2023.pdf

UNHCR. (n.d.). Basic assistance. Retrieved January 16, 2026, from https://www.unhcr.org/lb/what-we-do/basic-assistance

World Bank. (2021). Implementation Completion and Results Report: Emergency National Poverty Targeting Program Project (Lebanon). https://documents1.worldbank.org/curated/en/238531641478723882/pdf/Lebanon-Emergency-National-Poverty-Targeting-Project.pdf

World Bank. (2020, 21 de abril). Targeting poor households in Lebanon: The National Poverty Targeting Program (NPTP). https://www.worldbank.org/en/news/factsheet/2020/04/21/targeting-poor-households-in-lebanon

World Bank. (2024, 23 de mayo). Lebanon: Poverty more than triples over the last decade reaching 44% under a protracted crisis (Press release). https://www.worldbank.org/en/news/press-release/2024/05/23/lebanon-poverty-more-than-triples-over-the-last-decade-reaching-44-under-a-protracted-crisis

World Food Programme (WFP). (s. f.). Cash Assistance (Lebanon) – Help page. https://help.wfp.org/lebanon/docs/cash-assistance

Capítulo 13.

El impacto de la IA en la promoción de los derechos humanos desde una perspectiva América Latina-UE: Humanismo digital en la sistematización y archivo de patrimonios culturales

ANA MERCEDES LÓPEZ RODRÍGUEZ
Profesora Titular de Derecho Internacional Privado
Universidad Loyola Andalucía

I. INTRODUCCIÓN

1.1. Contexto actual

La inteligencia artificial (IA) ha dejado de concebirse como una tecnología meramente prospectiva para consolidarse como un elemento estructural en los procesos contemporáneos de gestión, preservación y difusión del conocimiento. En el campo de las humanidades digitales, su incorporación ha generado transformaciones sustantivas en las metodologías de investigación, las prácticas de conservación del patrimonio y las formas de acceso a la cultura. En este escenario, los archivos, históricamente entendidos como repositorios pasivos de la memoria, atraviesan una evolución hacia sistemas dinámicos de interpretación y producción de conocimiento, impulsada en gran medida por los avances de la IA en ámbitos como el reconocimiento de imágenes, el procesamiento del lenguaje natural y el análisis semántico (Floridi, 2014; Terras, 2016).

A escala global, este proceso se manifiesta en una tendencia creciente a la automatización de tareas archivísticas y curatoriales. En el contexto europeo, más del 60% de los archivos emplean tecnologías basadas en IA para la catalogación y descripción automatizada de documentos y objetos digitales, de acuerdo con el *Europeana Tech Insight Report* (Europeana, 2024). Esta expansión responde a la necesidad de gestionar volúmenes cada vez mayores de datos culturales producidos en entornos híbridos, digitales y físicos, al tiempo que se busca optimizar la accesibilidad y la reutilización del patrimonio. No obstante, la incorporación de sistemas algorítmicos con niveles limitados de supervisión humana introduce tensiones significativas, particularmente en relación con la transparencia de los procesos, la reproducción de sesgos y el posible debilitamiento de un enfoque centrado en valores humanistas (Broussard, 2018; UNESCO, 2021).

En el escenario posterior a la pandemia de COVID-19, caracterizado por una aceleración sin precedentes de la digitalización y por la consolidación del acceso remoto a la cultura como una cuestión de relevancia ética y política, la IA se configura simultáneamente como una herramienta para la democratización del conocimiento y como un factor de riesgo en la profundización de desigualdades estructurales. En consecuencia, resulta imprescindible articular su implementación a partir de los principios del humanismo digital y de marcos de gobernanza ética que trasciendan la mera eficiencia técnica, orientándose también a la protección de los derechos humanos fundamentales. Entre estos destaca el derecho a participar en la vida cultural, consagrado en el artículo 27 del Pacto Internacional de Derechos Civiles y Políticos (PIDCP) (Aracri, 2019).

Desde esta perspectiva, el análisis regional comparado entre Europa y América Latina permite identificar dinámicas diferenciadas: mientras que en Europa predominan infraestructuras consolidadas de datos culturales que favorecen la automatización a gran escala, en América Latina emergen iniciativas que incorporan enfoques críticos vinculados a la soberanía de los datos, la justicia epistémica y la protección de los conocimientos tradicionales (Pereira Gomes, 2024). Este contraste constituye un marco propicio para la formulación de modelos de "*human in the loop*" que integren activamente a archivistas, comunidades portadoras de memoria y especialistas en derechos humanos en las fases de diseño, entrenamiento y evaluación de sistemas de IA aplicados a archivos, con el fin de garantizar que la promoción regional de los derechos humanos se mantenga como principio rector y no como un resultado accesorio de la innovación tecnológica.

1.2. Problemática

La incorporación de la inteligencia artificial en archivos y proyectos vinculados al patrimonio cultural plantea un desafío fundamental: cómo aprovechar las ventajas de la automatización en los procesos de sistematización, descripción y acceso a los fondos documentales sin menoscabar los derechos culturales, en particular el derecho a participar en la vida cultural, el principio de no discriminación y el respeto por la diversidad cultural. Investigaciones recientes sobre la intersección entre IA y derechos culturales destacan que, si bien los sistemas algorítmicos pueden ampliar significativamente el acceso a los recursos culturales, también pueden generar nuevos riesgos de exclusión, homogeneización y pérdida de expresiones culturales singulares cuando no se diseñan ni implementan desde un enfoque basado en derechos humanos (Bernal Párraga et al., 2024). En este sentido, el debate trasciende la mera eficiencia técnica de la catalogación y exige un análisis crítico de cómo las decisiones relativas a qué contenidos se digitalizan, de qué modo se describen y quién controla los modelos de IA inciden directamente en la realización efectiva de los derechos culturales de individuos y comunidades.

Desde esta óptica, la cuestión de cómo influye la IA en la sistematización y el archivo del patrimonio sin comprometer los derechos culturales remite a una dinámica de carácter ambivalente. Por una parte, los proyectos de archivo digital y de humanidades digitales ponen de manifiesto que la IA puede facilitar la extracción automatizada de información, el reconocimiento de patrones y la búsqueda avanzada en grandes colecciones documentales, transformando los archivos en auténticas infraestructuras de datos al servicio de la investigación histórica y del acceso público al conocimiento. Por otra parte, la literatura especializada advierte sobre problemáticas persistentes, como el sesgo algorítmico, la concentración y monopolización de contenidos digitales y el riesgo de que los procesos de automatización reproduzcan o intensifiquen desigualdades preexistentes, particularmente en relación con comunidades indígenas y minorías culturales. De este modo, el problema de investigación se configura como la necesidad de identificar y articular marcos técnicos, institucionales y normativos que permitan desplegar la IA en el ámbito archivístico de manera coherente con los estándares internacionales de derechos humanos y con el principio de diversidad cultural (Sintaxis, 2025).

El caso de los manuscritos indígenas ilustra de forma especialmente clara esta tensión. Estudios sobre la aplicación del aprendizaje automático a fuentes históricas y lenguas minoritarias evidencian que los modelos de procesamiento del lenguaje natural tienden a intensificar sesgos cuando operan sobre lenguas indígenas o no hegemónicas, debido tanto a la escasez de datos de entrenamiento como a la centralidad de corpus occidentales en su diseño. Si bien un sistema de IA puede segmentar, transcribir o traducir un manuscrito indígena y vincularlo con otros documentos similares, carece del anclaje en la memoria colectiva, las prácticas rituales y las cosmologías propias que orientan la interpretación de un humanista o de un miembro de la comunidad de origen (Loaiza Moreno, Soto Soto & Hoyos Escaleras, 2024). En este sentido, la pregunta de si un algoritmo puede "comprender" un manuscrito indígena de la misma manera que un humanista pone de relieve la necesidad de desarrollar modelos de *human in the loop*, en los que archivistas, especialistas en culturas indígenas y las propias comunidades participen activamente en la definición de metadatos, categorías y criterios de interpretación. De este modo, la sistematización digital puede ir más allá de la mera conversión de documentos en datos y orientarse hacia el respeto efectivo de la soberanía cultural y epistémica de sus portadores.

1.3. Objetivos

En primer término, el presente capítulo se propone examinar de manera sistemática las oportunidades y los riesgos asociados al empleo de sistemas de inteligencia artificial en los procesos de sistematización y archivo del patrimonio cultural, prestando especial atención a sus efectos sobre los derechos culturales, el principio de no discriminación y la salvaguarda de la diversidad. Este objetivo implica analizar en qué medida la automatización puede favorecer el acceso, la preservación y la reutilización de materiales culturales, así como identificar aquellos contextos en los que, por el contrario, puede contribuir a la reproducción de sesgos históricos, a la intensificación de prácticas de apropiación indebida o a la erosión de la soberanía cultural de comunidades específicas.

En segundo lugar, la investigación tiene como propósito proponer un enfoque de carácter humanista-digital para el diseño y la implementación de sistemas de IA aplicados a archivos. Dicho enfoque se concibe como un marco que sitúa la dignidad humana, la justicia epistémica y la participación activa de las comunidades en el centro de los procesos técnicos. A tal efecto, se articula en torno a principios como los modelos de "*human in the loop*", la gobernanza ética, la transparencia algorítmica y la corresponsabilidad entre desarrolladores tecnológicos, instituciones archivísticas y sujetos portadores de memoria, de manera que la tecnología opere como una mediación que complemente, y no sustituya, la interpretación humanística.

En tercer lugar, el estudio aspira a contribuir al debate regional en torno a la inteligencia artificial, los archivos y los derechos humanos en la Unión Europea y en América Latina, mediante el análisis comparado de políticas públicas, prácticas institucionales y marcos normativos que condicionan el uso de herramientas algorítmicas en contextos archivísticos. Al poner en diálogo experiencias europeas caracterizadas por infraestructuras culturales consolidadas con iniciativas latinoamericanas atravesadas por procesos de descolonización del conocimiento y de protección de los saberes indígenas, se busca identificar tanto puntos de convergencia como tensiones relevantes, con el fin de formular recomendaciones orientadas al desarrollo de una gobernanza transregional de la IA que sea respetuosa de los derechos culturales.

1.4. Metodología y estructura

La presente investigación adopta un enfoque de carácter exploratorio, descriptivo y comparativo, especialmente adecuado para un ámbito en constante transformación como es la aplicación de la inteligencia artificial en archivos y en la gestión del patrimonio cultural, donde aún no se ha consolidado un consenso metodológico uniforme. La estrategia metodológica combina, por un lado, el análisis documental de literatura académica, informes institucionales y marcos normativos vinculados a los derechos humanos culturales y a la ética de la IA y, por otro, el estudio comparado de experiencias desarrolladas en Europa y América Latina. Este abordaje permite identificar patrones comunes, oportunidades y riesgos compartidos, así como particularidades regionales en los modelos de gobernanza de la IA aplicada a contextos archivísticos. El corpus de análisis se circunscribe a estudios y documentos recientes, con el objetivo de garantizar la actualidad de los resultados y de mantener la extensión total del trabajo dentro de los límites establecidos.

La estructura del artículo se organiza en seis apartados, dispuestos de manera progresiva y coherente. En primer lugar, el apartado 2, dedicado al marco conceptual, se divide en tres secciones. La sección 2.1 expone la noción y los principios del humanismo digital como horizonte teórico para la evaluación crítica del uso de la IA en contextos culturales; la sección 2.2 analiza los derechos humanos culturales desde una perspectiva regional, con especial énfasis en los instrumentos internacionales y en las políticas desarrolladas en la Unión Europea y en América Latina; y la sección 2.3 presenta las principales herramientas de IA empleadas en archivos, tales como el reconocimiento automático de texto, el análisis de imágenes y los sistemas de recomendación.

En segundo lugar, el apartado 3 se centra en las oportunidades que ofrece la IA para la promoción regional de los derechos culturales. Este análisis aborda, en la sección 3.1, la democratización del acceso a la cultura; en la sección 3.2, la sistematización eficiente de los archivos; y, en la sección 3.3, una selección sintética de casos regionales considerados exitosos tanto en Europa como en América Latina. En tercer lugar, el apartado 4 examina los riesgos éticos y los desafíos que la IA plantea para los derechos humanos culturales, estructurando el análisis en cuatro dimensiones: los sesgos algorítmicos y las dinámicas de exclusión cultural (4.1), la posible pérdida de la interpretación humana en los procesos archivísticos (4.2), los problemas asociados a la privacidad y al tratamiento de datos sensibles (4.3), y las tensiones relativas a los derechos de autor y a potenciales formas de explotación no autorizada mediadas por sistemas de IA (4.4).

En cuarto lugar, el apartado 5 formula una serie de propuestas orientadas a la integración humanista de la IA en los archivos. Estas se articulan en torno a tres ejes fundamentales: el diseño de un modelo de "*human in the loop*" que garantice la supervisión y la corresponsabilidad humanas a lo largo de todas las fases del ciclo de vida de los sistemas de IA (5.1); la construcción de marcos éticos y normativos de alcance regional que orienten tanto las prácticas institucionales como las dinámicas transfronterizas (5.2); y la promoción de una formación interdisciplinaria que vincule la archivística, las humanidades, las ciencias de datos y los estudios de derechos humanos (5.3). Finalmente, el apartado 6 presenta las conclusiones y las líneas futuras de investigación, sintetizando los principales hallazgos del estudio e identificando ámbitos prioritarios para el desarrollo de políticas y prácticas que logren compatibilizar la innovación tecnológica con la salvaguarda de los derechos culturales en contextos regionales.

II. MARCO CONCEPTUAL

2.1. Humanismo digital: definición y principios

El humanismo digital se entiende como una corriente teórica y práctica orientada a encauzar los procesos de transformación tecnológica conforme a los valores, necesidades y límites propios de lo humano, evitando que sean las tecnologías digitales las que determinen de manera unilateral la organización de la vida social y el funcionamiento de las instituciones. En este sentido, el *Manifiesto de Viena sobre Humanismo Digital* (2019) define este enfoque como un esfuerzo sistemático por analizar e influir críticamente en la interacción entre tecnología y humanidad, situando los derechos humanos universales y la dignidad de las personas en el núcleo de los procesos de innovación digital (Werthner *et al.*, 2019).

Desde esta perspectiva, el humanismo digital aboga por un equilibrio entre el desarrollo de sistemas tecnológicos avanzados, como la inteligencia artificial, y la protección de bienes públicos fundamentales, entre ellos la democracia, la inclusión, la privacidad y la libertad de expresión. El *Manifiesto de Viena* enfatiza que las tecnologías digitales deben diseñarse y desplegarse con el objetivo de fortalecer la democracia y la inclusión social, corregir desigualdades estructurales y garantizar que las decisiones con impacto significativo en los derechos humanos permanezcan bajo responsabilidad humana. Ello implica adoptar una postura crítica frente a los procesos de automatización y frente a la creciente concentración de poder en grandes plataformas tecnológicas.

En coherencia con estos planteamientos, es posible identificar una serie de principios clave que estructuran el humanismo digital, entre los que destacan la empatía, la inclusión, la crítica cultural y la ética. La empatía se vincula con la capacidad de comprender las experiencias, contextos y vulnerabilidades de diversos grupos sociales en el diseño y la evaluación de sistemas digitales; la inclusión exige atender de manera explícita a las desigualdades existentes y evitar que la IA reproduzca o profundice formas de exclusión preexistentes; la crítica cultural reclama el examen de los supuestos ideológicos y de las narrativas de progreso asociadas a los procesos de digitalización; y la ética implica el desarrollo de marcos normativos y de prácticas profesionales responsables, partiendo del reconocimiento de que ninguna tecnología es neutral y de que toda decisión de diseño incorpora valores y concepciones específicas sobre lo humano (Gavilán, 2024).

2.2. Derechos humanos culturales en el marco regional

El derecho a participar en la vida cultural constituye uno de los pilares centrales de los derechos humanos culturales y se encuentra reconocido en el ámbito internacional en el artículo 27 del PIDCP. Dicho precepto establece que toda persona tiene derecho a participar en la vida cultural de la comunidad, a disfrutar de las artes y a beneficiarse del progreso científico y de sus aplicaciones. Asimismo, el artículo 27.2 incorpora la protección de los derechos de autor como un elemento esencial del derecho a la cultura, al garantizar la salvaguarda de la propiedad intelectual en función del respeto a la creatividad y a la diversidad cultural.

En el contexto europeo, este derecho se ve reforzado por la Carta de los Derechos Fundamentales de la Unión Europea, que en su artículo 22 reconoce expresamente la importancia de la cultura y de la libertad creativa. La Carta pone de relieve la necesidad de preservar y promover la diversidad cultural y lingüística como bienes comunes de los Estados miembros, lo que se traduce en obligaciones positivas para los poderes públicos orientadas a asegurar un acceso equitativo a los bienes y expresiones culturales.

Por su parte, en América Latina el derecho a la cultura se encuentra consagrado en el Protocolo de San Salvador, instrumento regional que reconoce en su artículo 14 el derecho de toda persona a participar libremente en la vida cultural y a gozar de los beneficios del desarrollo cultural. Este marco normativo complementa los estándares internacionales y se adapta a las particularidades históricas y sociales de la región, con un énfasis específico en la inclusión social, la protección de las culturas indígenas y afrodescendientes y el respeto a la identidad y a la diversidad cultural (Protocolo de San Salvador, 1988).

En conjunto, estos marcos jurídicos globales y regionales constituyen el fundamento normativo para la protección y promoción de los derechos culturales en un contexto marcado por la creciente automatización y digitalización de los archivos y del patrimonio cultural. En este sentido, resultan esenciales para orientar el desarrollo de una gobernanza ética de la inteligencia artificial y para prevenir eventuales vulneraciones de derechos derivadas de su uso inadecuado.

2.3. IA en archivos: herramientas clave

En los procesos de sistematización y archivo digital, las herramientas basadas en inteligencia artificial han transformado de manera sustantiva la forma en que se procesan, organizan y ponen a disposición grandes volúmenes de documentos históricos y culturales. Entre las tecnologías más relevantes se encuentra el reconocimiento óptico de caracteres (OCR) y su variante especializada para manuscritos, el reconocimiento de escritura manuscrita (*Handwritten Text Recognition*, HTR). Estas herramientas permiten convertir textos impresos o escritos a mano en datos textuales estructurados que pueden ser buscados, analizados y vinculados, lo que contribuye de manera significativa tanto a la preservación como a la accesibilidad de archivos tradicionalmente analógicos. Un ejemplo emblemático de la aplicación de OCR potenciado mediante IA es el proyecto *Europeana*, que emplea estas tecnologías para transformar documentos y manuscritos históricos en colecciones digitales enriquecidas y accesibles a escala europea.

Otra herramienta central es el procesamiento del lenguaje natural (PLN), que confiere a los sistemas digitales la capacidad de interpretar, analizar y generar lenguaje humano.

En el ámbito de los archivos digitales, el PLN se utiliza para la clasificación automatizada de documentos, la extracción de entidades relevantes, la identificación de relaciones semánticas y la mejora de la interacción con los usuarios a través de búsquedas avanzadas y consultas formuladas en lenguaje natural. Estas aplicaciones incrementan de forma notable la eficiencia en la gestión, exploración y reutilización del patrimonio cultural digital (*European Digital Innovation Hubs*).

Asimismo, los grafos de conocimiento y los datos abiertos vinculados (*Linked Open Data*) desempeñan un papel fundamental en la estructuración, interconexión e interoperabilidad de la información archivística. Estas tecnologías permiten relacionar datos heterogéneos procedentes de múltiples fuentes y establecer vínculos semánticos entre ellos, favoreciendo la integración de archivos transnacionales y la construcción de narrativas culturales más complejas y multidimensionales. Los grafos de conocimiento resultan especialmente relevantes para reconstruir contextos históricos y culturales amplios y para garantizar que los sistemas de inteligencia artificial operen sobre marcos de conocimiento coherentes y extensos (Flores-Ruiz, Miedes-Ugarte & Wanner, 2021).

La aplicación de estas herramientas es diversa y abarca múltiples tipologías documentales. Por ejemplo, en la gestión de archivos de escultura digital se combinan redes neuronales convolucionales tridimensionales con modelos de lenguaje para el etiquetado semántico y la recuperación inteligente de contenidos (Shodhkosh, 2025). Del mismo modo, el uso de OCR potenciado mediante IA ha permitido la reconstrucción y el análisis de manuscritos históricos de alta complejidad, como documentos técnicos e ingenieriles, mejorando de manera significativa la precisión y la eficiencia en comparación con los métodos tradicionales de transcripción y catalogación (Iskandarova et al., 2025).

III. OPORTUNIDADES DE LA IA EN LA PROMOCIÓN REGIONAL DE DDHH CULTURALES

La IA representa una herramienta poderosa para la promoción de los derechos humanos en el ámbito cultural, especialmente desde una perspectiva regional. Como veremos a continuación, la IA es un catalizador para la democratización del acceso cultural y la sistematización eficiente de archivos, como demuestran algunos casos exitosos en Europa y América Latina. Estas nuevas oportunidades contribuyen a materializar el mencionado artículo 27 del PIDCP, que garantiza el derecho de toda persona a participar en la vida cultural.

3.1. Democratización del acceso cultural

La inteligencia artificial contribuye de manera significativa a la ampliación del acceso al patrimonio cultural a través de plataformas agregadoras como *Europeana*, que ya en el año 2025 albergaba más de 58 millones de objetos digitales procedentes de distintos países europeos. Estas plataformas emplean algoritmos de búsqueda semántica y sistemas de recomendación personalizada que optimizan la localización, contextualización y accesibilidad de los contenidos culturales. En este sentido, la IA favorece de forma directa la efectivización del derecho de acceso a la cultura, con un impacto particular en comunidades históricamente marginadas o situadas en contextos geográficamente periféricos. A modo de ejemplo, un estudiante paraguayo puede acceder a manuscritos conservados en el Archivo General de Indias mediante interfaces basadas en inteligencia artificial que permiten la traducción automática de metadatos a lenguas como el guaraní o el quechua, reduciendo barreras lingüísticas y cognitivas en el acceso al conocimiento cultural (Somos Iberoamérica, 2025).

Estos desarrollos tecnológicos no solo amplían el acceso pasivo a los bienes culturales, sino que también fomentan una participación más activa en la vida cultural, al transformar las limitaciones espaciales y lingüísticas en oportunidades de inclusión y circulación regional del conocimiento. De este modo, la aplicación de la IA en plataformas culturales se alinea con marcos normativos y programáticos como la Carta Cultural Iberoamericana, que promueve el acceso equitativo a la diversidad cultural como un elemento central del desarrollo humano y de la cohesión regional (Carta Cultural Iberoamericana, 2006).

3.2. Sistematización eficiente de archivos

La incorporación de técnicas de inteligencia artificial en el tratamiento archivístico ha permitido optimizar de manera sustancial los procesos de clasificación, descripción y recuperación de la información, especialmente en contextos caracterizados por la gestión de grandes volúmenes documentales. En el ámbito ibérico y europeo, los sistemas de reconocimiento de escritura manuscrita *(Handwritten Text Recognition*, HTR) han demostrado una eficacia particularmente relevante para la automatización de tareas que tradicionalmente requerían una elevada inversión de tiempo y recursos humanos. Iniciativas como READ-COOP/Transkribus, en las que participan diversas instituciones españolas, han registrado incrementos significativos tanto en la velocidad como en la precisión de la transcripción y la búsqueda de documentos datados entre los siglos XVI y XVIII, alcanzando tasas de acierto superiores al 90% en conjuntos documentales adecuadamente entrenados (Kahle *et al.*, 2017).

La experiencia española confirma y refuerza esta tendencia. Diversas instituciones dependientes del Ministerio de Cultura y de los gobiernos autonómicos han integrado tecnologías HTR en sus flujos de trabajo archivísticos con resultados altamente positivos, tal como se desprende de los informes técnicos elaborados en el marco de proyectos de digitalización patrimonial y de humanidades digitales (Ministerio de Cultura y Deporte, 2022; Biblioteca Nacional de España, 2023). La aplicación de estas herramientas ha permitido reducir de forma notable los tiempos de pre-catalogación y facilitar un acceso preliminar más ágil al contenido de los legajos, lo que se traduce en una mejora significativa de la eficiencia del servicio público archivístico.

Conviene subrayar, no obstante, que los procesos de automatización no desplazan la función del profesional de archivo, sino que contribuyen a su revalorización. La doctrina archivística coincide en señalar que la IA debe entenderse como una tecnología de apoyo y no de sustitución, en la medida en que las tareas de interpretación contextual, verificación paleográfica, identificación de sesgos históricos o construcción de narrativas inclusivas siguen requiriendo de manera indispensable la intervención y el criterio humanos (Consejo Internacional de Archivos, 2024). En este sentido, la inteligencia artificial se configura como un instrumento que fortalece la dimensión cualitativa del trabajo archivístico y que contribuye, de manera indirecta, a la promoción de los derechos culturales y al acceso equitativo al patrimonio documental.

3.3. Casos regionales exitosos

La aplicación de sistemas de inteligencia artificial en archivos y repositorios de memoria ha evidenciado, en diversos contextos regionales, un notable potencial para fortalecer el derecho a la verdad, la justicia y la reparación, considerados pilares esenciales del derecho a la memoria histórica consagrado en el derecho internacional de los derechos humanos (Relator Especial sobre la promoción de la verdad, la justicia, la reparación y las garantías de no repetición, 2014).

En América Latina, distintas organizaciones de la sociedad civil han empleado tecnologías de análisis computacional, particularmente aprendizaje automático (*machine learning*) y procesamiento del lenguaje natural, para sistematizar documentación relativa a graves violaciones de derechos humanos ocurridas durante regímenes autoritarios. Destaca el trabajo del Centro de Documentación y Archivo para la Defensa de los Derechos Humanos (CDA/DDHH) en Paraguay, que desde la apertura de los denominados "Archivos del Terror" ha impulsado la digitalización, preservación y análisis de materiales vinculados a la dictadura de Alfredo Stroessner (1954-1989). Estudios regionales muestran que los algoritmos de PLN aplicados a testimonios y expedientes permiten identificar patrones de represión, redes de responsabilidad estatal y trayectorias de víctimas, facilitando procesos de justicia transicional y el diseño de políticas públicas de memoria (Centro de Estudios de Justicia de las Américas, 2021; Sikkink, 2018). Iniciativas digitales desarrolladas por organizaciones como TEDIC, en colaboración con el CDA/DDHH, se enmarcan dentro de una tendencia regional de uso de herramientas avanzadas para democratizar el acceso al acervo documental y fortalecer las garantías de no repetición (TEDIC, 2023).

En África, la UNESCO ha promovido programas de preservación digital del patrimonio inmaterial mediante la aplicación de IA al reconocimiento, archivo y catalogación de lenguas en peligro de desaparición. Proyectos como el *African Languages Initiative* y los vinculados a la *Recommendation on the Ethics of Artificial Intelligence* (UNESCO, 2021) han desarrollado sistemas de digitalización y modelado lingüístico, incluyendo corpus en swahili, wolof y otras lenguas bantúes y sahelianas, con el objetivo de crear repositorios abiertos que salvaguarden expresiones orales y tradiciones comunitarias (UNESCO, 2023). Esta labor se alinea con la Agenda 2063 de la Unión Africana, que reconoce la preservación de la diversidad cultural como un componente estratégico del desarrollo regional (Unión Africana, 2015).

En Europa, la plataforma *Europeana*, financiada por la Comisión Europea, constituye un ejemplo paradigmático de buenas prácticas en la gestión de derechos y acceso abierto. La adopción sistemática de licencias *Creative Commons* CC0 para materiales en dominio público garantiza la libre reutilización de obras digitalizadas, asegurando al mismo tiempo la autenticidad de los contenidos y protegiendo frente a prácticas de *copyfraud* (Europeana Foundation, 2020). Esto contribuye a consolidar un ecosistema documental inclusivo y accesible, coherente con las políticas europeas de patrimonio digital.

En conjunto, estos casos evidencian que, cuando la inteligencia artificial se implementa desde un enfoque humanista y conforme a estándares éticos internacionales, funciona como un catalizador para la promoción regional de los derechos humanos. Así, los archivos, tradicionalmente concebidos como espacios estáticos, se transforman en infraestructuras dinámicas de memoria colectiva, deliberación ciudadana y acceso equitativo al conocimiento.

IV. RIESGOS ÉTICOS Y DESAFÍOS PARA LOS DDHH

4.1. Sesgos algorítmicos y exclusión cultural

La incorporación de sistemas de inteligencia artificial en los procesos archivísticos plantea riesgos significativos desde la perspectiva de los derechos humanos, especialmente en lo relativo a los sesgos algorítmicos derivados de conjuntos de datos de entrenamiento insuficientemente representativos. Gran parte de los modelos actuales se nutren de corpus mayoritariamente europeos o anglosajones, lo que puede generar distorsiones interpretativas cuando estas tecnologías se aplican a expresiones culturales originadas en contextos africanos, latinoamericanos o indígenas. La literatura especializada ha señalado que esta asimetría epistémica puede derivar en la invisibilización sistemática de narrativas subalternas y en la marginación de sistemas de conocimiento no occidentales, reforzando patrones históricos de dominación cultural trasladados ahora al ámbito digital (Mohamed, Png & Isaac, 2020; Birhane, 2021).

Este fenómeno puede considerarse una forma de discriminación cultural incompatible con los estándares internacionales de derechos humanos. El artículo 2 del PIDCP establece la obligación de los Estados de garantizar los derechos reconocidos en el Pacto sin distinción alguna basada en raza, idioma, origen nacional o social u otras condiciones análogas. De manera complementaria, órganos como el Comité de Derechos Económicos, Sociales y Culturales han enfatizado que la exclusión tecnológica puede afectar negativamente el ejercicio del derecho a participar en la vida cultural, previsto en el artículo 15 del PIDESC, imponiendo a los Estados el deber de prevenir que herramientas automatizadas reproduzcan desigualdades o sesgos estructurales (Comité de Derechos Económicos, Sociales y Culturales, 2009).

En este marco, la persistencia de sesgos automatizados limita el acceso equitativo a la memoria colectiva y amenaza la integridad cultural de comunidades históricamente vulnerabilizadas. La doctrina contemporánea subraya la necesidad de implementar mecanismos de auditoría algorítmica, diversificación de los datos de entrenamiento, participación activa de las comunidades afectadas y transparencia en el diseño de modelos, con el fin de mitigar estos impactos y garantizar que la IA sea compatible con los principios de igualdad, no discriminación y pluralismo cultural (UNESCO, 2021; Bietti, 2020). Estas salvaguardas resultan esenciales para evitar que el ecosistema digital reproduzca jerarquías coloniales bajo nuevas formas tecnológicas.

4.2. Pérdida de interpretación humana

La automatización de procesos de metadatos mediante inteligencia artificial, aunque agiliza la catalogación, presenta el riesgo de omitir matices emocionales, contextuales y simbólicos propios de la documentación cultural, que exceden la capacidad de los algoritmos (Universo Abierto, 2025). Los sistemas automatizados tienden a priorizar patrones cuantificables, como frecuencia léxica o co-ocurrencias semánticas, en detrimento de la densidad afectiva, las convenciones retóricas propias de cada época o las resonancias colectivas que solo un intérprete humano, formado en sensibilidad histórica, puede captar (Consejo Internacional de Archivos, 2024).

Un ejemplo paradigmático es la interrogante de si un sistema de IA puede "percibir" el dolor implícito en archivos sobre genocidio: el algoritmo puede reconocer términos como "masacre" o "víctima" y generar metadatos descriptivos, pero carece de la empatía y del juicio ético necesarios para captar el trauma intergeneracional o la dimensión testimonial que atraviesa estos documentos (UNESCO, 2021). Esta limitación no solo empobrece la representación digital del patrimonio, sino que también compromete la función humanística del archivo como espacio de reparación simbólica y reconocimiento de la dignidad de las víctimas, conforme a los estándares internacionales de derechos culturales (Comité de Derechos Económicos, Sociales y Culturales, 2009).

Incluso en proyectos creativos, como la animación de archivos artísticos mediante IA, los "errores" o distorsiones en la interpretación automática evidencian la brecha entre procesamiento algorítmico y comprensión auténtica del contexto cultural o biográfico, aunque puedan valorarse como recursos expresivos (HCI, 2024). Este escenario subraya la necesidad de un modelo de interacción humano-IA que combine eficiencia tecnológica con supervisión interpretativa para preservar la riqueza y profundidad humanística del patrimonio digital.

4.3. Privacidad y datos sensibles

La digitalización y el tratamiento automatizado de archivos históricos y contemporáneos implican la gestión de información que, en muchos casos, constituye dato personal sensible, especialmente cuando se trata de testimonios orales, expedientes judiciales, registros de víctimas de violencia estatal o documentación generada en contextos de conflicto. Esta situación plantea riesgos relevantes para el derecho a la intimidad y a la protección de datos personales consagrado en el artículo 17 del PIDCP, que obliga a los Estados a prevenir injerencias arbitrarias o ilegales en la vida privada y ataques ilícitos contra la honra o reputación de las personas (Naciones Unidas, 1966). La relevancia de estas obligaciones se intensifica en contextos de memoria histórica, donde la divulgación de información puede afectar directamente a personas vulnerables y a familiares de víctimas.

El uso de sistemas de inteligencia artificial amplifica estos riesgos, al requerir tratamientos masivos que pueden incluir datos biométricos, patrones de voz, metadatos de localización histórica o inferencias derivadas del análisis automatizado de testimonios. El Comité de Derechos Humanos de Naciones Unidas ha subrayado que la gestión de información altamente sensible requiere garantías reforzadas de necesidad, proporcionalidad y finalidad legítima, para evitar prácticas intrusivas que comprometan la esfera esencial de la vida privada (Comité de Derechos Humanos, 1988). Instrumentos como los Principios Rectores de Naciones Unidas sobre la Protección de Datos Personales y la Privacidad recomiendan medidas técnicas y organizativas apropiadas, incluyendo anonimización o pseudonimización siempre que el tratamiento de datos no identificados sea suficiente para alcanzar los fines perseguidos (Naciones Unidas, 2018).

En Europa, el Reglamento General de Protección de Datos (RGPD) ofrece un marco avanzado para la gestión archivística con fines de interés público. Aunque el artículo 89 reconoce la función social de los archivos, condiciona la licitud del tratamiento a la adopción de "garantías adecuadas", como la pseudonimización, siempre que los fines puedan alcanzarse sin identificar a las personas. El artículo 9 define los datos personales sensibles y restringe su tratamiento, salvo excepciones de interés público esencial, incluyendo la preservación documental con medidas reforzadas de seguridad y confidencialidad. Complementariamente, los principios de minimización de datos, limitación de la finalidad, exactitud, integridad y confidencialidad, junto con la exigencia de evaluaciones de impacto sobre protección de datos (arts. 5 y 35 RGPD), refuerzan la protección de la información.

Asimismo, el Convenio 108 del Consejo de Europa, actualizado mediante el Protocolo Adicional de 2018 (Convenio 108+), establece obligaciones específicas para el tratamiento automatizado de datos, incluyendo salvaguardas frente a decisiones basadas exclusivamente en algoritmos y la exigencia de transparencia y supervisión independientes. Para los archivos que emplean IA, este marco implica un escrutinio especial de las operaciones de inferencia y la adopción de medidas técnicas que eviten la reidentificación indebida de personas fallecidas o cuyos familiares mantengan derechos legítimos de protección de su intimidad.

En consecuencia, la implementación de protocolos de pseudonimización y anonimización, evaluaciones de impacto en privacidad, auditorías algorítmicas y mecanismos de supervisión judicial o administrativa resulta imperativa para asegurar la compatibilidad entre la preservación patrimonial y la protección efectiva de derechos fundamentales. Estas medidas refuerzan la custodia responsable propia de la función archivística, garantizando que la memoria colectiva pueda preservarse y difundirse sin comprometer la dignidad, seguridad o autonomía informacional de las personas afectadas (Consejo Internacional de Archivos, 2020).

4.4. IA y derechos de autor

La incorporación de sistemas de inteligencia artificial en la sistematización, análisis y conservación del patrimonio cultural plantea desafíos jurídicos relevantes en materia de derechos de autor, especialmente cuando los modelos se entrenan con obras protegidas, manuscritos, fotografías, grabaciones o textos literarios sin la autorización de los titulares. Esta situación genera una tensión entre dos mandatos normativos: la promoción del acceso a la cultura y la participación en la vida cultural (art. 27.1 del PIDCP) y la protección de los intereses morales y patrimoniales de los autores (art. 27.2 del PIDCP), reconocida tanto a nivel internacional como en los ordenamientos internos.

En Europa, la Directiva (UE) 2019/790 sobre derechos de autor en el mercado único digital establece un régimen específico para *text and data mining* (TDM). El artículo 3 permite el TDM con fines de investigación científica por parte de instituciones de patrimonio cultural, salvo reserva expresa (*opt-out*) del titular. El artículo 4 amplía esta excepción a usos generales, pero admite limitaciones mediante herramientas de gestión de derechos (DRM). La gestión de obras huérfanas, regulada por la Directiva 2012/28/UE, exige una "búsqueda diligente" previa al uso, lo que complica su aplicación en proyectos de digitalización masiva.

En América Latina persiste una considerable asimetría normativa. Algunos países, como Chile (reforma Ley 17.336, 2010) y México (LFDA), reconocen excepciones limitadas para actividades de minería de datos con fines no comerciales, mientras otros carecen de disposiciones específicas sobre TDM, generando inseguridad jurídica para la utilización de archivos digitalizados en el entrenamiento de modelos de IA.

Plataformas como *Transkribus*, utilizadas en archivos europeos, procesan manuscritos históricos mediante HTR; aunque la mayoría de los materiales está en dominio público, la presencia de anotaciones contemporáneas o ediciones críticas puede requerir licencia o autorización para su tratamiento. Jurisprudencialmente, los tribunales europeos han comenzado a delimitar el alcance del TDM: el *Landgericht de Hamburgo* (2024) consideró lícito el uso del dataset LAION-5B en *LAION c. Getty Images* bajo el artículo 3 DMUD, mientras que el *Landgericht de Múnich* (2025) restringió TDM cuando implica memorización de obras completas. En el Reino Unido, el *High Court of Justice* (2024) determinó que los modelos de IA no constituyen "copias infractoras" bajo la *Copyright, Designs and Patents Act.*

Respecto a la protección del resultado, la doctrina europea y pronunciamientos administrativos, como la USCO en *Zarya of the Dawn* (2023) y la SCJN de México (2025, amparo 6/2025), coinciden en que las obras generadas exclusivamente por IA carecen de protección autoral por ausencia de autoría humana, reservando la titularidad a personas físicas.

Desde la perspectiva del humanismo digital, estas tensiones requieren protocolos archivísticos que equilibren la protección de los autores con la accesibilidad del patrimonio cultural. Entre las medidas recomendadas destacan: (1) identificar y clasificar previamente materiales protegidos o sujetos a derechos conexos; (2) priorizar licencias abiertas, como *Creative Commons*, cuando sea posible; (3) establecer mecanismos de compensación para autores vivos en casos de uso comercial o intensivo; y (4) aplicar los principios de minimización y proporcionalidad en el entrenamiento de modelos. Estas salvaguardas protegen los derechos morales y patrimoniales de los creadores y fortalecen la promoción sostenible de la diversidad cultural, conforme a estándares internacionales y europeos de gobernanza ética de la IA.

V. PROPUESTAS DE INTEGRACIÓN HUMANISTA

5.1. Modelo "human in the loop"

El modelo "*human in the loop*" (HITL) puede entenderse, desde la perspectiva de gobernanza algorítmica, como una configuración en la que la intervención humana es estructural en todas las fases de diseño, entrenamiento, despliegue y supervisión de sistemas de inteligencia artificial, evitando que la decisión automatizada opere de manera opaca e independiente. Esta concepción coincide con la noción de "supervisión humana efectiva" del Reglamento de IA de la Unión Europea, que establece que las personas involucradas deben disponer de la autoridad, conocimientos y recursos técnicos necesarios para interpretar, corregir o anular los resultados generados por el sistema (Reglamento (UE) 2024/1689, 2024).

En clave humanista, la lógica operativa del modelo puede resumirse como "IA sugiere humanista valida": el sistema genera propuestas o borradores preliminares que son evaluados por una persona experta con competencias culturales, lingüísticas y éticas, quien asume la responsabilidad final de la decisión. Esta estructura refleja la idea de "*meaningful human control*", según la cual el control humano no se limita a una supervisión formal, sino que implica comprensión real y capacidad de intervención sobre el proceso algorítmico (Crootof, 2015; Santoni de Sio & van den Hoven, 2018).

Desde un enfoque iusfilosófico y de derechos fundamentales, el modelo HITL busca integrar en el flujo decisorio elementos como la empatía, la memoria histórica y la pluralidad de perspectivas, de manera que el juicio humano contrarreste la estandarización cultural que podría derivarse de sistemas entrenados con corpus homogéneos. La doctrina sobre IA fiable de la UE enfatiza que la supervisión humana debe proteger la dignidad, la autonomía individual y la diversidad cultural frente a sesgos estadísticos y tendencias de homogenización propias del aprendizaje automatizado (*High-Level Expert Group on Artificial Intelligence*, 2019). En este marco, la fórmula "IA sugiere humanista valida" refuerza la precisión cultural de las decisiones automatizadas y asegura la agencia de las comunidades en la construcción de su representación digital, en consonancia con los principios de no discriminación y pluralismo cultural reconocidos en el art. 21 de la Carta de Derechos Fundamentales de la UE y el art. 27 del PIDCP.

5.2. Marcos éticos regionales

En Europa, el marco ético-jurídico para una integración humanista de la inteligencia artificial se articula, por un lado, a través del Reglamento (UE) 2024/1689, de 13 de junio de 2024, cuyo considerando 1 establece un modelo de "IA fiable" (*trustworthy AI*) basado en la centralidad de la persona, la protección de los derechos fundamentales reconocidos en la Carta de Derechos Fundamentales de la Unión Europea, la prevención de discriminaciones estructurales y el respeto a la diversidad cultural. Como señala Floridi, este enfoque normativo "refuerza la idea de que el diseño algorítmico no puede desvincularse de los valores humanistas que estructuran el constitucionalismo europeo" (Floridi, 2023, pp. 71-75). Por otro lado, este marco se complementa con la Recomendación sobre la Ética de la Inteligencia Artificial de la UNESCO (2021), primer instrumento internacional universal en la materia, cuyos principios, justicia, inclusión, diversidad cultural, igualdad de género y respeto al patrimonio cultural y natural, han sido reconocidos como referencias clave para la gobernanza global de la IA (Cath, 2018).

Por su parte, en el ámbito interamericano, la Comisión Interamericana de Derechos Humanos (CIDH) ha desarrollado, desde 2019, un cuerpo creciente de estándares para tecnologías digitales y derechos fundamentales. En su Informe sobre Inteligencia Artificial y Derechos Humanos en el Sistema Interamericano (CIDH-RELE, 2023), enfatiza la necesidad de garantizar el acceso plural a contenidos culturales, la preservación de la memoria colectiva y la participación significativa de comunidades indígenas y grupos minoritarios en la toma de decisiones tecnológicas. La Relatoría para la Libertad de Expresión subraya que Estados y actores privados deben incorporar salvaguardias frente a la concentración de poder informacional, mecanismos de transparencia algorítmica y procedimientos de consulta a las comunidades afectadas, con el fin de asegurar una IA "alineada con los principios democráticos y culturales del Sistema Interamericano" (Relatoría Especial para la Libertad de Expresión, 2025). La doctrina latinoamericana ha interpretado esta orientación como un estándar regional de "IA culturalmente sensible", que dialoga críticamente con el modelo europeo basado en el riesgo y se centra en la justicia epistémica y la protección de identidades culturales en entornos digitales (UNESCO, 2025: 45-52).

5.3. Formación interdisciplinaria

La consolidación de un ecosistema archivístico digital respetuoso de los derechos humanos requiere programas de formación interdisciplinaria que integren de manera estructurada a profesionales de archivística, humanidades y ciencias de la computación. Este enfoque responde al principio de alfabetización digital avanzada promovido por la UNESCO en su Recomendación sobre la Ética de la IA (2021), que enfatiza la necesidad de capacitar a los operadores culturales en competencias técnicas y éticas para un uso responsable de los sistemas algorítmicos. En este sentido, la doctrina especializada señala que la gobernanza humanista de la IA solo es efectiva cuando los equipos de trabajo comparten marcos hermenéuticos comunes, capaces de traducir valores culturales en exigencias técnicas y viceversa (Colace et al., 2025). Por ello, resultan esenciales talleres y laboratorios de coformación en los que archiveros, humanistas y especialistas en informática colaboren en el diseño de modelos, la curación de datos, la elaboración de metadatos culturalmente sensibles y la evaluación de impactos éticos (UNESCO, 2025: 52-58).

En efecto, estos espacios colaborativos fortalecen la capacidad institucional para identificar riesgos de discriminación o pérdida de memoria cultural y actúan como mecanismos de garantía para la integración del principio de debida diligencia en IA, alineándose con los estándares europeos de IA fiable y con las recomendaciones interamericanas sobre participación informada de actores culturales en el ciclo de vida tecnológico. Así, la relevancia de una perspectiva centrada en la comunidad se refleja en proyectos que desarrollan herramientas de IA para vincular y apoyar el patrimonio cultural generado por las propias comunidades, asegurando que sus voces y narrativas ocupen un lugar central en la preservación digital (Hannaford et al., 2024).

VI. CONCLUSIONES Y LÍNEAS FUTURAS

Las líneas anteriores evidencian que la integración de sistemas de inteligencia artificial en el ámbito archivístico, cuando se articula bajo los principios del humanismo digital y con respeto a los instrumentos internacionales de derechos humanos, puede constituir un instrumento clave para la promoción y garantía de los derechos culturales. La IA se presenta como una herramienta eficaz para ampliar el acceso al patrimonio documental, fortalecer la memoria colectiva y fomentar la participación cultural inclusiva, siempre que su diseño y despliegue incorporen salvaguardias éticas, normativas y procedimentales orientadas a la dignidad humana.

En este sentido, y considerando los riesgos y oportunidades identificados, es posible delinear recomendaciones operativas para un uso humanista y garantista de la IA en archivos. En primer lugar, resulta fundamental la adopción de modelos de "*human in the loop*", que aseguren supervisión experta continua en todas las fases del procesamiento algorítmico, en línea con el principio de control humano efectivo establecido en el Reglamento (UE) 2024/1689 y respaldado por la doctrina sobre gobernanza responsable de la IA. Asimismo, conviene promover la creación de observatorios regionales de monitoreo, concebidos como instancias permanentes de evaluación de impactos culturales, promoción de la transparencia algorítmica y canalización de auditorías independientes, conforme a los estándares de rendición de cuentas de la Recomendación sobre la Ética de la IA de la UNESCO (2021). Finalmente, debe garantizarse la participación sistemática de profesionales de archivística en el diseño, curación de datos y validación de los sistemas, de modo que las soluciones tecnológicas incorporen adecuadamente la contextualización histórica, la diversidad cultural y la preservación del patrimonio documental.

De cara al futuro, nos gustaría resaltar que una de las prioridades sería el desarrollo de marcos de gobernanza ética para sistemas de IA aplicados a archivos transfronterizos, capaces de armonizar obligaciones internacionales en materia de protección de datos, derechos culturales y acceso al patrimonio común. Esta gobernanza deberá abordar los desafíos vinculados a la interoperabilidad técnica, la circulación internacional de datos sensibles y la necesidad de estándares multilaterales que aseguren una protección homogénea y efectiva del derecho a la memoria en sociedades crecientemente digitalizadas.

VII. BIBLIOGRAFÍA

Bernal Parraga, A. P., Santin Castillo, A. P., Ordoñez Ruiz, I., Tayupanta Rocha, L. M., Reyes Ordoñez, J. P., Guzmán Quiña, M. de los A., & Nieto Lapo, A. P. (2024). La inteligencia artificial como proceso de enseñanza en la asignatura de estudios sociales. Ciencia Latina Revista Científica Multidisciplinar, 8(6): 4011-4030. https://doi.org/10.37811/cl_rcm.v8i6.15141

Biblioteca Nacional de España. (2023). Memoria de actividades 2022–2023. Madrid: BNE. https://www.bne.es/sites/default/files/repositorio-archivos/memoria-bne-2023.pdf

Bietti, E. (2020). From ethics washing to ethics bashing: A view on tech ethics from within moral philosophy. In Proceedings of the 2020 Conference on Fairness, Accountability, and Transparency (FAT* 2020): 210–219. Association for Computing Machinery. https://doi.org/10.1145/3351095.3372860

Birhane, A. (2021). Algorithmic Colonization of Africa. SCRIPTed, 18(2): 4–25. DOI: 10.2966/scrip.170220.389

Broussard, M. (2018). Artificial Unintelligence: How Computers Misunderstand the World. MIT Press.

Carta Cultural Iberoamericana. (2006). Aprobada en la XVI Cumbre Iberoamericana de Jefes de Estado y de Gobierno, Montevideo (Uruguay). https://www.segib.org/wp-content/uploads/2024/07/Carta-cultural-iberoamericana.pdf

Cath, C. (2018). Governing Artificial Intelligence: Ethical, Legal and Technical Opportunities and Challenges. Philosophical Transactions of the Royal Society, Volume 376, Issue 2133. https://doi.org/10.1098/rsta.2018.0080

Colace, F. et al. (2025). New AI challenges for cultural heritage protection: A general overview. Journal of Cultural Heritage, Volume 75, septiembre-octubre 2025: 168-193. https://doi.org/10.1016/j.culher.2025.07.019

Comité de Derechos Económicos, Sociales y Culturales. (2009). Observación General n.º 21: Derecho de toda persona a participar en la vida cultural. Naciones Unidas. https://digitallibrary.un.org/record/679355?ln=es&v=pdf

Comité de Derechos Humanos. (1988). Observación General n.º 16: El derecho a la intimidad (art. 17). Naciones Unidas. https://tbinternet.ohchr.org/_layouts/15/treatybodyexternal/Download.aspx?symbolno=INT%2FCCPR%2FGEC%2F6624&Lang=es

Consejo Internacional de Archivos (ICA). (2024). Horizontes de la Inteligencia Artificial en la Archivística. Conferencia Internacional de Archivos. Recuperado de https://www.ica.org/app/uploads/2024/08/Conferencia__compressed.pdf

Consejo Internacional de Archivos. (2020). Principles of Access to Archives. ICA. https://www.ica.org/es/resource/principios-de-acceso-a-los-archivos/

Crootof, R. (2015). Regulating New Weapons Technology. Harvard National Security Journal, vol. 6(1), 2015: 59–62. Crootof, Rebecca, Regulating New Weapons Technology (June 14, 2018). The Impact of Emerging Technologies on the Law of Armed Conflict (Eric Talbot Jensen & Ronald T.P. Alcala, eds., Oxford University Press) (2019 Forthcoming), Available at SSRN: https://ssrn.com/abstract=3195980

Directiva (UE) 2019/790 del Parlamento Europeo y del Consejo, de 17 de abril de 2019, sobre los derechos de autor y derechos afines en el mercado único digital. DO L 130 de 17.5.2019: 92–125.

Directiva 2012/28/UE del Parlamento Europeo y del Consejo, de 25 de octubre de 2012, sobre ciertos usos autorizados de las obras huérfanas. DO L 299 de 27.10.2012: 5-12.

European Digital Innovation Hubs. (s.f.). AI to extract data from human rights archives. European Commission. https://european-digital-innovation-hubs.ec.europa.eu/knowledge-hub/success-stories/ai-extract-data-human-rights-archives

Europeana Foundation. (2025). Europeana Public Domain Charter and Rights Statements Policy. Europeana. https://pro.europeana.eu/post/the-europeana-public-domain-charter

Europeana. (2024). Europeana Annual Report 2024. https://pro.europeana.eu/post/europeana-foundation-annual-report-2024

Flores-Ruiz, D., Miedes-Ugarte, B., & Wanner, P. (2021). Inteligencia relacional, inteligencia artificial y participación ciudadana. El caso de la plataforma digital cooperativa «Les Oiseaux de Passage». Recerca. Revista de Pensament i Anàlisi, 26(2): 1-25. doi: http://dx.doi.org/10.6035/recerca.5514

Floridi, L. (2014). The Fourth Revolution: How the Infosphere Is Reshaping Human Reality. Oxford University Press.

Floridi, L. (2023). The Ethics of Artificial Intelligence. Oxford University Press: 71-75.

Gavilán, I. G. R. (2024, 6 de junio). Humanismo Digital. Sociedad Digital. https://ignaciogavilan.com/category/sociedad-digital/humanismo-digital/

Hannaford, E. D., Schlegel, V., Lewis, R., Ramsden, S., Bunn, J., Moore, J., & Nenadic, G. (2024). Our Heritage, Our Stories: developing AI tools to link and support community-generated digital cultural heritage. Journal of Documentation, 80(5): 1133–1147.

High-Level Expert Group on Artificial Intelligence. (2019). Ethics Guidelines for Trustworthy AI. Comisión Europea: 14–20. https://digital-strategy.ec.europa.eu/en/library/ethics-guidelines-trustworthy-ai .

Iskandarova, N., Burieva, N., Mannonov, A., Kariev, A., Karimov, N., Kasimova, Z., Abidova, S. (2025). Ai-Powered Reconstruction of Historical Engineering Manuscripts Using Optical Character Recognition. Archives for Technical Sciences, 2(33): 548–555.

Kahle, P., Colutto, S., Hackl, G., & Muehlberger, G. (2017). Transkribus–A Service Platform for Transcription, Recognition and Retrieval of Historical Documents. 2017 14th IAPR International Conference on Document Analysis and Recognition (ICDAR): 19–24. https://doi.org/10.1109/ICDAR.2017.307

Ley 17.336 de Chile (reformada 2010). Art. 71 letra o) (excepción TDM investigación). https://www.bcn.cl/leychile/navegar?idNorma=28933

Ley Federal del Derecho de Autor (México), arts: 108-148 (limitaciones análisis automatizado). https://www.diputados.gob.mx/LeyesBiblio/pdf/LFDA.pdf

Loaiza Moreno, J. D., Soto Soto, F. F., & Hoyos Escaleras, Ángel M. (2024). Revolucionando la Justicia: El impacto de la Inteligencia Artificial en el Derecho Penal. Estudios Y Perspectivas Revista Científica Y Académica, 4(3): 2155–2174. https://doi.org/10.61384/r.c.a.v4i3.537

Luther, K., Mohanty, V., Lee, B. C. G., & Lykourentzou, I. (2024). Past Meets Future: Human-AI Interaction for Digital History and Cultural Heritage. En Companion Proceedings of the 29th International Conference on Intelligent User Interfaces: 127–130. ACM. 10.1145/3640544.3645257

Management of digital sculpture archives using AI. (2025). Shodhkosh, 6(2S). https://doi.org/10.29121/shodhkosh.v6.i2s.2025.6716

Manifiesto de Viena sobre Humanismo Digital (2019). https://dighum.ec.tuwien.ac.at/wp-content/uploads/2019/07/Vienna_Manifesto_on_Digital_Humanism_ES.pdf

Ministerio de Cultura y Deporte. (2022). Estrategia de digitalización del patrimonio documental. Madrid: Gobierno de España. https://travesia.mcu.es/server/api/core/bitstreams/bfa61560-99c0-4e28-9cb0-33acd0b71faf/content

Mohamed, S., Png, M.-T., & Isaac, W. (2020). Decolonial AI: Decolonising Ethics of Artificial Intelligence. Philosophy & Technology, 33: 659–684.

Monreal, F. (2018). Arcontes digitales y artistas re-colectores. Poéticas de archivo en el entorno de las humanidades digitales. Artnodes, 23: 1–9. Universitat Oberta de Catalunya. doi:10.7238/a.v0i23.3228 .

Naciones Unidas. (1966). Pacto Internacional de Derechos Civiles y Políticos.

Naciones Unidas. (2018). United Nations Principles on Personal Data Protection and Privacy. UN System Chief Executives Board for Coordination. https://unsceb.org/personal-data-protection-and-privacy-principles

Pereira Gomes, Y. (2024). Preservação dos conhecimentos tradicionais associados à biodiversidade no Brasil diante do avanço das inteligências artificiais. Colóquio–Revista do Desenvolvimento Regional, 21(4): 125–146.

Pham, C., Abasolo, J., Wolfersberger, V., Wintersberger, P., & Hagler, J. (2025). Animating an Archive: AI and the Limits of Cultural Heritage Interpretation. In Proceedings of the Conference on Animation and Interactive Art (Expanded '25): 149-156. Association for Computing Machinery. https://doi.org/10.1145/3749893.3749967

Protocolo adicional a la Convención Americana sobre Derechos Humanos en Materia de Derechos Económicos, Sociales y Culturales, "Protocolo de San Salvador", Adoptado en San Salvador, El Salvador, el 17 de noviembre de 1988. https://www.oas.org/juridico/spanish/tratados/a-52.html

Reglamento (UE) 2016/679 del Parlamento Europeo y del Consejo, de 27 de abril de 2016, relativo a la protección de las personas físicas en lo que respecta al tratamiento de datos personales y a la libre circulación de estos datos (RGPD). DO L 119, de 4.5.2016: 1-88.

Reglamento (UE) 2024/1689 del Parlamento Europeo y del Consejo, de 13 de junio de 2024, por el que se establecen normas armonizadas en materia de inteligencia artificial y por el que se modifican los Reglamentos (CE) n.º 300/2008, (UE) n.º 167/2013, (UE) n.º 168/2013, (UE) 2018/858, (UE) 2018/1139 y (UE) 2019/2144 y las Directivas 2014/90/UE, (UE) 2016/797 y (UE) 2020/1828 (Reglamento de Inteligencia Artificial), DOUE L 1689, 13.6.2024: 1-144.

Relator Especial sobre la promoción de la verdad, la justicia, la reparación y las garantías de no repetición. (2014). Informe del Relator Especial sobre la promoción de la verdad, la justicia, la reparación y las garantías de no repetición (A/HRC/25/49). Naciones Unidas. https://digitallibrary.un.org/record/803412/files/A_HRC_30_42-ES.pdf

Relatoría Especial para la Libertad de Expresión (RELE). (2025, 7 de mayo). Comunicado Conjunto sobre Inteligencia Artificial y Libertad de Expresión (R89/25). Comisión Interamericana de Derechos Humanos (CIDH). Washington, D.C. https://www.oas.org/es/cidh/expresion/prensa/comunicados/2025/089.asp

Santoni de Sio, F., & van den Hoven, J. (2018). Meaningful Human Control over Autonomous Systems: A Philosophical Account. Frontiers in Robotics and AI. https://doi.org/10.3389/frobt.2018.00015

Sikkink, K. (2018). Evidence for Hope: Making Human Rights Work in the 21st Century. Princeton University Press.

Sintaxis. (2025). Inteligencia artificial y equidad de género. Una perspectiva histórica de los sesgos culturales y su impacto en la relación humana con las tecnologías de la información y comunicación. Sintaxis, 14: 14-30. https://doi.org/10.36105/stx.2025n14.02

Somos Iberoamérica. (2025). Derechos en el arte ante la IA Generativa. https://somosiberoamerica.org/temas/cultura/derechos-en-el-arte-ante-la-ia-generativa/

TEDIC. (2023). Tecnologías digitales, memoria histórica y derechos humanos en Paraguay. TEDIC. https://www.tedic.org/wp-content/uploads/2024/05/Memoria-TEDIC-2023-1.pdf

Terras, M. (2016). Opening Access to Collections: The Making and Using of Open Digitised Cultural Content. En M. Ridge (ed.), Crowdsourcing Our Cultural Heritage. Routledge. https://discovery.ucl.ac.uk/id/eprint/1469561/1/MelissaTerras_OpeningAccess_OIR.pdf

UNESCO. (2021). Recomendación sobre la Ética de la Inteligencia Artificial. UNESCO. https://www.unesco.org/es/legal-affairs/recommendation-ethics-artificial-intelligence

UNESCO. (2023). Artificial Intelligence and Indigenous Languages: Opportunities and Challenges for Preservation. UNESCO. https://www.unesco.org/sites/default/files/medias/fichiers/2025/09/CULTAI_Report%20of%20the%20Independent%20Expert%20Group%20on%20Artificial%20Intelligence%20and%20Culture%20%28final%20online%20version%29%201.pdf

UNESCO. (2025). Inteligencia artificial centrada en los pueblos indígenas: perspectivas desde América Latina y el Caribe. Oficinas Regionales de Montevideo y México, pp. 45-58. https://www.unesco.org/es/articles/inteligencia-artificial-centrada-en-los-pueblos-indigenas-perspectivas-desde-america-latina-y-el-caribe

Unión Africana. (2015). Agenda 2063: The Africa We Want. Comisión de la Unión Africana. https://au.int/en/agenda2063/overview

Universo Abierto. (2025, 1 de septiembre). Despidos de catalogadores y calidad de los metadatos generados por IA en bibliotecas. https://universoabierto.org/2025/09/01/despidos-de-catalogadores-y-calidad-de-los-metadatos-generados-por-ia-en-bibliotecas/

Werthner, H., Lee, E. A., Akkermans, H., Vardi, M., Ghezzi, C., et al. (2019). Manifiesto de Viena sobre Humanismo Digital (Vienna Manifesto on Digital Humanism). TU Wien / Digital Humanism Initiative, Viena. https://dighum.ec.tuwien.ac.at/wp-content/uploads/2019/07/Vienna_Manifesto_on_Digital_Humanism_ES.pdf